D0783526

SWITCH

OLIVIA GOLDSMITH

Uitgeverij Luitingh ~ Sijthoff

Oorspronkelijke titel
Switcheroo
Uitgave
HarperCollins*Publishers*, Inc., New York

Vertaling
Parma van Loon
Omslagontwerp
Jan de Boer
Omslagdia
Digital Stock

ISBN 90 245 3525 5 NUGI 340

Aan LPG, mijn oudste vriend, in beide betekenissen van het woord,
met zusterlijke liefde en eeuwige dankbaarheid.

DEEL 1

LOKAAS

1

Sylvie bleef een ogenblik in de koele, donkere gang staan. Het was de enige schemerige plaats in het huis, en al hield Sylvie van licht – in feite was ze verliefd geworden op het huis vanwege het licht – toch vond ze de betrekkelijke duisternis van de gang een welkom contrast. Ze bedacht dat ze echt te veel te doen had om hier stil te blijven staan, met één hand op het eenvoudige, gebeeldhouwde mahonie van de trapleuning. Ze legde haar duim op de vertroosting schenkende plek waar de kromming van het hout was glad gesleten door jaren van andere duimen. Je hebt geen tijd om hier rond te blijven hangen, hield ze zich streng voor. Maar ondanks die vermaning wilde ze, één ogenblikje maar, genieten van de rust. Ze luisterde naar de zacht krakende geluiden die het huis voortbracht en het geruststellende getik van de wandklok, en dwong zich toen de kop thee op te pakken die ze op het tafeltje had laten staan. De geur van jasmijn drong in haar neus.

Sylvie begon de gang door te lopen, maar keek, zoals altijd, eerst even de eetkamer in en toen de zitkamer daartegenover, voordat ze verder liep naar de muziekkamer. O, ze hield zoveel van haar huis. Het was niet groot volgens de maatstaven van Shaker Heights – gewoon een koloniaal huis met een gang in het midden en maar drie slaapkamers. Maar als bezoekers eenmaal binnen waren, stonden ze altijd verbaasd over de grootse afmetingen en de waardigheid van het huis. Alle vier kamers op de begane grond waren precies even groot: allemaal waren het grote, lichte, luchtige kamers met drie meter hoge plafonds en lange, hoge ramen. Op een gegeven moment had Bob voorgesteld het huis te verkopen en een groter huis te kopen, maar Sylvie was ontdaan geweest en had vastberaden geweigerd. Ze had geen logeerkamer nodig – gasten sliepen naast hen in het huis van haar moeder of overnachtten op de sofa in de muziekkamer. Ze had geen zitkamer nodig: *alle* kamers beneden waren zitkamers voor het gezin.

Sylvie wist dat ze een geluksvogel was, en ze nam dat geluk niet als vanzelfsprekend aan. Bob lachte haar soms uit om haar gewoonte om elke kamer even te controleren. 'Ben je bang dat ze weglopen?' vroeg hij dan. Of: 'Zoek je iets?' 'Ik *zoek* niet, ik *kijk*,' was haar antwoord. Ze keek naar haar huis, het huis dat ze in de loop van de tijd langzaam had gecreëerd, met Bob en de kinderen. Maar ze voelde zich nooit zelfvoldaan.

Nu was Sylvie er meer dan ooit van overtuigd dat ze groot gelijk had gehad om er zelfs niet over te dénken het huis te verkopen. Misschien dat ze vroeger wat kleinbehuisd waren, maar wat zouden ze nu moeten beginnen met een grotere woning? Nu de tweeling niet meer thuis woonde, stonden de twee slaapkamers boven leeg, maar de rest van het huis leek haar te omvatten en te beschermen. Het was geen huis dat te groot was voor een echtpaar. Misschien dat ze op een dag, als ze eenmaal gewend was aan het idee dat de kinderen het huis uit waren, van een van hun kamers boven een echte logeerkamer zou maken. En van de andere misschien een werkkamer voor Bob. Dan hoefde hij niet meer al zijn papieren op het bureau in de hoek van de eetkamer te laten slingeren, al had hij het de laatste tijd niet veel gebruikt, of het tenminste veel netter gehouden dan gewoonlijk.

Sylvie liep de gang door naar de muziekkamer. Ze droeg haar kop thee voor zich uit alsof het glanzende witte porselein haar weg als een lamp zou kunnen verlichten. Ze had maar een paar minuten tijd voordat haar eerste les begon, en ze liep de muziekkamer in, waar ze de gebruikelijke georganiseerde rommel zag van bladmuziek, *Schirmer's Piano for New Students* naast *A Hundred Simple Piano Tunes* en *Chopin's Sonatas*. Haar grijze trui lag op het bankje voor de Steinway, maar niets lag – ooit – op het prachtige geverniste ebbenhouten blad van de vleugel. Een rilling van plezier liep over Sylvie's rug toen ze in de muziekkamer stond. De herfst zat al in de lucht en ze deed een van de hoge ramen dicht. Het was nog te vroeg om een vuur aan te leggen in de open haard, maar ze wist dat met het naderen van de herfst de tijd waar ze het meest van hield in deze kamer, de tijd waarin ze lesgaf en speelde terwijl het appelhout in de haard achter haar brandde, niet ver meer weg was. Al miste ze natuurlijk de tweeling, toch voelde ze zich altijd prettig in dit seizoen: september, als de kinderen weer naar school gingen en zij haar routine van de pianolessen weer had opgevat. Het gaf haar het gevoel dat het jaar begon. De leerlingen kwamen terug van hun zomervakantie. Sylvie herinnerde zich dat joodse mensen hun nieuwjaar omstreeks deze tijd vierden. Ze vond dat heel zinnig.

Geen reden om triest te zijn, hield ze zich voor. Geen leeg-nestsyndroom, alleen omdat de kinderen niet langer naar de Shaker Heights basisschool of Grover Cleveland High gingen. Haar dochter, Irene – Reenie voor de familie – zou zich thuis gaan voelen in Bennington, en haar tweelingbroer, Kenny, leek zich al volmaakt gelukkig te voelen in Northwestern. Dus, hield Sylvie zich voor, moest zij zich ook aanpassen en zich gelukkig voelen. Ze zou binnenkort haar veertigste verjaardag vieren en ze plande iets feestelijks. Bob had gevraagd wat ze wilde hebben en ze had eindelijk besloten. Per slot wilde ze romantiek. Al het andere had ze al.

Sylvie bleef even staan, nam een slokje thee, en overpeinsde hoeveel huwelijken in haar omgeving mislukt waren. Zij en Bob behoorden tot de fortuinlijke echtparen. Ze waren gelukkig. Ze hielden van elkaar. Maar ze moest toegeven dat ze soms het gevoel had... nou ja, Bob had het altijd zo druk. Ze had verwacht dat hij meer tijd zou hebben als de kinderen het huis uit waren, maar zij was de enige die meer tijd had. Hij had zijn agenda gevuld met campagne voeren, bijeenkomsten van mannenclubs, en zaken. Maar nu zou Sylvie hem helpen tijd vrij te maken, zodat ze zichzelf weer konden ontdekken als een koppel. Zijzelf zou zich meer kunnen concentreren op Bob. Daar hielden mannen van, zelfs mannen die zo ontwikkeld waren als Bob. Ze had al een paar nachthemden besteld bij Victoria's Secret. Ze zou romantische dineetjes bereiden. Ze had drie flessen champagne gekocht en verborgen in de oude ijskast in de garage, wachtend op een spontaan moment om er een met een weids gebaar te voorschijn te halen en door Bob te laten ontkurken.

Sylvie glimlachte even. Ze wilde 's ochtends met Bob in bed liggen en hem niet om half acht overeind laten springen om zich te douchen en te scheren. Ze wilde op de koele oktoberavonden in de tuin zitten, in een deken gehuld, met hem naast zich, starend naar de sterren. Ze wilde op een zondagochtend rondslenteren op een rommelmarkt, koffie drinken uit een plastic bekertje in de ene hand, terwijl Bob de andere hand vasthield. Ze keek om zich heen in haar mooie, geliefde kamer en glimlachte bij het vooruitzicht.

Sylvie had altijd medelijden gehad met vrouwen die buitenshuis moesten werken. Zij had zo geboft. Geboft, dat ze Bob zo jong had leren kennen, geboft dat hij teruggekeerd was naar Shaker Heights en probleemloos deel was gaan uitmaken van haar familie. Ze bofte dat de tweeling zo gezond was, zo intelligent, en nooit in echte moeilijkheden was geraakt. Ze hadden geen financiële problemen. Bob had zijn muziek opgegeven om partner te worden in de autohandel van haar vader, en had daardoor goed in hun onderhoud kunnen voorzien. Bob scheen het heel bereidwillig te hebben gedaan, hoewel Sylvie het altijd een beetje spijtig had gevonden. Ze wist zeker dat hij een talentvollere musicus was geweest dan zij. Misschien had zijn talent het hem wel gemakkelijker gemaakt om de muziek als beroep op te geven; Sylvie vond het niet erg om les te geven en had geen moeite met de wetenschap dat ze bijna – maar niet helemaal – goed genoeg was om op tournee te gaan. Haar talent was zwaar overdreven door haar liefhebbende familie. Juillard, dat haar aanvankelijk verrassend in de schoot was gevallen, was heel plezierig geweest – tot ze besefte dat ze het niet echt in zich had om concertpianiste te worden.

Maar ze was een goede lerares geworden, en ze vond het leuk om les te geven. Voor haar was het geen vluchtmogelijkheid, de saaie uitweg waartoe serieuze musici soms met tegenzin gedwongen werden. Ze hield ervan muziek in het leven van de mensen te brengen, en ontdekte dat ze ook hield van de vluchtige kijkjes in hun leven, die de lessen haar vergunden. Sylvie was een vrouw die genoot van hun vorderingen, en daarvoor was ze dankbaar. Ze vond het zelfs fijn om toonladders te onderwijzen, zoals ze het ook fijn vond ze te spelen. Ze hield van de ordelijkheid van het opbouwen van de lessen, van de ene week op de andere – van de langzame vorming van een musicus, week na week, als de leerling vingerzetting, timing en bladlezen onder de knie kreeg, tot het aangrijpende moment waarop de muziek schijnbaar moeiteloos losbarstte. Sylvie koesterde de momenten als leerlingen vrijwel opkeken van het toetsenbord van de Steinway, verbluft over hun eigen vermogen om een waterval van welluidende tonen aan het instrument te ontlokken, de klanken te herscheppen die Händel, Chopin of Beethoven had gecomponeerd.

O, ja, ze had enorm geluk. Geluk met haar materiële bezit, met haar gezin, en met haar vermogen om tevreden te zijn. Ze had gelukkig niets van de constante ontevredenheid van haar broer, of Bobs rusteloosheid, die Reenie van hem geërfd scheen te hebben. Kenny leek meer op haar. Maar zij had ook nooit iets opgegeven, opgeofferd, zoals Bob. Zij had haar muziek *en* haar gezin behouden. Ze had alles – een goed huwelijk, lieve kinderen, een huis waarvan ze hield, een carrière die haar beviel. En als Bob soms een beetje afwezig leek, als hij haar een tikje negeerde of haar als vanzelfsprekend beschouwde, dan konden ze daar nu iets aan doen – nu ze een tijdlang samen konden zijn.

Ze keek op haar horloge. Honey Blank, haar volgende leerlinge, was laat. Typisch iets voor haar. Sylvie hoorde iets in de gang en liep weer de kamer uit. De post gleed door de gleuf van de brievenbus op de deurmat. Misschien was er een brief bij van een van de kinderen. Kenny was een slechte brievenschrijver, maar Reenie zou misschien de tijd nemen om een paar regels te sturen. Sylvie knielde om de stapel op te rapen. De gebruikelijke rekeningen, een paar catalogi (binnenkort zou de stortvloed voor de kerstdagen beginnen) en een kaart van haar zus. Ellen was altijd vroeg met haar verjaardagswensen. Sylvie maakte hem open. *'Veertig maar nog fantastisch'* stond er op de voorkant, met een foto van een verschrompeld oud vrouwtje met een afschrikwekkende make-up. Bedankt, Ellen, dacht Sylvie. Ouder maar nog steeds passief agressief, merk ik. Sylvie haalde haar schouders op. Er was een ansichtkaart van Reenie. Sylvie las hem snel. Mooi. Het scheen dat Reenie gesetteld was. Ze had ondertekend met *'je dochter, Irene'*. Sylvie moest glimlachen om de formele toon.

Maar het was het prospectus van Sun Holidays dat haar gezicht deed opklaren. Hier had ze op gewacht. Ze had het gevoel dat zij en Bob de vlam weer moesten doen oplaaien, de vlam die altijd de kern van hun relatie was geweest. En nu de kinderen weg waren, hadden ze de tijd daarvoor. In haar hand hield ze een ticket naar de romantiek. Het was helemaal aan haar. Zij was altijd degene geweest die spontaan was, hun avonturen creëerde.

De telefoon ging en Sylvie liep met de post naar het gangtafeltje.

'Heb je net een les?' Op die manier begon Mildred, Sylvie's moeder, bijna elk telefoongesprek.

'Nee, maar Harriet Blank kan ieder moment komen.'

'Je boft. De enige vrouw in groot-Shaker Heights-Cleveland zonder sociale grenzen. Als zij weg is, hebben Bob en jij dan zin om te komen eten?'

'Nee, dank je. Ik heb een kip ontdooid.' Bob hield van Mildred, maar Bob had genoeg aan Sylvie's vader die hij bijna iedere dag zag op de zaak. Terwijl ze naar haar moeder luisterde, keek Sylvie de post verder door.

'Je vader gaat barbecuen,' vertelde Mildred.

'Nou, dat is een aansporing. Ik heb geen houtskool meer gegeten sinds de Vierde Juli. Kenny zegt dat opa's burgers kankerverwekkend zijn. Iets over vrije radicalen.'

'De enige vrije radicaal waarover ik gehoord heb is Patty Hearst,' snauwde Mildred. Sylvie giechelde terwijl ze de envelop van Sun Holidays openmaakte. Het was de glossy brochure die ze had aangevraagd. Met snel kloppend hart sloeg ze hem open. De foto's waren juweeltjes, ze glansden als saffieren en smaragden in de schemerige gang.

'Ik wilde je verjaardagsdiner op donderdag geven,' ging Mildred verder. 'Voor het geval Bob je vrijdag meeneemt naar een of andere dure tent.'

De enige plaats waar ze wilde dat Bob haar mee naartoe nam was Hawaii, dacht Sylvie. 'Hij heeft er niets over gezegd. Ik zal het hem vragen.'

'Misschien is het een verrassing.'

O, nee! 'Geen surprise party's, mam. Ik meen het,' waarschuwde Sylvie. 'Het is al erg genoeg dat ik veertig word. Ik hoef niet te zien hoe de hele straat zich verkneukelt. Om maar te zwijgen over Rosalie.' Alleen al de gedachte aan haar ex-schoonzus deed Sylvie huiveren. Ze hield de brochure op en zag een foto van een hotelkamer, waarin een hemelbed stond met witte gordijnen. Zij en Bob, gebruind door de zon, liggend onder die hemel... Nou ja, bruin werd ze niet, maar ze kon een roze teint krijgen en haar armen om hem heen slaan en...

'Sylvie, je loopt toch niet te kniezen? Niet dat ik het je kwalijk zou nemen, nu de tweeling weg is. Het valt niet mee, als kinderen tegelijk weggaan. Ik had zes jaar om eraan gewend te raken dat Ellen, Phil, en toen jij het huis uit gingen...'

'Ik knies niet, ik ben gelukkig.' Sylvie klemde de brochure tegen zich aan en legde de andere post in de mand. 'Ik moet me klaarmaken voor mijn les.'

'Goed, lieverd. Bel me als je je bedenkt.'

Er werd op het glas van de tuindeuren geklopt. Mevrouw Harriet Blank – Honey voor haar vrienden, als ze die had – stond bij de achteringang. 'Er liggen een hoop bladeren in het zwembad,' zei ze toen ze de kamer binnenkwam. 'Je moet een van die automatische zwembadvegers kopen.'

'Ook blij jou weer te zien,' zei Sylvie vriendelijk. 'Het is een lange zomer geweest.'

'Ik heb *elke* dag gestudeerd,' verzekerde Honey haar, zo defensief als Sylvie van haar verwachtte. Luie leerlingen waren dat altijd. Honey trok haar vest uit en legde haar tas op de leunstoel. Ze liep naar de pianokruk, maar bleef toen staan en keek aandachtig naar Sylvie. 'Ik heb je verleden week met Bob bij L'Etoile gezien, aan het meer. Je had iets geweldigs gedaan met je gezicht.' Honey keek nog aandachtiger naar Sylvie, '...*die* avond in ieder geval. Ik dacht dat je in de zomer misschien een facelift had genomen. Carol Meyers heeft het gedaan, weet je. Ze ziet er vreselijk uit. Onnatuurlijk strakgetrokken. Ik heb gehoord dat ze daarvoor helemaal naar Los Angeles is gegaan. Zonde van al die afgelegde kilometers. In ieder geval, je zag er geweldig uit – in L'Etoile –'

'Bob en ik hebben in maanden al niet meer buiten de deur gegeten,' zei Sylvie minzaam. 'Niet sinds Bob campagne is gaan voeren voor de grootvizier van de vrijmetselarij, of hoe die baas ook genoemd wordt.'

Honey trok een ongelovig gezicht. 'Jok je of ben je het vergeten?' vroeg ze.

'Ik jok niet over dingen als uitstapjes met mijn man,' zei Sylvie lachend, 'of over een facelift.' Ze raakte het deel van haar hals aan dat een beetje rimpelig begon te worden. De laatste tijd, als ze in een spiegel keek, zag ze soms een schaduw van het gezicht van haar moeder. Hemel. Ze zette die gedachte snel van zich af. Ze liet zich door die vrouw beïnvloeden. En Honey was zo'n stuk onbenul. Meestal was ze te ijdel om haar bril op te zetten, zelfs als ze reed. Maar... 'Wanneer was dat?' vroeg Sylvie onwillekeurig.

'Afgelopen dinsdag.'

'Toen waren we thuis,' zei Sylvie. Maar ze herinnerde zich nu dat Bob dinsdag laat was thuisgekomen. Maar niet zo erg laat. 'We waren allebei thuis,' zei ze nadrukkelijk.

'Kom nou. Jullie waren er echt,' hield Honey vol. 'Jullie flirtten als een stel idioten. Daarom zei ik maar geen goedendag.' Haar stem stierf weg. 'Jullie maakten zo'n romantische indruk,' mompelde ze.

'Dat bewijst dat ik er niet was,' zei Sylvie opgelucht. 'In Shaker Heights flirten mannen niet met hun vrouw - althans niet met hun eigen vrouw.'

'Jij was het.' Honey zweeg even. 'Alleen was je gezicht op de een of andere manier... opgetrokken. En je had maar één kin.' Honey keek weer onderzoekend naar Sylvie's gezicht. 'Je leek niet één rimpel te hebben. En je was bruin.'

'Honey, ik word *nooit* bruin. Niet sinds mijn geboorte. Ik word rood en ga vervellen. Mijn moeder kan het bevestigen.' Honey was onuitstaanbaar. 'Zullen we dan maar?' vroeg Sylvie, met een gebaar naar de piano.

Honey boog zich dichter naar Sylvie toe, nog steeds haar gezicht bestuderend. 'Nou, twee weken geleden was je bruin. Heb je dat ding van de televisie gekocht, met die tape en elastiekjes? Dat tijdelijke facelift-geval?'

'Nee, maar ik heb wel een keer dat dijapparaat gekocht. Ligt nog onder mijn bed. Wil je het hebben?' Sylvie sloeg op haar rechterbeen en gebaarde Honey om op de kruk te gaan zitten. 'Het is duidelijk dat ik het nooit gebruikt heb.'

Honey leek zich beledigd te voelen over Sylvie's antwoord. Ze ging zitten voor een paar vingeroefeningen. Honey had duidelijk *niet* gestudeerd. Langzaam werkten ze de les af. Tegen het eind van het vervelende uur meende Sylvie Bobs auto te horen. Ze wilde snel een eind maken aan Honey's les en haar nieuwe plan aan haar man voorleggen, maar ze was te professioneel om dat te doen. Ze keek alleen maar even naar de brochure over Hawaii, die tegen de muziekstandaard lag, en glimlachte.

Eindelijk was het lesuur voorbij. Sylvie gaf Honey een nieuwe taak en liep met haar mee naar de openslaande tuindeuren. Wat een dag! De herfstlucht werkte verfrissend, de pittige geur van appels werd gecombineerd met die van drogende bladeren. Sylvie haalde diep adem, klopte op de bladmuziek die ze Honey overhandigde en trok haar wenkbrauwen op, strenger dan ze zich ooit tegenover een volwassen leerling had gepermitteerd. Maar subtiliteit was aan Honey niet besteed. Ze namen afscheid. Honey nam de muziek aan, bekeek haar aandachtig, bracht haar hand naar haar eigen wenkbrauw en trok de huid op tot een rimpelloze boog. 'Als iemand er zó goed uitziet, al is het maar voor één avond, dan vind ik het egoïstisch om een vriendin niet te vertellen hoe je dat hebt gedaan,' zei Honey geërgerd.

'Ik vertel je alle muzikale tips, Honey,' zei Sylvie. 'En dit is mijn beste: studeer.' Zachtjes deed ze de deur dicht, draaide zich om en ging naar haar man.

2

Bob zat niet achter zijn bureau en was niet in de zitkamer. Sylvie keek in de keuken, draaide de kip om in de marinade, en zuchtte. Bob was zeker al naar boven.

Sylvie was al halverwege de trap, toen ze besefte dat ze de reisbrochure in de muziekkamer had laten liggen. Honey, moest Sylvie met tegenzin toegeven, had haar in de war gebracht. Ze draaide zich om, holde de trap af, pakte de brochure en liep terug. Nu kon ze het geluid van de douche in de grote badkamer horen. Daar was ze al bang voor geweest! Dat betekende dat Bob waarschijnlijk weer wegging vanavond. De kip zou verspild zijn. Verdomme! Sylvie wilde dit gesprek niet uitstellen, maar ze wilde het ook niet tussen Bobs douche en zijn vertrek proppen.

Sinds Bob erover was begonnen dat hij de hoge piet van de heel geheime vrijmetselaars zou worden, had hij het razend druk gehad. Waarom wilde hij die positie eigenlijk? Hij kreeg er geen cent voor en zo leuk kon het toch niet zijn. Rondlopen in schorten, of wat ze ook droegen, en geheime liederen zingen leek haar totaal niets voor Bob. En waarom hij zich zo nodig moest scheren, verkleden en optutten voor een rokerige kamer begreep ze evenmin. Hij was ijdeler geworden de laatste tijd – ze kon zich niet herinneren dat hij ooit de moeite had genomen zich te douchen en te scheren voor de Rotary, zelfs niet toen hij voorzitter was. Nou ja, wist zij veel, misschien was het een voorschrift of zo van de vrijmetselarij. Sylvie liep naar de deur van de slaapkamer, bleef even staan, streek nerveus door haar haar en streek toen de brochure in haar hand glad. Het werd tijd voor een verandering. Ze *moest* het Bob aan zijn verstand brengen. Charme en spitsvondigheid werkten bij haar man. Ze hield stil naast haar nachtkastje en haalde er een rol plakband uit. Ze glimlachte bij zichzelf toen ze door de slaapkamer liep. Ze zou zijn aandacht trekken.

Sylvie beende kordaat de badkamer in. De stoom duwde met vochtige kracht tegen de deur en toen tegen haar lichaam. Onwillekeurig keek ze naar de plek op de muur waar maanden geleden de verf was gaan afbladderen. Ze wenste voor de honderdste keer dat Bob eraan zou denken het hete water niet zo hoog te draaien - maar hij deed het nooit. Tolerantie hoorde bij het huwelijk. Sylvie haalde haar schouders op en liep naar de glazen wand van de douche.

Door het gevlekte glas kon ze Bobs lichaam zien, maar het glas leek hem te veranderen in wisselende plekken kleur – zo ongeveer als technici de gezichten van schuldige mensen op de televisie elektronisch vervormden als ze tegen hun zin geïnterviewd werden. Sylvie staarde. Pointillistische Bob. Toen pakte ze een handdoek en veegde het glas schoon. Ze zou leuk en spitsvondig zijn. Vrolijk drukte Sylvie de brochure tegen de douchewand en bevestigde die, ondanks het vocht, met het plakband.

'Hoi, schat. Ik heb een verrassing voor je.'

'Je les voorbij?'

Sylvie kon zien dat de witte stippen boven op de roze stippen van Bobs hoofd net waren weggespoeld van de bezielde pop die haar man was. Wat betekende dat hij zijn haar gewassen had en veilig zijn ogen kon openen. Ze tikte tegen het glas. 'Kijk eens wat ik voor je heb meegebracht,' zei ze. Ze keek terwijl hij dichter bij het glas kwam. Hij boog zich plotseling voorover, bijna tegen de glaswand, en zijn gezicht werd zichtbaar. Heel nat, maar herkenbaar Bobs knappe gezicht. Vlak bij het glas vervaagden de trillende beelden niet. Sylvie wist dat hij dichtbij genoeg was om de brochure te zien.

'Tonen en vertellen?'

'Tonen en gaan,' antwoordde ze, in een poging tot gekheid.

Maar tot haar teleurstelling ging de vlieger niet op. Zijn hoofd verdween weer. Werd weer een schilderij van Seurat: Dinsdag in de Douche met Bob.

Sylvie voelde haar opwinding van zich afvallen als een verdord blad van een boom. *Nee*. Ze *moest* zijn aandacht trekken. Ze tikte weer op de douchewand. 'Bob! Kijk eens! Zulke kleuren hebben we niet meer gehad sinds de jaren zeventig.'

Hij zocht iets op de hoekplank. 'Mooi. Wat is het? Iets als Hawaii?'

'Héél goed! Het *is* Hawaii.' Even voelde ze zich hoopvol, maar besefte toen dat hij niet eens keek. Ze zou het nog eens moeten proberen. 'Zie je die twee mensen snorkelen? Dat zouden *wij* kunnen zijn, Bob.' Sylvie wachtte even op zijn reactie. Toen zag ze tot haar ontsteltenis nog meer witte geanimeerde stippen verschijnen boven op de trillende vorm van haar man. Hij waste zijn haar twee keer. Dat was heel ongewoon. Bob las nooit de gebruiksaanwijzing op enig product of apparaat, niet sinds ze hem had leren kennen. Wanneer las hij ooit de gebruiksaanwijzing op de flacon shampoo? Sinds wanneer zeepte hij zijn haar *twee* keer in?

De stoom werd te veel. Sylvie haalde de brochure van de glaswand af. Het knisperige nieuwe gevoel werd al aangetast door het vocht in de badkamer. De foto's op de dubbele pagina hingen slap. Een ogenblik werd die slapte geïmiteerd door het slaphangende buikje van Bob, dat als eerste uit de douche kwam, gevolgd door de rest van hem. Snel werd alles in het speciale badlaken gewikkeld dat hij graag gebruikte. Zo ingepakt, draaide hij zich om en stak zijn arm in de douche, om eindelijk de kraan dicht te draaien. De stilte verraste Sylvie, die zich behoorlijk ongelukkig voelde. Misschien merkte Bob het, want hij draaide zich naar haar om en sloeg zijn armen om haar heen in een van zijn beroemde onstuimige omhelzingen. Juist toen ze zich in zijn armen begon te ontspannnen, liet hij haar los, keerde zich naar de wasbak en pakte zijn scheermes en de bus scheerschuim.

'Heb je nog iets van de kinderen gehoord?' vroeg hij achteloos.

'Niets van Kenny, maar Reenie heeft een kaart gestuurd. Ze zegt dat ze weer van hoofdvak wil veranderen.'

'Geen Franse poëzie meer?' vroeg Bob, die het schuim op zijn rechterwang spoot en zijn nek uitrekte zoals mannen doen voordat ze de scheercrème op hun wangen kloppen. Sylvie vroeg zich af of scheren hielp tegen veroudering – Bobs hals zag er strakker uit dan de hare, al was hij al vierenveertig.

'Ze vindt dat ze postcommunistische Russische studie als hoofdvak moet nemen.'

'Moet? Dat klinkt niet als iets dat iemand *moet* doen,' zei hij, terwijl hij het scheermes over zijn wang haalde.

Zoals altijd, had Sylvie het gevoel dat ze haar wispelturige dochter moest verdedigen. Qua temperament leken Reenie en Bob zoveel op elkaar, dat Sylvie soms tussenbeide moest komen. 'Ze heeft er lang over nagedacht. Ik geef toe dat ze een beetje de kluts kwijt is op het ogenblik.'

'Nou, ze moet maar zorgen dat ze een A haalt, of op zijn minst een B plus,' zei Bob. Hij glimlachte vluchtig naar haar. Zijn tanden leken geel tegen het ongewoon witte wit van zijn schuimbaard. Het gaf hem een bijna onaangenaam wolfachtig uiterlijk. Sylvie dacht aan de uitdrukking 'lange tanden'. 'Ze moet zorgen dat ze volgend jaar een studiebeurs krijgt, dat is wat ze moet doen,' ging Bob verder. Het scheermes sneed weer een pad door het schuim. 'Eerst moet ze zo nodig de duurste school in Amerika kiezen. Nu *moet* ze irrelevante recente geschiedenis studeren. Je kunt niet eens je brood vedienen met een doctoraal in irrelevante *oude* geschiedenis.'

'Wij vonden allebei dat we muziek moesten studeren,' bracht Sylvie hem in herinnering.

'Ja. Dat heeft me wél geholpen in mijn carrièrre,' zei Bob sarcastisch. 'Als ik een proefrit maak met iemand, ken ik alle klassieke radiozenders.'

De toon van het gesprek beviel Sylvie niet. Bob leek boos en chagrijnig. Normaal was hij een toegeeflijke vader, een liefhebbende echtgenoot. Een beetje wanhopig boog Sylvie zich naar voren en plakte de brochure met tape op de spiegel, naast de weerkaatsing van zijn nu bijna geschoren gezicht. Het plakband bleef moeilijk zitten op het natte glas.

Bob negeerde de brochure en spoelde het scheermes schoon. 'We leven niet meer in de jaren zestig of zeventig,' zei hij. 'Reenie moet eens verantwoordelijk gaan denken. Realistisch. Besef je wel dat de kinderen nu ouder zijn dan toen wij elkaar leerden kennen?'

'Ze zijn te klein van stuk om zo oud te zijn,' antwoordde Sylvie.

Hij lachte en kneep met zijn ene hand in haar nek, een gebaar dat ze diep in haar lichaam voelde. Sylvie glimlachte naar hem in de spiegel en begon te gebaren naar de brochure, maar hij haalde zijn hand weg en boog zich voorover, zocht in het kastje onder de wasbak. 'Bob, toen we afgestudeerd waren van Juilliard, zouden we door het land gaan trekken in een beschilderde bus. En musiceren wanneer e er zin in hadden. Waarom hebben we dat nooit gedaan?' vroeg Sylvie. Haar stem, besefte ze, klonk klagend. Waar bleef de spitsvondigheid? En de charme?

Bob beklopte zijn gezicht met aftershave. 'Twee redenen,' zei hij. 'We waren tien jaar te laat en in plaats daarvan kregen we een leven.'

'Bob. Wat Hawaii betreft. Voor mijn verjaardag zou ik echt heel graag –'

‘O, nee! Een reis? Nu?’ Hij draaide zich af van de spiegel. ‘Kom nou, liefje. Dat is absoluut onmogelijk. We worden overstroomd met nieuwe modellen. Je vader heeft het over een advertentiecampagne, en ik flirt met het idee van de politiek. In ieder geval, met studiegeld voor twee kinderen... het kán gewoon niet.’

‘Het is niet duur,’ zei Sylvie snel. ‘Niet in deze tijd van het jaar. Het seizoen is nog niet begonnen. Het is een all-in reis. En ik heb geld gespaard van de lessen.’

‘Hé! Zelf je verjaardagscadeau betalen? Ik zou zeggen van niet.’ Hij gaf haar een zoen op haar wang. Zijn aftershave rook naar limoen, heel onvertrouwd. ‘Bovendien héb ik al een cadeau voor je. Ik heb het vanavond mee naar huis genomen. Wil je het zien?’ Hij liet zijn handdoek vallen, trok zijn slipje aan, stapte in zijn broek en zocht naar zijn riem. Sylvie overhandigde hem. Terwijl hij hem door de riemlussen haalde, zag Sylvie de brochure langzaam langs de natte spiegel omlaagglijden en blijven liggen in een plas water op de toilettafel.

Bob, die zijn hemd aan had, omhelsde haar opnieuw. ‘Hé! Ga mee naar beneden. Wees maar niet bang, ik ben je naderende grote dag niet vergeten. Vier decades! En je ziet er geen dag ouder uit dan veertig!’ Ze glimlachte zwakjes. Hij pakte haar hand vast. ‘Dus kom nu mee naar beneden en aanschouw je beloning.’

Sylvie volgde Bob langzaam de trap af, de keuken door, via de achterdeur naar buiten, langs het rozenperk en haar rij dubbele zinnia’s, naar de oprit. Het licht begon te vervagen, en zijn auto – zijn obsessie – stond voor de garage geparkeerd.

‘Je geeft me toch niet Beautiful Baby voor mijn verjaardag, hè?’ vroeg Sylvie plagend. Als Bob de keus had tussen zijn auto of zijn prostaat verliezen, zou hij vermoedelijk de two-seater kiezen. Het was een perfect gerestaureerde BMW, een XS200 uit 1971. Maar wat had hij in vredesnaam voor *haar* gekocht? Haar hart begon snel te kloppen. Bobs auto was heel klein, maar er was genoeg ruimte in het handschoenenkastje voor een juwelendoos.

‘Je weet dat ik vrijdag pas jarig ben. Zullen we niet liever tot dan wachten?’ vroeg Sylvie. Ze voelde zich schuldig omdat ze zo lelijk gedacht had over Bob. Hij was echt heel attent.

‘Kom op! Je lijkt een beetje gedeprimeerd. Ik wil dat je hier zo gauw mogelijk van geniet. Gebruik hem op je verjaardag.’ Bob drukte op de afstandsbediening om de garagedeuren te openen. Toen ze omhooggingen, draaide hij het licht aan. Met een triomfantelijke uitdrukking op zijn gezicht gebaarde hij naar de auto.

Verlicht door de tl-buizen erboven stond een nieuwe BMW sportwagen. Een grote rode strik was om de motorkap gebonden. Een auto? Bob sloeg zijn arm om haar heen. 'Welgefeliciteerd, schat,' zei hij. 'De kinderen zijn het huis uit. Tijd voor een stukje speelgoed. Veel plezier ermee.'

Sylvie keek naar het glimmende zilver-gespoten-en-glanzend-chromen voorwerp. 'Waaar is mijn sedan?' vroeg ze zwakjes.

'Maak je geen zorgen. Hij staat al op de afdeling "één-vorige-eigenaar".' Hij gebaarde naar de sportwagen. 'Is het geen schoonheid? Is dat niet beter dan een reis naar Hawaii?'

Sylvie knikte onwillig. Ze hoorde zich dankbaar en opgewonden te voelen. Zelfs al was de familie dealer voor BMW en kreeg ze om de paar jaar als vanzelfsprekend een nieuwe auto. Dit *was* iets bijzonders. Ze wist dat Bob de nieuwe sportwagens die binnenkwamen niet kon houden. Dus waarom voelde ze zich zo... teleurgesteld? Ze keek op naar Bob. 'Dank je,' zei ze, en probeerde wat enthousiasme te tonen. Het lukte niet. 'Het is een extravagant cadeau. Het is geweldig,' zei ze, en ze hoorde de doffe klank in haar stem. Ze hoopte maar dat Bob het niet hoorde. Ze wilde hem niet kwetsen.

Maar Bob leek absoluut niet beledigd. Hij klopte op het leer van de zitting. 'Je zult er net zoveel van gaan houden als ik van die van mij,' zei hij. Sylvie betwijfelde het, maar forceerde een glimlach. 'Kom, ik moet er vandoor,' ging hij verder. 'We nemen de auto mee naar buiten op je verjaardag, oké? Misschien kunnen we naar het meer rijden. In L'Etoile eten. We zijn daar heel lang niet geweest.'

'Natuurlijk. Oké.' Sylvie zweeg even. Wat was het ook weer? O. 'Grappig, want toen Honey Blank vandaag kwam–'

Bob had zijn autosleutels te voorschijn gehaald. 'Honey Blank? Dát mens? Kun je het me in vier woorden of minder vertellen?' vroeg hij. 'Of beter nog, bewaar het voor later. Ik moet er echt vandoor.'

'Doet er niet toe. Ik vertel het je wel als je thuiskomt,' gaf Sylvie toe. Wat deed een toevalligheid er toe? Nauwelijks een interessant onderwerp van gesprek.

'Het wordt misschien laat. Ik zal je niet wakker maken.' Bob stapte in Beautiful Baby en startte de motor. Even zag Sylvie hem als een vreemde, een man van middelbare leeftijd met een klein buikje, in een sportwagen die gemaakt was voor heel jonge mensen.

'Ik zou het niet erg vinden als je me wakker maakte,' zei ze, in de hoop dat hij de hint zou begrijpen, maar hij reed al achteruit de oprit af. Hij zwaaide toen hij de straat bereikt had en gaf gas. Sylvie keek hem na. Ze bleef even in de schemering staan; het lelijke fluorescerende licht uit de garage achter haar kleurde de bestrating onder haar voeten olieachtig paars.

'Nou, dat is indrukwekkend.'

Sylvie keek op. Rosalie de Verbitterde, haar ex-schoonzus. Niet nu, dacht Sylvie. Niet dat Sylvie niet van Rosalie hield en geen medelijden met haar had. Ze koos zelfs partij voor haar tegen haar eigen broer, maar Rosalie *was* moeilijk.

'Een nieuwe auto?' vroeg Rosalie. 'Ik kan Phil zelfs niet zover krijgen dat hij mijn versnellingsbak nakijkt. En hij is het hoofd van de serviceafdeling.'

Sylvie was al lang geleden tot de conclusie gekomen dat een gesprek met Rosalie onmogelijk was. Alles was een klacht of een aanval. Hoewel ze was achtergebleven met het huis, alimentatie en een royale bijdrage voor de kinderen, voelde Rosalie zich toch bedrogen. Natuurlijk, dat moest Sylvie toegeven, wás Rosalie ook bedrogen. Ook al was Phil haar broer, toch vond Sylvie dat hij zijn verdiende loon had gekregen. Maar ze wilde wél dat Rosalie niet naast haar woonde.

'Ben je wezen joggen?' vroeg Sylvie, gedeeltelijk om van onderwerp te veranderen en gedeeltelijk om maar iets te zeggen. Rosalie droeg een short en het soort Nikes die in de drie cijfers kost. Sylvie drukte op de knop van de garage om de deur dicht te doen. Rosalie, die zo mager als een lat was, negeerde de vraag. Sylvie kreeg de indruk dat ze de meeste energie die ze had gebruikt om op Phil te vitten nu gebruikte om te trainen. Rosalie jogde, deed aan gewichtheffen, gaf les in aerobics, en volgde zelfs een yogacursus in het centrum van Cleveland. Misschien, dacht Sylvie, moest ze Rosalie haar dij-apparaat geven. Niet dat ze dat nodig had.

'Besef je wel wat een gelukkig mens je bent?' vroeg Rosalie. 'Besef je dat?' Rosalie keek om zich heen naar de bloemperken, het gazon, het huis. 'Een nieuwe auto in je garage, twee fijne kinderen op de universiteit, *en* een echtgenoot in je bed.' Rosalie schudde haar donkere hoofd. Sylvie draaide zich om en liep naar de achterdeur. Ze had medelijden met Rosalie – haar drie kinderen maakten ruzie of negeerden haar, hadden zowel de school als hun werk verzaakt. Maar Rosalie hield niet op met klagen. Ze volgde Sylvie nu over de leistenen patio.

Rosalie de Onverbiddelijke. 'Veertig is voor geen enkele vrouw gemakkelijk. Maar als *iemand* het gemakkelijk heeft, dan ben jij het wel,' zei Rosalie. 'Je hebt geluk. Je hebt altijd geluk gehad.'

Sylvie was bij de hordeur, maakte die open en glipte naar binnen. Toen deed ze hem welbewust op slot. 'Je hebt gelijk, Rosalie,' zei Sylvie door het gaas van de hordeur heen. 'Ik héb geluk. Ik leef in een paradijs.'

En ze deed de achterdeur dicht.

3

Sylvie had de kap van haar nieuwe auto neergeklapt, al was het vrij kil. Het was verkwistend om met de verwarming aan in een open auto te rijden, maar ze deed het toch. Wat kon het haar schelen. Ze wilde doen wat ze wilde. Ze was bijna veertig. Geniet van het leven!

De levensmiddelen die ze net had ingeslagen stonden keurig in vier zakken op de achterbank en toen ze een scherpe bocht nam, ving ze een glimp ervan op in de spiegel. Ze verschoven, maar er viel niets uit. Toen de kinderen nog thuis waren, moest ze de achterbank en de kofferbak volstouwen met boodschappen – Kenny en zijn vrienden aten als wolven. Nu waren vier zakken en een dollar fooi voor de inpakker voldoende om de achterbank en de provisiekast thuis te vullen.

Ze nam een bocht veel sneller dan gewoonlijk. De wind woei door haar haar. Gek, er was zoveel lucht, en toch scheen ze nauwelijks adem te kunnen krijgen. Op de een of andere manier kon ze alleen maar heel oppervlakkig wat lucht inademen. Misschien zou ze aan yoga moeten gaan doen.

De vorige avond, na een eenzame maaltijd van te gare kip moeizaam naar binnen te hebben gewerkt, had ze op Bob gewacht. Hij was na middernacht thuisgekomen en had niet willen praten. Sylvie drong niet aan. In plaats daarvan had ze het grootste deel van de nacht slapeloos en verward wakker gelegen. Ze had –

Uit het niets kwam rechts van haar een auto te voorschijn uit een bijna verborgen oprit. Sylvie draaide aan het stuur en de sportwagen zwenkte gehoorzaam opzij. Een bestelwagen reed op de andere baan van de weg. Een heel licht rukje bracht haar auto terug op haar eigen helft, lang voordat de bestelwagen een echt gevaar betekende, maar ze was geschokt. Net als de boodschappen. Sylvie moest toegeven dat de sportwagen heerlijk was om in te rijden, maar voor haar hoefde het niet zo nodig. Op de een of andere manier was het mis. Heel erg mis.

Wat is er mis met *mij?* dacht Sylvie. De meeste vrouwen zouden hun man opgeven voor zo'n auto. Of, wat dat betrof, hun auto opgeven voor een man als de mijne. En ik heb allebei. Rosalie heeft gelijk. Ik ben een heel gelukkig mens. Ik hoorde dankbaar te zijn. Ze begon haar litanie. Ik ben gezond, ik hou van Bob, hij houdt van mij, met de kinderen gaat het goed. Het is een prachtige zonnige dag en de bladeren beginnen te verkleuren. Die onrust, dat knagende gevoel van ongenoegen, was niets voor haar. Sylvie schaamde zich omdat ze zich ongelukkig voelde, maar het ging niet weg, het zat vlak onder haar borstbeen. Ze remde voor een rood licht; de auto stopte soepel en zonder enige moeite.

Het stuur onder haar handen was nat van het zweet. Het gevoel dat zich in haar had opgekropt, dat in haar borst was blijven steken, kroop omhoog naar haar keel, zodat er bijna geen lucht meer doorheen kon. Ze probeerde te slikken, maar kon het niet. Het deed er trouwens niet toe – haar mond was zo droog dat er niets door te slikken viel. Of ik ben bezig gek te worden, óf er is echt iets mis, dacht ze, toen het licht op groen sprong. Een claxon schetterde achter haar. De bestuurder had haar nog geen minuut gegund. Ze gaf gas. Plotseling ging er een golf van woede – van razernij – door haar heen, zo hevig, dat ze moeite had om de weg te onderscheiden. Ze keek in de achteruitkijkspiegel naar de oude man in de grote Buick achter haar, drukte het gaspedaal in en hief haar middelvinger naar hem op.

Hemel! Dat had ze nog nooit in haar leven gedaan. Dolle woede in het verkeer? Wat was er aan de hand?

Ze besefte dat het meer was dan alleen haar aversie tegen deze auto. Bob had niet aan haar gedacht toen hij hem van het terrein haalde. Het cadeau was een reflex geweest, niet reflectief. Hij had niet één seconde nagedacht, geen moment overwogen wat zij zou willen hebben. Hij beschouwde haar als vanzelfsprekend. Hij had ook niet geluisterd toen ze het over Hawaii had. Wanneer was de laatste keer geweest dat hij *had* geluisterd? Sylvie wilde geen werktuiglijke cadeaus, al waren ze nog zo luxueus. Ze wilde niet als vanzelfsprekend worden beschouwd. Ze wilde niet genegeerd worden door Bob. Er waren zoveel dingen die ze *niet* wilde, dat ze er bijna duizelig van werd en bijna de linker afslag naar haar straat miste. Ze rukte aan het stuur, en de nieuwe banden piepten toen ze de bocht nam. Ze reed langzaam Harris Place in, het doodlopende straatje waar ze woonde, waar haar moeder het grote huis had met de witte pilaren en waar haar broer in een huis in tudorstijl had gewoond voordat hij van Rosalie was gescheiden. De paar andere huizen in Harris Place waren allemaal traditioneel, goed ontworpen en goed onderhouden. Ze reed langs de perken vinca's voor het huis van de Williamsons en de rij goudgele chrysanten die fantasieloos op een rij stonden langs Rosalie's hek. Alles leek zo ordelijk, maar dat voorgevoel, dat instinctieve besef dat er iets mis was, werd ondraaglijk. Ze kreeg nog steeds geen adem. Het leek of het open dak van de auto het volle gewicht van het universum binnenliet om haar te verpletteren. Haar huis, het huis waar ze van hield, doemde voor haar op.

Sylvie nam een scherpe bocht naar rechts en voelde de wielen van de BMW moeiteloos over het trottoir gaan. Ze reed kalm over haar gazon aan de zijkant van het huis en toen dwars door het bloemperk, over de zinnia's. Ze voelde een ijzige kalmte toen ze verder reed over het grasveld in de achtertuin, en een zorgvuldig berekende bocht naar rechts nam, de leistenen patio vermijdend. De blauwgroene rechthoek van het zwembad lag recht voor haar en zonder vaart te minderen reed ze erheen; de auto bewoog zich als een geleid projectiel naar de betonnen rand van de tweeëneenhalve meter hoge duikplank. Toen de voorwielen in de lege ruimte ronddraaiden, vlak voordat ze het turkooizen water in doken, kon Sylvie voor het eerst die hele dag diep ademhalen.

'Sylvie! Sylvie, kindje! Gaat het goed met je?'

Mildred was bezig de gordijnen in de slaapkamer opnieuw op te hangen en had naar buiten gekeken en gezien hoe haar dochter een L maakte in het gazon en die krankzinnige toer uithaalde. Nu stond Mildred aan de rand van het zwembad. Ze kon niet zwemmen – had dat nooit geleerd – maar ze zou erin springen om haar dochter te redden als het moest. Tot Mildreds opluchting zag ze Sylvie's hoofd door het oppervlak van het met bladeren bezaaide water omhoog komen. Sylvie, een goede zwemster, zwom met een sierlijke borstslag over de kofferbak van de auto door het zwembad, haar tas nog in de hand. Haar schoenen waren op de bodem gevallen, maar de short en blouse die ze aan had voelden verrassend zwaar aan en trokken haar omlaag. Maar Sylvie slaagde erin door het koude water naar het trapje te zwemmen.

Mildred stond hijgend met één hand op de leuning van het trapje, de andere hand op haar hevig op en neer gaande borst. 'Je maakte me bang,' zei Mildred. Er klonk een gil aan de andere kant van de tuin en Mildred schrok op en draaide haar hoofd om. Sylvie, nog in het zwembad, kon niets zien, maar wist aan wie de stem toebehoorde. 'O, nee, hè?' mompelde Mildred. 'Ik weet dat ze nooit haar gordijnen wast, dus wat voor excuus heeft ze om dit te zien?' Ze hurkte neer om dichter bij Sylvie te komen en stak haar hand uit om haar te helpen. 'Je exschoonzus zwaait naar je,' zei ze.

Sylvie klom het trapje op, draaide zich om en zag Rosalie's donkere hoofd boven de spijlen van het noordelijke hek. 'Problemen in het paradijs?' gilde Rosalie.

Mildred negeerde Rosalie en hielp haar dochter behoedzaam uit het zwembad. 'Waarom deed je dat?' vroeg ze.

'Misschien om me te kunnen herinneren waar ik hem geparkeerd heb?'

'Drijf de spot niet met je moeder.'

Sylvie maakte haar tas open, zonder te letten op het water dat eruit stroomde, en stopte haar autosleutels erin. Toen knipte ze de tas weer dicht. Het geluid dat het maakte, als een mini-autodeur die dichtviel, klonk minder solide dan anders. 'De spot drijven?' herhaalde ze verward. Ze voelde zich een beetje duizelig, maar ze kon tenminste ademhalen.

'Sylvie, besef je wel dat je iets heel vreemds hebt gedaan? En als je het niet beseft, is het nog vreemder.'

Sylvie draaide zich om en keek naar het tafereel achter haar. Drie nectarines en een krop sla dreven nu op het water van het zwembad. De auto lag glinsterend op de bodem als een zilveren vis onder een laag aspic. *Wat had ze gedaan?* En waarom had ze het gedaan? Ze hief haar hand op naar haar ogen om het water weg te vegen dat uit haar haar omlaagstroomde, en realiseerde zich dat er ook tranen uit haar ogen rolden. Wat had ze gedaan? Was ze gek? 'Ik wilde alleen Bob op mijn bestaan attent maken,' bekende ze fluisterend.

Mildred knikte en maakte de deur open van de buitenkast, die Bob altijd lachend de 'Cabana' had genoemd. O, Bob was een grappenmaker, absoluut. Sylvie huiverde in de koele herfstlucht, terwijl ze naar haar moeder keek, die er twee verschoten strandlakens uit haalde. 'Sylvie, schat,' zei Mildred, 'mannen merken het bestaan van hun vrouw niet op. Een nieuw blondje in de buurt, ja. Een sportwagen, reken maar. Maar vraag je vader na zesenveertig jaar huwelijk eens wat voor kleur ogen ik heb.' Mildred keek strak in de ogen van haar dochter. 'Geef het op, Sylvie.' Mildred sloeg een van de handdoeken om Sylvie's schouders en drukte de andere in haar hand. 'Voor je haar,' zei ze. Rosalie had haar linkerbeen over het hek geslagen. 'Wat kan ik doen?' brulde ze.

Geërgerd verhief Mildred haar stem. 'Verhuizen, Rosalie, weg uit deze buurt. Je bent nu drie jaar van mijn zoon gescheiden.' Rosalie was er bijna in geslaagd het hek te vernielen. Sylvie wist dat Rosalie eenzaam was sinds de scheiding en zonder de kinderen, maar al deed ze haar best om met haar mee te voelen, ze vond Rosalie schaamteloos in haar bemoeiingen met de familie. Ze wilde haar huis niet verkopen of uit de straat vertrekken; ze wilde niet ophouden met haar neus in andermans zaken te steken, met roddelen en onverwacht en ongevraagd voor je neus staan. Phil was blut na de schikking die hij met haar had getroffen, maar ze hield nog steeds vol dat hij geheime fondsen bezat. En dat iedereen er beter aan toe was en over meer geld beschikte dan zij.

Nu sloeg Rosalie de Bemiddelde ook haar rechterbeen over het hek en sprong in de tuin.

Rosalie stevende regelrecht op het zwembad af en staarde erin. 'Lieve hemel! Ik heb het gehoord maar niet gezien.' Ze hurkte neer, staarde naar de auto en grinnikte. 'Valt dit onder de garantie?' vroeg ze. Ze stak haar arm uit en pakte de sla, die bij de rand van de muurafdekking van het zwembad dreef, en liep ermee naar Sylvie. 'Kind, wat zie jij eruit,' zei Rosalie, terwijl ze onderzoekend naar Sylvie keek, die stond te druipen als een ontdooiende vrieskast. Rosalie hield de sla op. 'Wil iemand sla?' Mildred rukte hem uit haar hand. 'Wat is er met je gebeurd, Sylvie?' vroeg Rosalie. 'Ik bedoel, behalve die onderdompeling? Ik kon je gisteravond in het donker niet zo goed bekijken, maar je ziet er niet uit. Je zag er een paar dagen geleden veel beter uit toen ik je met Bob uit Vico's zag komen. Hij reed nogal hard, maar ik had er een eed op kunnen doen dat je was afgevallen. Ik had tenminste de indruk dat je was afgevallen,' zei Rosalie weifelend, terwijl ze naar de natte kleren keek die aan het lichaam van haar schoonzus plakten.

'Ik zat een paar dagen geleden niet bij Bob in de auto,' zei Sylvie. 'Hij rijdt te hard.'

'Hij liep wél hard van stapel met je!'

'Ga naar huis, tuthola,' snauwde Mildred en begon Sylvie weg te duwen van de plaats van de misdaad. Sylvie wist dat Mildred, net als zij, medelijden had met Rosalie, maar toch – Rosalie was onbeschaamd en ongevoelig. Daarom had ze zo goed bij Phil gepast. Mildreds hart was gebroken toen ze uit elkaar gingen.

'Ik zat niet in Beautiful Baby,' riep Sylvie achterom. Had heel Cleveland niet anders te doen dan haar te zien op plaatsen waar ze niet was? Straks werd ze nog gezien met Elvis.

'Jullie zullen dit gesprek wat later voort moeten zetten.' Mildred keerde Rosalie haar rug toe en stuurde Sylvie zachtjes maar vastberaden het huis in naar de muziekkamer. Ze deed de tuindeuren achter hen op slot en zette Sylvie neer op het bankje.

Buiten draaide Rosalie aan de deurknop.

'Ik heb al jaren niet meer in Bobs wagen gezeten. Ik ben niet helemáál gek,' zei Sylvie tegen haar moeder.

'Bewijs van het tegendeel,' zei Mildred, en haalde de handdoek van Sylvie's hoofd. 'Je moet de wortels bijkleuren.'

'Ik laat mijn haar grijs worden,' zei Sylvie.

'Dan *ben* je gek,' zei Mildred tegen haar dochter.

'Waarom? Bob merkte het niet eens toen ik van kleur veranderde.'

'Nou, dit zal hij wél merken,' voorspelde Mildred.

'O, mijn god. Hoe moet ik het hem vertellen?' Sylvie voelde haar maag omdraaien.

Er werd op het raam gebonsd. Rosalie wees naar het slot van de deur. 'Mocht wat,' snoof Mildred. Sylvie keek naar de arme buitengesloten vrouw. Maar ze was er gewoon niet tegen opgewassen. Ze had nu troost en rust nodig. Rosalie was veel te veel met zichzelf bezig om die te kunnen bieden. Om de een of andere reden maakte de gedachte aan een eenzame Rosalie in haar huis hiernaast, dat Sylvie zich zelf eenzaam voelde. Nou ja, besefte ze, ze *was* eenzaam. Zelfs met haar moeder naast zich. Ze gebaarde Rosalie dat ze weg moest gaan. Rosalie schonk er geen aandacht aan.

'Misschien ben ik mesjokke,' zei Sylvie en begon bijna te snikken. 'Het is gewoon zielig om je zo gedeprimeerd te voelen omdat je man je negeert. Ik weet niet eens meer of hij dat altijd heeft gedaan en ik het niet gemerkt heb omdat de kinderen thuis waren, of dat hij me op een heel nieuwe manier negeert.'

'O, Sylvie,' zuchtte Mildred. 'Dit is allemaal zo normaal en voorspelbaar. Ik heb die truc met de auto ook uitgehaald, in de tijd dat je vader het autobedrijf nog leidde. Misschien niet zo dramatisch, maar altijd als we een flinke ruzie hadden, reed ik tegen het achtereind van iemands auto op.'

'Heus? Wat zei je tegen hem?'

'Dat de remmen weigerden, en dat was toen ze het nog het "ultieme vervoermiddel" noemden.'

'Dus het is erfelijk?' vroeg Sylvie. 'Die krankzinnigheid?'

'Van de kant van je vader.'

Rosalie rammelde aan de deur. Mildred draaide zich om en nam haar onderzoekend op. 'Merkwaardig, hè? Ze schijnt te denken dat ze per ongeluk is buitengesloten,' merkte ze op. 'Vergeet niet,' ging ze verder, 'dat ik haar al niet mocht toen ze met Phil getrouwd was.' Ze richtte haar volle aandacht weer op Sylvie. 'Maar ik geef toe dat mijn zoon haar uit haar evenwicht heeft gebracht. Arm kind. *Zij* is gek door haar huwelijk.' Mildred zuchtte. 'Phil zou iedere vrouw gek kunnen maken. Niet zoals Bob.'

Sylvie voelde de handdoek tussen haar en het bankje drijfnat worden en stond op.

'We kunnen beter naar boven gaan,' zei Mildred tegen Sylvie. 'Als Rosalie ons niet kan horen of zien, wordt ze het wel zat en gaat ze naar huis en kunnen de buren haar niet meer op de deur horen bonzen om binnen te worden gelaten. Anders weet de hele buurt het vanavond.' Sylvie knikte, al zou het vanavond toch wel in de hele buurt bekend zijn. Moeder en dochter verruilden samen het heldere licht van de muziekkamer voor het donker van de gang. Mildred zuchtte diep terwijl ze haar dochter de trap op manoeuvreerde. 'Misschien heeft het familiebedrijf de hele rest van ons gek gemaakt. Maar ik dacht dat Bob en jij immuun waren.'

Ze kwamen op de overloop, waar een foto hing van het tiende verjaardagsfeest van Reenie en Kenny. Bob was verkleed als een krakeling, indertijd de lievelingstraktatie van de tweeling. 'Weet je nog hoe leuk Bob vroeger was?' vroeg Sylvie.

'Leuk? Nee. Intens, ja. Leuk, nee.'

'Dat weet je wél,' hield Sylvie vol. 'Hij kon zo goed dansen. En hij speelde altijd piano.' Ze liet haar stem dalen. 'De muziek in hem is gestorven.'

Mildred gaf haar een zachte por en duwde haar verder de trap op, nog steeds met de krop sla in haar hand. 'O, Sylvie, alsjeblieft! Die artistieke dromen sterven altijd. Er is geen chiropractor in Shaker Heights die niet op een gegeven moment dacht dat hij een roman kon schrijven.'

Sylvie schudde haar hoofd, oneindig bedroefd. Ze liepen de slaapkamer in. Het was allemaal zo mooi en gezellig – het bed had een antiek hoofdeinde dat zij en Bob jaren geleden samen hadden gekocht en gepolitoerd. Ze had de ladenkast gevonden in een tweedehandswinkel in Cleveland en had hem geschilderd en gedecoreerd. De lappendeken was van haar grootmoeder geweest. Het was een kamer met een verleden. Waarom voelde ze zich dan zo ongelukkig? Sylvie bleef in de kamer staan en er druppelde water op de grond. Mildred maakte de knoopjes op de rug van Sylvie's blouse los en hielp haar met het uittrekken van haar kleren. Sylvie voelde zich volkomen krachteloos.

'Ik weet niet. Ik dacht dat als de kinderen naar de universiteit waren dat...'

'...jullie beiden... ja, ja, cruises zouden gaan maken, tot middernacht zouden dansen.' Mildred rukte aan de natte blouse, trok hem over het hoofd van haar dochter en streek over haar natte haren. 'Net als je vader en ik,' zei ze. Ze schudde haar hoofd. Het gebaar gaf Sylvie om de een of andere reden een gevoel van hopeloosheid. 'Waar je het idee vandaan haalt dat het huwelijk een romantische aangelegenheid hoort te zijn, gaat mijn verstand te boven,' zei Mildred. 'Dat heb je zeker niet uit mijn huis.' Sylvie wist dat haar moeder probeerde haar op te vrolijken, maar scherts was geen troost– áls het scherts was...

Mildred draaide Sylvie rond om naar haar te kijken. 'Hoor eens: je wilt opwinding? Genegenheid en toewijding en een paar avonden in de schijnwerpers?'

Sylvie knikte.

Mildred streek met een teder gebaar over de wang van haar dochter. 'Dan kan ik je maar één raad geven: ga showhonden fokken.'

4

Sylvie sneed de geredde krop ijsbergsla in vier stukken, en daarna twee stukken nog eens doormidden. Ze vroeg zich af of de sla vergiftigd zou zijn door de onderdompeling in het zwembad. Ze had de buitenste bladen eraf gehaald en de sla toen nog bijna tien minuten lang gewassen. Zou dat voldoende zijn? Sylvie haalde haar schouders op. Wat deed het ertoe. Als je niet doodging van het chloor in het water dat je bij het zemmen binnenkreeg, dan zou haar man er niet van doodgaan als hij het op de sla kreeg.

Bob was thuisgekomen toen ze onder de douche stond. Ze was netjes gekleed en met droog geföhnde haren beneden gekomen, maar hij zat in de eetkamer te telefoneren. Ze was blij toe, want het gaf haar even een paar momenten de tijd om haar bekentenis voor te bereiden. Maar toen die momenten uitliepen tot een ongemakkelijk halfuur, liep ze de gang in om hem te zoeken. Ze hoorde slechts de douche boven. Ze haalde haar schouders op en begon het eten klaar te maken, in gedachten repeterend wat ze allemaal zou zeggen.

Ze keek naar de krop sla. Ze hield er eigenlijk niet van, maar hoe hard ze ook haar best deed, Bob was nooit gepromoveerd van ijsbergsla naar romaine of mesclun. Sylvie pakte de balsamazijn in de kast rechts. Hij was bijna op en ze nam even de tijd om het op haar boodschappenlijstje te schrijven. Toen keek ze uit het raam naar het zwembad. Omdat de keuken iets hoger lag dan de tuin, kon ze net het rechterspatbord en een deel van de kofferbak zien. Lieve hemel! Ze was stapelgek. Nou ja, het was gebeurd en daarmee uit. Bob zou haar waarschijnlijk vermoorden, en misschien verdiende ze dat ook wel. Ze was een verwende, ondankbare zeurpiet. Maar hij was een overdreven propere man. Ze hoorde Bob eindelijk de trap af komen, en impulsief knipte ze het licht van het zwembad aan. Hij liep de keuken in, ging op zijn vaste plaats aan tafel zitten en pakte het glas witte wijn op dat ze voor hem had ingeschonken.

Gek, dacht Sylvie, dat ze sommige dingen zo automatisch deed. Dat ze, ondanks het gevoel dat de hele wereld op zijn kop stond, de zalmsteaks uit de oven kon halen en op de borden naast de broccoli leggen. Ze keek naar Bob, die schoon en vochtig zijn wijn dronk en de post doorkeek, schijnbaar kalm en tevreden. Haar hart ging naar hem uit. Hij was nog zo aantrekkelijk. Wat was haar probleem? Misschien zag hij haar niet staan, misschien beschouwde hij haar als vanzelfsprekend, maar hij was een goede echtgenoot, een fantastische vader, en een goede kostwinner. Hij hield van haar. Ze keek weer uit het raam naar het verlichte zwembad. Ze onderdrukte een huivering en zette het bord voor hem neer, terwijl ze tegenover hem ging zitten.

'Mam vraagt of je op een verjaardagsdiner bij haar thuis wil komen.'

Bob had zijn vork opgepakt en prikte er een stukje zalm aan. Hij keek over de tafel heen naar haar. 'Wat jij wilt,' zei hij met zijn mond vol vis. Hij ging verder met zijn post.

Sylvie staarde naar de kruin van zijn gebogen hoofd. Je kon twintig jaar met iemand leven, met hem slapen, zijn was doen, zijn kinderen baren, en op een gegeven ogenblik keek je op en zag je hem niet als een volmaakte vreemde, maar als een heel erg onvolmaakte vreemde. Even voelde Sylvie geen spijt meer dat ze de auto het water in had gereden. Ze wilde dat ze hem over haar man heen had gereden. Uit het niets kwam weer datzelfde gevoel van razernij in haar op. Waarom?

Allereerst, omdat zij verjaardagen altijd iets bijzonders had gevonden, dacht ze. Dagen om vrolijk en enthousiast te vieren. Als Bob jarig was, maakte ze altijd zijn lievelingseten klaar: gestoofd rundvlees, aardappels en rodekool, ook al maakte de stank van de kool haar altijd een beetje misselijk en bleef die nog dagen daarna in huis hangen. Hij hield van luchtig biscuitgebak, dus maakte ze dat voor hem. Ze had altijd minstens één grappig cadeau voor hem en één 'echt' cadeau. Voor de verjaardag van de tweeling had ze elk jaar *hun* lievelingseten gemaakt – en omdat Kenny van fishsticks hield en Reenie van geglaceerde ham, moest ze altijd twee diners op tafel zetten. Ze had het biscuitgebak nog nooit overgeslagen. Ze had gepiekerd over de cadeaus. Ze had elk jaar verjaardagsgedichtjes geschreven (en bewaard), foto's genomen van alles wat ze die dag hadden gedaan en in het speciale verjaardagsalbum geplakt. Foto's van hen allemaal, van elke verjaardag, negentien jaar lang. Waarom drong het nu pas tot haar door dat haar verjaardagen *niet* in het boek stonden?

Maar, bedacht ze, mannen hadden geen flauw benul van het geven van feesten en cadeaus, al had ze geprobeerd het Bob te leren. Op haar eerste verjaardag samen met hem, toen ze nog geen vijf maanden getrouwd waren, had hij haar een broodrooster gegeven. Sylvie had het pakje opengemaakt, gelachen, en toen op haar echte cadeau gewacht. Maar de broodrooster wás het echte cadeau. Ze had bijna twee dagen lang geen woord tegen hem gezegd en had toen in een uitbarsting van tranen en woede uitgelegd dat ze iets *persoonlijks* wilde, iets dat romantisch en zinvol was. Hij had nooit meer zo'n kolossale vergissing gemaakt als die broodrooster, maar hij had het toch nooit helemaal gesnapt van cadeaus en verjaardagen. Sylvie wilde niet egoïstisch of ondankbaar zijn, maar na twintig jaar training had ze toch wel iets mogen verwachten dat van meer begrip en fantasie getuigde dan een auto die ze niet wilde en een schouderophalen voor haar veertigste verjaardag.

Maar misschien had ze het mis. Misschien wilde hij haar blij maken en deed hij dat op de beste manier die hij kon bedenken. De sportwagen – waar ze niets om gaf en die ze niet nodig had of wenste – kon voor Bob het equivalent zijn van een ring met een smaragd en een liefdevolle inscriptie aan de binnenkant. Kón. Mogelijk.

Sylvie keek hem veelbetekenend aan. 'Bob, ik heb vandaag iets verschrikkelijks gedaan.'

Hij legde het Ace Hardware pamflet dat hij aan het lezen was niet neer. 'Verschrikkelijk? Jíj, iets verschrikkelijks doen? Jij doet nooit iets verschrikkelijks. Wat heb je gedaan, "Für Elise" in kwartmaat gespeeld? Kom, kindje, vertel eens op.' Hij legde het pamflet neer en keek haar aan. 'Maar ik ben alweer aan de late kant, dus vertel het me in vier woorden of minder.'

Sylvie keek weer uit het raam. Ze kon er niets aan doen, ze bleef naar de auto in het zwembad kijken. Haar blik werd als door een magneet naar die auto toe getrokken, die glansde als een in blauwgroene gelei ondergedompelde druif. God, ik moet krankzinnig zijn, dacht Sylvie. Misschien maak ik me meer van streek over mijn verjaardag dan ik denk. Ze probeerde tijd te winnen. 'Ik vind het afschuwelijk als je me dat vierwoordenbevel geeft,' zei Sylvie. Ze haalde diep adem. 'Ik zal je één ding vragen: hoelang duurt het voor een onder water liggende BMW gaat roesten?'

'Hè?' Bob, die zijn mond vol broccoli had, stopte even met kauwen en trok zijn wenkbrauwen op.

Ze had zijn aandacht. 'Oké,' zei ze. 'In vier woorden of minder: reed auto in zwembad.'

Bob slaagde erin – met veel moeite – de broccoli door te slikken. Sylvie vroeg zich terloops af of ze nog zou weten hoe ze CPR, Cardiopulmonaire resuscitatie, moest toepassen, voor het geval de groente in zijn keel zou blijven steken. 'Wat?... waarom verdomme?... hou je me voor de gek?...' bracht hij er eindelijk stotterend uit.

Nu luisterde hij toch echt naar haar. Niet als ze het over Hawaii had, of over haar verjaardag, maar over de auto. Maar nu wilde *zij* niet praten. Wilde hij het nog steeds in vier woorden? Sylvie telde ze op haar vingers af. 'Was ongelukkig. Rechts afgeslagen.'

Bob legde zijn vork neer en stond langzaam op. Sylvie besefte dat het de eerste keer in maanden was dat ze hem langzaam zag bewegen. De laatste tijd had hij altijd haast, stond hij altijd op het punt om weg te gaan. 'Jouw auto? Ons zwembad?' vroeg hij. Hij leek nu ook in vier woorden te kunnen praten. Zwijgend knikte Sylvie. Ze zag hem langzaam, als een slaapwandelaar, naar het keukenraam lopen en naar buiten kijken. Het begon vroeger donker te worden, en de schemering was al gevallen. De blauwe hoek van het zwembad en de glinsterende auto erin glansden. Bob bleef doodstil bij het raam staan, met zijn rug naar haar toe, zijn handen gespreid, als twee platvissen op het aanrecht. Het was doodstil in de keuken. Sylvie kon de ijsmachine horen zoemen. Bob bleef daar staan, met zijn rug naar haar toe. 'Waarom heb je dat in vredesnaam gedaan?' vroeg hij verwonderd. 'Dat is krankzinnig.'

Sylvie liet haar hoofd hangen. Plotseling liet haar woede haar in de steek en voelde ze zich als een peuter, even fout en zielig als Kenny vroeger in zijn ergste tijd. 'Misschien wilde ik alleen maar iets hebben om over te praten,' wist ze fluisterend uit te brengen.

Bob wendde zich af van het raam, maar niet langer dan een minuut. Hij draaide zijn hoofd met een ruk weer terug, alsof hij zijn ogen niet kon afwenden van het onnatuurlijke panorama. 'We hebben meer dan genoeg om over te praten: Kenny, Reenie...,' hij zweeg even, kennelijk aan het eind van zijn onderwerpen, '...brochures over Hawaii,' voegde hij er slapjes aan toe.

Sylvie hief haar hoofd op. Bob was als gehypnotiseerd; ze kon zien hoeveel wilskracht hij nodig had om zich te dwingen zijn ogen van het raam af te wenden. Zijn stem klonk hees, van de broccoli of van emotie. 'Een BMW onder water. Het is zo... zo verkeerd,' zei hij. In het licht van de keuken kon ze de geschokte uitdrukking op zijn gezicht zien. 'Ik kan me onmogelijk indenken wat ik zou voelen als het Beautiful Baby was.'

'Ik heb niet zo'n band met mijn auto als jij. '

Haar sarcasme drong zelfs niet tot hem door. 'Maar waarom, Sylvie? Waarom? Ik weet dat je... spontaan bent. Je weet wel... Lucy Ball-achtig. Misschien soms een beetje... nou ja, geschift. Maar dit is niets voor ons.'

Sylvie keek naar hem op met tranen in haar ogen. 'Bob, ik heb het gevoel dat er geen "ons" meer bestaat.'

'Doe niet zo mal. We zijn getrouwd. Dat is zo "ons" als je maar kunt zijn.' Bob liep de keuken door, weg van het raam en het schokkende uitzicht. Hij omhelsde Sylvie snel. Toen pakte hij haar hand en liep met haar naar de achterdeur, het fluwelige duister van de tuin in. Hoe lang was het geleden dat ze hand in hand hadden gelopen? vroeg ze zich af. Ze kon het zich niet herinneren. Hij leidde haar de patio over naar het grasveld.

De lucht was nog niet inktzwart, maar de heggen en struiken wél. De achtertuin was gehuld in vijftig tinten indigo. Toen zij en Bob dit huis hadden gekocht, was de tuin een reusachtig, kaal en triest terrein geweest, met slechts een schriele pijnboom en een lelijke border chrysanten. Sinds die tijd hadden ze zoveel samen gedaan. In de laatste vijftien jaar waren de struiken en heesters die zij en Bob hadden geplant tot een omringende beschutting uitgegroeid. En haar bloemen bloeiden prachtig. Sylvie keek omhoog.

Er stond maar één ster aan de hemel. Die lichtstip en de witglanzende impatiens waren de enige heldere plekken in het donker – behalve natuurlijk de technicolor gloed in het midden van de tuin. Het turkoois en zilver van het zwembad en de auto trok hen erheen.

Bob stond naast haar aan de rand van het zwembad en staarde omlaag naar de gezonken sportwagen. Silvie vond het gestroomlijnde, metallicgrijze chassis net het lijk van een haai. 'Je hebt niet de macht over het stuur verloren?' vroeg hij. 'Niet van slag geraakt?'

'Nee,' antwoordde ze. Niets behalve ik, dacht ze.

'Maar hoe kon je zo'n ongeluk krijgen?'

'Bob, het *was* geen ongeluk...' Ze stond op het punt te gaan uitweiden over haar gevoelens, over cadeaus, over aandacht, toen hij weer sprak.

'Ik begrijp het,' zei hij.

'Heus?' Ze kon het nauwelijks geloven. Om de een of andere reden was haar gebaar, hoe extreem het ook was, tot hem doorgedrongen. Toen ging Bob verder.

'Weet je, Sylvie, je hebt een tijd achter de rug waarin je je in een hoop opzichten hebt moeten aanpassen. Je verjaardag. Beide kinderen het huis uit. Ik bedoel, misschien zou je eens moeten nadenken over medische hulp.'

'Medische hulp?' herhaalde ze. 'Wat bedoel je? Een psychiater?'

'Nee, nee. Ik bedoel, nog niet. Niet voordat je vindt dat je er een nodig hebt. Ik geloof alleen dat je een beetje kregelig bent, een beetje gedeprimeerd. Misschien wordt het tijd voor die hormonentherapie. Misschien moet je eens naar John. Je laten onderzoeken.'

'Heb je weer stiekem naar het "Lifetime"-kanaal gekeken?' snauwde Sylvie. 'Bob, dit heeft niets te maken met mijn oestrogenen. Het gaat over onze communicatie. Of het gebrek daaraan.'

Bob staarde weer naar de bodem van het zwembad. 'Jezus! Heeft Rosalie dit gezien? Weet je vader dit? Nou, morgenochtend zal heel Shaker Heights hier wel over praten bij hun granola en pruimensap.'

'Nou, en?' zei Sylvie. 'Het enige dat mij interesseert is waar *wij* over praten. Of niet praten. Want dat doen we niet.'

Bob draaide zich naar haar om en pakte haar schouders beet. Zijn handen voelden warm aan in de koele herfstlucht en ze huiverde. 'Hoor eens, ik zal over alles met je praten wat je maar wilt,' zei Bob. Zijn stem klonk zo zacht als het gefluister van de nacht. Sylvie haalde diep adem, maar voordat ze iets kon zeggen, ging Bob verder. 'Ik kan het alleen niet op dit moment. Ik moet naar die vergadering. Maar morgenavond zullen we tijdens het eten over alles praten wat je maar wilt. Ik beloof het je. Het is jouw verjaardag. Het is jouw avond.' Hij pakte haar elleboog vast en leidde haar weg van het zwembad. 'Ik zorg wel voor de auto. Maak je niet ongerust. Dan krijgen we het weekend en zullen we nog wat meer praten. Maar, Sylvie...' Hij zweeg even. 'Maak een afspraak met de dokter. Dat kan geen kwaad.' Hij trok haar mee over de patio en maakte de hordeur open. Hij hielp haar de trap op of ze een invalide was, maar deed de deur toen van buitenaf dicht. 'Ik moet weg,' zei hij. 'Maar maak je geen zorgen. We zullen praten.'

Sylvie drukte haar hand tegen het gaas dat haar binnensloot, zoals het Rosalie had buitengesloten. Ze begon hem te vertellen... nou ja... hem *iets* te vertellen, maar Bob had zich al omgedraaid en was verdwenen. Er was iets, of heel veel daarbuiten, dat belangrijker voor hem was dan zij. Ze zou nooit meer met hem praten. Dat beloofde ze zichzelf. Toen, in het schelle licht van de keuken, liet Sylvie haar hand zakken, liep bij de deur vandaan en begon de onaangeroerde maaltijd af te ruimen.

5

Bob Schiffer reed over Longworth Avenue naar het terrein van Crandall BMW. De auto's glansden in de zon. Het was een perfecte dag, maar Bob voelde zich ongerust. Nou ja, erger nog. Hoelang kon hij dit nog ongestoord volhouden? Sylvie was van streek en zijn vriendin, tja, ze zette hem onder druk. Roger, van Onderhoud, zwaaide toen Bob langsreed naar de speciale parkeerplaats die hij voor zijn auto had gereserveerd. Zoemend kwam de wagen tot stilstand; hij zette de motor af en gaf een klopje op het dashboard. 'Je bent mooi, Baby,' zei hij tegen de auto. Daarom had Sylvie hem die naam gegeven: Beautiful Baby. Hij stapte uit en deed zorgvuldig het portier dicht. Als hij de wagen in de zon liet staan, dekte hij hem altijd af, maar boven deze plaats had hij een afdak laten bouwen, om de fraaie lak te beschermen.

Het autobedrijf Crandall BMW lag aan de rand van Shaker Heights. Jim Crandall, Sylvie's vader, had de zaak bijna dertig jaar geleden opgericht, toen BMW ongelooflijk achterop was geraakt bij Mercedes in status en verkoopcijfers. Hij had jarenlang moeten vechten, eerst tegen Detroit en toen tegen de Japanse import. Maar eindelijk, toen hij zijn zoon en schoonzoon in de zaak had opgenomen, waren zijn glorierijke dagen begonnen. Nu besloeg het bedrijf een heel blok op Longworth Avenue, en Jim was even trots op de fraaie architectuur, het weelderige gras en het originele gebouw, als op het gezonde eindresultaat. Bob wist dat Jim teleurgesteld was in zijn eigen zoon, Phil. Hij wist ook dat Jim hem meer zag als een zoon dan als een schoonzoon. En Bob, wiens eigen vader was gestorven toen hij twaalf was, beschouwde Jim als een vader. En waarom niet? Per slot bracht hij meer tijd door met Jim dan Sylvie. Al kon de ouwe soms verdraaid lastig zijn.

Op dat moment stak Jim het terrein over. Zijn witte haren glansden in de zon. Hij straalde woede uit, en hij praatte al nog voordat Bob hem kon horen. 'Laten we er geen doekjes om winden. Ze heeft de auto regelrecht het zwembad in gereden?' vroeg Jim. Hij had die vraag gisteravond al verschillende keren gesteld en vanmorgen nog eens aan de telefoon.

Bob knikte. 'In het zwembad, Jim.'

'Keek ze niet waar ze reed? En waarom reed ze in de achtertuin?'

'Goeie vraag. Maar hoe luidt het antwoord?'

'Waanzin,' schreeuwde Jim. 'Niet dat je schoonmoeder kan rijden. Ze heeft meer kapotte bumpers opgelopen dan in een stockcar-race. Sylvie heeft het niet van mijn kant van de familie. De Crandalls kunnen allemaal perfect rijden.' Bob zei maar niets over de diverse ongelukken waarbij Jim betrokken was geweest. 'Regel jij het?'

'Ja. Ik ben ermee bezig. Ik neem aan dat we de reclamefilm annuleren?'

'Nee. Ik heb een idee. We maken de auto in het zwembad tot onderdeel van de film.'

Bob keek naar zijn schoonvader. 'Is een natte BMW een aansporing om te kopen?' vroeg hij. 'Het is per slot geen oude Volkswagenkever. Geloof me, Jim, deze wagen drijft niet.'

'Wacht. We filmen hem niet *in* het water. We filmen hem in de lucht. Als ze hem eruit hijsen. Verrek, zelfs Phil kan het verhaaltje erbij verzinnen. God weet dat hij goed kan ouwehoeren.' Jim draaide zich om en liep terug naar het kantoor. 'Ik ga vanmiddag golfen. Je kunt me op de club bereiken als je me nodig hebt.'

Jim was wat je noemde 'semi-gepensioneerd', maar een van de problemen was dat je nooit wist wanneer hij 'semi' en wanneer hij 'gepensioneerd' was. Bob haalde zijn schouders op. Vanmorgen scheen hij 'semi' te zijn en dat zou het er niet gemakkelijker op maken. Ze waren bezig met de inventaris, met de voorbereidingen voor de reclamecampagne, lieten een promotiefilm maken, en nu, alsof dat nog niet voldoende was, moest hij ook nog Jim in het oog houden, *en* Sylvie's... ongelukje regelen. Hij schudde zijn hoofd en pakte zijn gsm uit zijn sportjasje. Hij tikte een nummer in. Het was bezet. Hij haatte zoiets. Het was bijna het millennium. Iedereen wist langzamerhand toch wel dat er zoiets als een wachtstand bestond? Bob zuchtte en toetste een ander nummer in. Hij was een druk bezet man die veel aan zijn hoofd had.

'Een hijskraan. Precies, een hijskraan... omdat hij in het zwembad ligt, daarom... Laat het me alsjeblieft niet nog eens zeggen.' Bob had eindelijk de bergingsmaatschappij aan de lijn gekregen. Hij stond aan de andere kant van het autoterrein en hield Sam Granger en Phil in het oog, die bezig waren met de inventaris. Het was een drukke ochtend geweest, behalve wat verkopen betrof. Nu slenterde een aantrekkelijke vrouw van middelbare leeftijd achteloos tussen de glimmende auto's, een rij achter Bob. Normaal zou hij naar haar toe gaan, maar ze zag eruit of ze alleen maar wilde kijken, niet kopen. Toch wenkte Bob Phil. 'Neem jij haar maar,' zei hij. Phil knikte en liep naar de vrouw. Sinds Phil de leiding had gekregen van de serviceafdeling, genoot hij van elke kans om te verkopen. Bob hoopte maar dat Phil zijn woorden niet letterlijk zou opnemen.

Sinds zijn echtscheiding gaf Phil de vrouwen de schuld van alles wat er verkeerd was in de wereld. Het feit dat hij het mislukken van zijn huwelijk aan zichzelf te danken had door voortdurend zijn vrouw te bedriegen, kwam niet bij hem op. De laatste tijd leed hij ook aan waandenkbeelden, en nam hij aan dat elke vrouw seksueel in hem geïnteresseerd was. Bob keek naar zijn zwager. Hij zag er eigenlijk nog goed uit, ondanks zijn wijkende haargrens, zijn buikje en zijn twijfelachtige smaak in kleding. Toch zag hij zichzelf als Ohio's antwoord op Brad Pitt. Hij was iemand die een hamburger bestelde voor de lunch en als de serveerster hem vroeg hoe hij het vlees wilde, verlekkerd keek en volhield dat haar vraag dubbelzinnig was. 'Hoe ik het wil?' herhaalde hij, en gaf Bob een por, die gegeneerd heen en weer schoof, terwijl de verveelde serveerster naar het parkeerterrein staarde. Als het meisje weg was, begon Phil onveranderlijk opgewonden te fluisteren. 'Je hebt haar gehoord. *Ik* ben er niet mee begonnen. *Hoe ik het wil?* Waarom geeft ze me niet gewoon de sleutel van haar huis? Ik zweer je, ze kunnen me niet met rust laten.'

De vrouw keek naar een sticker met de prijs van een sedan. Ze knipperde tegen de zon. Phil keek haar richting uit. 'Zag je dat?' vroeg hij aan Bob.

'Wat?'

'De manier waarop ze naar me staarde, bekeek wat ik te bieden had,' riep Phil hees uit. Sam Granger snoof. Bob rolde met zijn ogen. Phil was een gevaar voor zichzelf en voor anderen. Rosalie de Verschrikkelijke mocht dan een feeks zijn, ze had haar handen vol gehad aan Phil.

'Phil, gedraag je,' waarschuwde Bob. 'Probeer een auto te verkopen.' Bobs mobiele telefoon ging over en hij haalde hem uit zijn zak. Hij liep bij Sam Granger vandaan en hield de telefoon aan zijn oor. 'Hallo. Bob Schiffer. O,' zei hij. Hij liet zijn stem dalen. 'Hoi, snoetepoet. Ik kan nu niet praten. Nee. Echt niet. Het kan niet.' Bob keek om zich heen. Phil leunde tegen de sedan en praatte met de arme vrouwelijke gegadigde, terwijl Sam verdwenen was op de voorbank van een auto die een rij verderop stond. 'Kom nou, schat. Je weet dat ik hier niet vrij kan praten,' mompelde Bob in de telefoon. Hij lachte hardop. 'Zingen? Als ik niet kan praten, hoe kan ik dan *zingen*?' Ze maakte hem altijd aan het lachen, maar na vier maanden wist hij nog steeds niet zeker of het opzet was of toeval. Dat was een deel van haar charme. Nu luisterde hij naar haar verzoeknummer. 'Maar *jij* hebt *mij* gebeld. Dat lied slaat nergens op als ik zing. Nee. Natuurlijk wel. Goed dan, maar daarna moet ik ophangen.' Bob begon te neuriën in de telefoon, probeerde een Stevie Wonder-stem. *'I just called to say I love you... I just called –'*

Op dat moment tikte iemand op zijn schouder en Bob sprong twintig centimeter de lucht in. 'Moet ervandoor...' siste Bob in de telefoon. 'Nee. Niet nu. En zorg ervoor dat de hijskraan er om één uur is,' ging hij verder op zijn normale gezaghebbende toon. Toen klapte hij de telefoon dicht en stak hem weer in zijn zak. Hij draaide zich zo achteloos mogelijk om naar John en omhelsde hem. 'Hé! Hoe gaat het ermee?'

John trapte er niet in. 'Jij stiekeme, smerige klootzak. Bob de Heilige...'

Bob sperde zijn ogen open en probeerde een onschuldig gezicht te zetten. Hij wist niet of het lukte, en toen John zijn wenkbrauwen optrok, voelde Bob zijn maag ronddraaien. 'Wat? Dat was Sylvie,' protesteerde hij.

John schudde zijn hoofd. 'Ik mag dan maar een gewone huisarts zijn, maar ik ben niet achterlijk. Jij, Bob? Kom nou. Je bent geen rokkenjager. Wat is er in godsnaam aan de hand?'

'Niets,' zei Bob. Zijn stem klonk in zijn eigen oren als die van de tweeling toen ze acht jaar waren. Hij keek naar Johns ongelovige gezicht. 'Oké,' gaf hij toe. 'Iets. Maar niets belangrijks.' Hij beet op zijn lip. 'Ik wil Sylvie geen verdriet doen. Jij toch ook niet?'

John keek hem recht in de ogen. 'Ik zal het niet vertellen, als dat is wat je vraagt, maar ik zal er evenmin om liegen. Ze is mijn vriendin ook. Ze was mijn vriendin al voordat ze jou zelfs maar leerde kennen.'

'Ik weet het. Ik weet het. Daar herinner je me voortdurend aan. Maar dit is... iets voorbijgaands.'

'O? Voorbijgaand maar onvergeeflijk.'

Bob zat in de val, hij wist dat hij geen verweer had. 'Nou ja, Phil deed het ook,' zei hij. Zij stem klonk als die van de tweeling toen ze tien waren.

'Geweldig antwoord.' John snoof minachtend. 'Maar je moet niet vergeten dat Phil een penis is, waar een man aan vastzit. En hij was niet met een vrouw als Sylvie getrouwd.'

Bob wendde beschaamd zijn blik af. Johns vrouw, Nora, was bijna drie jaar geleden gestorven. Als hun huwelijk toen misschien niet perfect was geweest, dan was het dat inmiddels wel geworden, als een kostbaar bezit weggeborgen in Johns geheugen. Na Nora's dood had John zich op zijn praktijk gestort en op zijn roeping – Little League coach en professionele weduwnaar – maar volgens Bob schepte hij er een zeker genoegen in om te zwelgen in zijn verlies. Bovendien waren er altijd zoveel vrouwen in Shaker Heights die hem ovenschotels kwamen brengen en hem uitnodigden als extra man op hun diners, dat zijn leven allesbehalve de hel was die hij graag voorwendde.

Maar mijn leven zou dat kunnen zijn, dacht Bob. Als ik Sylvie kwijtraakte. En hij was van plan geweest er een eind aan te maken met dat meisje. Hij wist alleen niet hoe. Hij had nog nooit een relatie gehad. Het leek hem beter om alles op te biechten. 'Je hebt gelijk,' gaf hij toe. 'Ik weet niet wat me bezielt. De ene dag ben ik een aardige kerel, de volgende ben ik een echtgenoot à la Kennedy.' Hij zweeg even. John keek sceptisch, alsof hij twijfelde aan Bobs oprechtheid. 'Wacht. Het is nog erger. Ik ben een hondsvot.' John trok zijn wenkbrauwen op. 'Nee,' verbeterde hij zichzelf. 'Ik ben een luizig hondsvot.' John knikte. 'Kunnen we erover praten terwijl je me naar mijn huis rijdt?' vroeg Bob. 'Ik verdien het niet om achter het stuur te zitten van Beautiful Baby.'

'Automoraal was niet wat ik bedoelde.'

'Alsjeblieft. Wil je me rijden?'

'Geen probleem. Ik kan niet genoeg van die hondsvotstank krijgen in *mijn* auto.'

Ze stapten in Johns drie jaar oude sedan, die Bob hem had verkocht na hem gebruikt te hebben in de showroom. Hij had John een goede deal gegeven. Ze reden van het terrein af. Tijd genoeg voor Bob om weer een beetje tot zichzelf te komen. Per slot was John een dokter en geen rechter.

'Vertel me niet dat jij het nooit gedaan heb. Met al die vrouwelijke patiënten! Al die vrouwen die je adoreren. Zweer bij Nora's nagedachtenis dat je het nooit gedaan hebt.'

'Niet met een patiënte. Nooit.' John manoeuvreerde de auto naar de uitgang.

'Aha! Kom! Biecht op. Jij was ook maar een mens!'

John aarzelde. 'Eén keer maar,' gaf hij toe.

'Ik wist het! Zie je wel. Niemand is volmaakt.'

'Oké. Oké. Maar ik was apezat. Geen excuus. Ik was op zakenreis en het was met een apothekeres, niet met een patiënte. Ik had er onmiddellijk spijt van.'

'Achteraf is dat gemakkelijk. Achteraf heb ik er ook altijd spijt van.'

'Ja, maar het is tien jaar geleden. Ik betreur het tot op de dag van vandaag. Nora is nu bijna vier jaar dood en ik schaam me er nog steeds diep voor.' Bob gaf John een klopje op zijn schouder. John ontwaakte uit zijn overpeinzingen. 'Kijk naar je zwager.'

'Móet dat?'

'Ik bedoel, kijk eens hoe hij zijn leven verwoest heeft. Zijn exvrouw haat hem, zijn kinderen hebben zich tegen hem gekeerd. En hij kan zich geen broodje met vlees veroorloven.'

'Maar hij had een excuus: hij was met Rosalie getrouwd.'

'Wat wil dat zeggen?'

Bob keek zijdelings naar John. 'Rosalie bracht hem tot ontrouw. Ik heb alleen een slippertje gemaakt. Het was nooit mijn bedoeling dat dit zou gebeuren,' bekende Bob. 'Dit meisje was er gewoon, roze en naakt.'

'Was ze roze en naakt toen je haar ontmoette?'

'Nou, nee. Maar ik kon merken dat ze wilde... O, kom nou. Denk je dat ik *wil* liegen tegen mijn vrouw?'

Johns stem klonk eindelijk meelevend. 'Nee, makker, dat denk ik niet.'

'In zekere zin is mijn positie een eigen soort hel,' zei Bob somber.

John knikte. 'Ik weet het.' Toen werd John even afgeleid door een groene 530i die hem rechts passeerde. 'Leuk model,' merkte hij op.

'Vergeet het,' zei Bob geringschattend. 'Niks voor jou. Vinyl binnenwerk. Als je wilt ruilen, ruil dan voor iets beters.' John knikte instemmend. Hij week uit naar de rechterbaan. Er reed een truck voor hen. John had die moeten passeren. Bob vond het vreselijk om naast de bestuurder te zitten.

'Weet je, Sylvie is te goed om het risico te lopen haar te verliezen.'

'Ik weet het.' Bob zuchtte diep. 'Laten we eerlijk zijn. Mannen zijn hufters.'

'De laagste vorm van het menselijk leven,' was John het met hem eens.

'Slijm...' Bob wilde van onderwerp veranderen. 'En, heb je nog geen vriendin?'

John schudde zijn hoofd. 'Je weet dat ik nooit een vriendin heb gehad sinds Nora gestorven is... Misschien is het schuldbesef over dat... incident.' Hij dacht even na, hield zijn blik op de weg gericht. 'Deze maand zouden we twintig jaar getrouwd zijn geweest. Ik heb haar te veel verwaarloosd toen we getrouwd waren. Tijdens mijn medische studie, en mijn co-assistentschap, en toen de opbouw van mijn praktijk. Jezus. Mannen *zijn* stom.'

'Ja,' gaf Bob toe. 'Maar vrouwen zijn gek.' John stopte voor een oranje licht waar Bob doorheen zou zijn gereden. Lieve help, wat reed die man voorzichtig. Hij was in alles trouwens voorzichtig. Bob keek naar zijn vriend, die nu heel gedeprimeerd leek. 'Weet je, ik besefte niet dat jullie... nou ja... het moet erg moeilijk zijn voor je.'

John knikte. 'Het valt niet mee. Een schuldig geweten is altijd moeilijk om mee te leven.' Hij keek even naar Bob. 'Weet je wat ik bedoel?'

Het licht sprong op groen. John bleef nietsziend voor zich uit staren, of naar iets dat alleen híj zag, een flashback uit vroeger tijden. Bob wees naar het groene licht en John knipperde even en gaf toen gas. 'Hoor eens, ik weet dat ik zou *moeten* stoppen,' bekende Bob. 'En ik zal het ook doen. Zodra zich een geschikt moment voordoet.'

'Geschikte momenten liggen niet voor het grijpen,' merkte John laconiek op.

Bob gaf zijn vriend een jongensachtige klap op zijn schouder. 'Genoeg. Ik snap wat je bedoelt. Vandaag is het mijn taak *jou* wat op te peppen. Het wordt tijd voor een verandering. Je gaat je je auto inruilen voor een nieuwer, flitsender model. Dat is precies wat een man nodig heeft als hij gaat nadenken over zijn eigen sterfelijkheid. En ik zal je een ongelooflijke deal bezorgen. Als eerbewijs aan Nora.' Hij zweeg even. 'Maar ik vraag een kleine gunst aan je.'

John haalde zijn schouders op. 'Zeg het maar.'

'Kun je een afspraak maken met Sylvie? Gewoon als vriend, maar wel beroepshalve? Met haar praten?'

'Waarom?'

'Om haar hormonen te geven of zoiets? Ze is zichzelf niet. Eerlijk gezegd maak ik me ongerust.'

'Wat? Hormonen? Trouwens, ik ben geen gynaecoloog. En die zou eerst een bloedonderzoek willen. Ik deel geen sterke medicijnen uit alsof het snoepjes zijn, weet je.'

'Sorry, ik wilde je niet beledigen.'

'Afgezien daarvan, wat is er mis met Sylvie? *Jij* bent degene die ziek is. Sylvie mankeert niets. Dat weten we allebei.'

'Mankeert niets? Zou je dat ook zeggen als je wist dat ze gisteren met haar nieuwe auto in ons zwembad is gereden?' Bobs gsm ging over. Hij haalde hem te voorschijn en klapte hem open, terwijl John hem met open mond aanstaarde. Bob wilde dat hij zijn ogen op de weg hield.

'Ja?' snauwde Bob in de telefoon. 'Eh-eh. Precies. De hijskraan gaat naar mijn huis. Ja. Door de tuin naar de achterkant. Hoe kan hij anders bij mijn zwembad komen?' Hij zuchtte diep. 'Laat het me alsjeblieft niet nóg een keer uitleggen.' Bob hing op en keek naar John, die zijn hoofd schudde.

'Ze reed met de auto het zwembad in?' vroeg John. Ze zwegen beiden terwijl John – te langzaam– naar Highland Heights reed. 'En jij denkt dat deze relatie geen invloed heeft op Sylvie?'

'Sylvie weet er niets van,' zei Bob heftig.

'Kom nou, Bob. Zelfs al heeft ze er niets over gehoord – nog niet – Shaker Heights is een klein stadje. Trouwens, heb je nooit gehoord van het onderbewustzijn? Sylvie moet weten dat er iets aan de hand is. Om nog maar te zwijgen over dat vriendinnetje. Ze kan Sylvie gebeld hebben, weet jij veel.'

Bobs maag kromp ineen en hij kreeg een bittere smaak in zijn mond. 'Ik heb haar gezegd dat ze zelfs niet *over* Sylvie mag praten, laat staan *met* haar.'

'Nou, ik hoop voor jou dat ze een gehoorzame meid is,' zei John. 'Afgezien van dit alles, als de vrijmetselaars erachter komen, word je eruit gegooid, of wat ze anders doen met een vrijmetselaar die zich te schande heeft gemaakt.'

'Nou en? Die vrijmetselarij is alleen maar een excuus om 's avonds de deur uit te kunnen. Jezus, wat een klootzak ben ik. De grootste klootzak ter wereld.' Bob staarde uit het raam. 'De grootste klootzak ter wereld tot in de tiende macht verheven. Dat is wat ik ben. Duizend klootzakken.'

'Stel je niet zo aan,' zei John. 'Je bent een doodgewone overspelige man. Ik zie ze elke dag. Je pik heeft het op het ogenblik voor het zeggen. Ik zou net zo goed dáármee kunnen praten.'

Bob knikte somber. 'Je hebt gelijk.' Hij keek omlaag naar zijn kruis. 'Hij is de president.' Hij zuchtte. 'Ik wou dat ik hem uit de raad van commissarissen kon halen. Of afsnijden. Of nog liever, ik wou dat hij er gewoon af zou vallen. Hij verwoest mijn leven.'

John snoof minachtend. 'Bob, eunuchen zijn geen gelukkige mensen.' Hij nam een bocht en Bob drukte instinctief zijn voet neer op de plaats waar de rem aan de passagierskant hoorde te zitten.

'Ik zou de research daarover weleens willen zien,' zei Bob, toen John over de oprit reed.

Toen John en Bob voor het huis stopten, leek de hele straat meer op een ontspoorde kermistrein dan een straat in een voorstadje. 'Het schijnt dat mijn zwager de leiding heeft,' zei Bob. Phil, die wild stond te gebaren, zag eruit of hij parallel parkeren onderwees, of de hijskraan aanwijzingen gaf.

'Nou, ik wens je succes met hem. En, Bob... denk aan wat ik gezegd heb. Je leven loopt uit de hand.'

'Nee, dat doet het niet. Maar ik zweer bij God dat ik een eind maak aan... je weet wel,' beloofde Bob. 'Sylvie verdient beter. Het arme kind verdient beter.' Hij keek naar zijn vriend. 'Denk je dat ik mezelf ooit zal vergeven?'

'Ik denk dat dat wel zal lukken,' zei John lachend. 'Geef Sylvie een zoen van me. Als jij het niet doet, doe ik het misschien zelf.'

Bob stapte uit. Bestelwagens, een paar trucks en de hijskraan stonden verspreid over het trottoir en het gazon. Mensen liepen door elkaar heen. Alom heerste verwarring. Bob liep naar de achtertuin en stopte onderweg om iedereen die hij tegenkwam te omhelzen. Phil stond al bij het zwembad, gillend, omhoogkijkend naar de sportwagen, die door de kraan omhooggehesen werd. Bob keek bedenkelijk naar de in de lucht bungelende auto. Misschien *was* zijn leven al uit de hand gelopen...

6

Het zou vandaag een drukke dag worden voor Sylvie. Niet alleen had ze aan de lopende band leerlingen, maar ze moest ook proberen met Bob te praten over de reden waarom ze haar auto had getransformeerd in een amfibie. Gelukkig zou ze dat vanavond pas hoeven te doen. Nu moest ze proberen zich te concentreren op Lou, haar oudste leerling. Hij zat achter de piano en blunderde door 'You Don't Bring Me Flowers Anymore' alsof het pas zijn vijfde les was in plaats van bijna zijn vijfenvijftigste. Lou had nu al maandenlang twee keer per week les – niet dat hij vooruitging of enthousiaster werd. De lessen waren op doktersvoorschrift. John Spencer had Lou naar Sylvie gestuurd, dus kon ze geen nee zeggen. Sinds Lou met pensioen was gegaan, had hij het moeilijk. Voor Sylvie, die hem hoorde spelen, was het ook niet gemakkelijk, maar ze probeerde hem altijd aan te moedigen. Nu miste hij twee noten, struikelde over een noot met kruis, en stopte toen om naar haar te kijken. 'Ik kan het niet,' verklaarde Lou en legde verslagen zijn handen in zijn schoot.

'Je kunt het wél,' verzekerde Sylvie hem en liep naar de piano.

'Nee, ik kan het niet. En dit is mijn laatste kans om een leven te hebben.'

'Je hebt er toch aan gedacht je medicijnen in te nemen, Lou?'

'Ja. Maar als ik zo depressief ben met antidepressiva, wat heeft het dan voor zin?' zei Lou schouderophalend.

Sylvie ving een glimp op van iets of iemand bij de tuindeuren. Het was niet meer dan een flits. O, alsjeblieft, niet Rosalie, dacht ze. Sylvie legde een hand op Lou's schouder, in een poging hem te troosten. Toen zag ze nog iets voorbijflitsen. Deze keer keek Sylvie bijtijds op. Strategisch gestationeerd in haar achtertuin, was een ploeg bouwvakkers bezig een enorm geval rond haar heggen te dirigeren. Wat was er aan de hand? Ze richtte haar aandacht weer op Lou, dwong zich hem moed in te spreken. 'Kom nou, Lou, alle mensen hebben moeite met overgangen: van ongetrouwd tot getrouwd, van getrouwd tot gezin. Het valt niet mee als je kinderen uit huis gaan. Het valt niet mee als je met pensioen gaat. Maar verandering is een vreugdevol deel van het leven.'

'O, ja? Hoe komt het dan dat er geen vrolijke liedjes zijn over de menopauze? Wacht maar. Dan zing je wel een ander deuntje.' Lou zuchtte en hield zijn vingers boven de toetsen alsof hij wilde spelen. Sylvie wist zeker dat hij het er deze keer wat beter af zou brengen, maar toen balde hij zijn vuisten en begon op de toetsen te hameren.

Zacht maar vastberaden haalde Sylvie zijn handen van haar kostbare Steinway en sloot het deksel. 'Lou, heb je er weleens over gedacht om een reis te gaan maken?' vroeg Sylvie, terwijl ze zijn schouder masseerde.

'Ik ben te oud,' zei Lou. 'Bovendien, wie wil er nou doodgaan op een vreemde matras?' Hij bleef onbeweeglijk zitten. Sylvie liep terug naar het raam. Zonder zelfs maar te proberen Lou uit zijn lethargie te praten, keek ze naar de activiteiten in haar achtertuin. Na een paar minuten klapte Lou de piano weer open, begon te spelen en pakte even de melodie op. Sylvie dacht aan Bob. Ook hij stuurde haar geen bloemen meer, dacht ze, leunend tegen de deurpost.

Het klassieke stuk, een sonate van Schubert, werd veel te snel gespeeld. Sylvie kromp even ineen, maar bleef door de openslaande deuren naar buiten kijken. Nu stond er een hijskraan naast het zwembad. Samen met een stel rondlopende cameramannen die hun apparatuur opzetten voor een of andere opname. Zou haar verdronken auto het plaatselijke nieuws halen? Sylvie draaide zich om en keek weer naar haar twaalfjarige leerlinge die verwoed zat te spelen.

'Langzamer. Het is geen race, Jennifer.' Jennifer keek op. Je kon zien dat ze probeerde niets te laten merken, maar ze voelde zich verpletterd door zelfs die geringe kritiek. Jennifer muntte al uit in gymnastiek en tennis, en was de aanvoerster van de meisjeszwemploeg. Geen wonder dat ze zo'n haast had. Ze had veel te doen, en ze probeerde het allemaal perfect te doen.

Sylvie concentreerde zich op het meisje, liet het spektakel achter het raam in de steek en legde haar hand op Jennifers schouder. Ze probeerde het uit te leggen. 'Speel het alsof je voor de eerste keer verliefd bent,' opperde Sylvie en ging achter de piano zitten. Ze speelde Schubert dromerig, en het verlangen en de romantiek van het stuk werden hoorbaar. Sylvie zelf raakte in de ban van de sonate. 'Je moet het *voelen*, Jennifer.'

'Ik weet niet hoe dat voelt, een verliefdheid.' Jennifer bleef als een volgepropte waszak achter de piano zitten.

'Dat komt wel,' stelde Sylvie haar gerust. Ze keek naar Jennifers ongelovige gezicht, en ging verder. 'Liefde versterkt je zintuigen en laat je de meest verbluffende dingen doen. Je zult je fantastisch voelen.' Op zachtere toon vervolgde ze: 'Je zult verbaasd staan. Maar ook dan zul je het langzaam aan moeten doen.' Toen, alsof ze uit een droom ontwaakte, besefte Sylvie dat haar woorden misplaatst waren. Om haar vergissing te camoufleren glimlachte ze stralend naar Jennifer, met het gezicht van lerares tegen leerlinge. 'Maak je niet ongerust, Jennifer, je zult het voelen na je eerste zoen.' Sylvie stond op van de pianokruk en liep naar het raam om weer naar de activiteiten rond het zwembad te kijken. 'Probeer het nog eens,' zei ze bemoedigend.

'Ik ben al gezoend, wel drie keer,' zei Jennifer defensief. Toen begon ze weer te spelen, bijna even maniakaal als daarvoor.

Sylvie draaide zich weer naar haar om. 'Misschien moet je gewoon een jongen hebben die beter zoent,' oppperde ze. Jennifer giechelde, fleurde op, en ging werkelijk langzamer spelen. Mooi. Arm kind. Sylvie wilde dat haar leerlingen plezier hadden in hun lessen, en Jennifer had talent. Ze moest alleen leren ervan te genieten. Het meisje eindigde het stuk en Sylvie prees haar nadrukkelijk. Toen ze omkeek, was de chaos in de achtertuin nog groter geworden.

'Kom eens kijken,' zei Sylvie tegen het meisje. Jennifer en Sylvie tuurden beiden naar buiten. De hijskraan, die het hele grasveld overhoop haalde, stond bij het zwembad. Mannen met helmen stonden te gebaren, een van hen op obscene wijze. 'Hoe is uw auto daarin terechtgekomen?' vroeg Jennifer met ontzag in haar stem.

'Ik weet het niet. Misschien wilde hij nog een laatste keer zwemmen voor het winter wordt.'

Jennifer giechelde. Op dat moment verscheen haar moeder, mevrouw Miller, op het pad voor de tuindeuren en kwam binnen. Ze was een typische vrouw uit de buitenwijken, die niet alleen haar kinderen alles wilde laten doen, maar ook alles zelf wilde weten. 'Het spijt me dat ik aan de late kant ben,' excuseerde ze zich, maar het klonk niet alsof het haar speet. 'Er heerst een enorme verwarring in je tuin. Hoe ging de les?' vroeg ze opgewekt.

Jennifer wendde met moeite haar blik van de hijskraan af en keek naar haar moeder. 'Ze heeft me verteld dat ik een jongen moest zoeken die beter zoende. Een tongzoen misschien.'

Mevrouw Miller sperde haar ogen open en keek naar Sylvie. Leuk, hoor, dacht Sylvie. Ze schudde haar hoofd. 'Nee, Jennifer, dat heb ik niet gezegd. Ik heb niets specifieks gezegd,' zei Sylvie geruststellend tegen mevrouw Miller. 'We hadden het feitelijk over het tempo.' Ze trok haar wenkbrauwen op en liet haar stem dalen. 'Ik stel voor dat u het tv-kijken controleert.' Jennifers moeder was tevredengesteld, nam haar dochter bij de arm en vertrok.

Sylvie liep de tuin in. Overal liepen mensen. Phil stond te schreeuwen tegen een man met een videocamera. Ze had het gevoel dat het een soort buitenlandse film was en dat zij erin meespeelde. 'Wat *is* dit allemaal?' vroeg ze aan haar broer.

'We maken opnamen voor de reclamefilm.'

'Hier? In *mijn* tuin?'

'Ja. Ik heb de crew hierheen gestuurd. Het plan was de film op het autoterrein op te nemen, maar dit is stukken beter. We moeten nu alleen nog wachten tot Bob klaar is.' Phil lachte en keek naar de garage, waar Sylvie tot haar verbazing zag dat een vrouw het haar van haar man kamde. 'Hij wordt de Harrison Ford van de autoreclame,' zei Phil meesmuilend. Hij richtte zijn blik weer op haar. 'Het is verdomd moeilijk een Z2 te maken,' zei hij tegen haar. 'Maar pa vond het een buitenkansje dat jij je niet kon beheersen. Vrouwen achter het stuur!' Phil schudde weer zijn hoofd.

Toen kwam Bob naar hen toe. Sylvie keek alleen maar naar hem en zijn professioneel gekamde haar. Hij lachte schaapachtig terug. 'Hé, Bob, je –' begon Phil, maar klungelig als altijd, struikelde hij over een kabel en keek toen zoekend om zich heen wie hij de schuld kon geven. Natuurlijk, zag Sylvie, viel zijn oog op de enige vrouw in de crew, een aantrekkelijke vrouw met sproeten en roodbruin haar. 'Hallo! Rooie! Is dat de manier waarop je probeert een knappe man te versieren?' riep hij. 'Probeer het eens met een kennismakingsadvertentie.' Sylvie kromp even ineen. Phil tuurde naar Bob. 'Make-up! We hebben de make-up nodig.' De vrouw op wie Phil het oog had laten vallen, pakte haar make-up doos op en kwam naar hen toe.

'Nou, ze zal nu wel goed werk doen,' zei Bob tegen Phil, met een glimlach naar Sylvie. Ze zei niets, en liep weg toen Bob werd geschminkt en betutteld.

'Oké, oké, luister goed, iedereen. Een ster is geboren,' gilde Philip tegen de crew.

Mijn broer is een stom varken, dacht Sylvie. Ze keek toe terwijl Phil naast Bob neerhurkte om met hem te praten. 'Je weet wat we nodig hebben. De gebruikelijke bullshit. Eerlijkheid tot het pijn doet.' Phil stopte even in zijn regie-overdrijving. Hij had blijkbaar hetzelfde gezien wat Sylvie zag – Rosalie's gezicht dat boven het hek uit kwam. 'Haal dat hoofd weg, buiten bereik van de camera, of we gaan terug naar de rechtbank!' schreeuwde hij.

Rosalie verdween. Arme Rosalie. Ze was luidruchtig en ongevoelig, maar geen enkele vrouw verdiende Phil. Sylvie keek weer naar Bob, die nu gepoederd was en naar zijn plaats werd gebracht. Phil overhandigde hem het script. Bob was aan dit alles gewend, maar hij leek toch nerveus. Sylvie nam hem onderzoekend op. Hij zag er anders uit dan anders. Het was niet alleen de make-up. Ze liep naar hem toe.

'Sylvie, ik weet dat je –' begon Bob.

Achter hen viel Phil hem in de rede. 'Ken je de tekst?' vroeg hij.

Bob gebaarde naar het script. 'Ik vind niet dat het -'

Phil, de halfwas Quentin Tarantino, was in volle glorie. Als ze een reclamefilm opnamen, verwarde hij zichzelf met een auteur. 'Kom nou. Geen temperament,' zei hij tegen Bob. 'En mensen: de eerste keer goed of sterven!' riep hij uit. Sylvie zag dat een van de crewleden met zijn ogen rolde. Ze bloosde voor haar broer. Intussen draaide Bob zich om naar de camera.

Was dit alle aandacht die ze kreeg na iets te hebben gedaan dat zo krankzinnig, zo buitensporig was? Alsof ze haar auto als een donut in het water had gedoopt? Had Bob, nog voordat hij zelfs maar met haar had gesproken, voordat hij een kans had gehad om... voordat *zij* een kans had gehad om – nou ja, te praten– deze schandelijke daad al verwerkt? Op zijn eigen manier, door het in zijn voordeel te gebruiken? Was hij rustig doorgegaan, haar versteend achterlatend, zonder zich zelfs maar te kunnen verroeren?

Op de een of andere manier was Bob erin geslaagd, letterlijk van de ene dag op de andere, haar onbehagen, haar verwarring en verdriet in zijn voordeel te doen keren, of althans in reclame. Geen wonder dat hij voorzitter van de Rotary en hoofd van de Kamer van Koophandel was geweest!

Sylvie bleef verstijfd staan, terwijl Phil de regisseur wenkte om te beginnen. Maar toen kwam ze bij uit haar trance en liep naar haar man. Rosalie, samen met een andere buurvrouw en een paar kinderen, had haar kant van het hek in de steek gelaten en zich aangesloten bij de nieuwsgierige menigte rond de opname.

'Draaien,' riep de cameraman. *'Speed.'*

Bob begon zijn tekst te spreken. 'Waarom heb ik een BMW in een zwembad gereden? Om u te bewijzen –'

'Bob?'

'Geweldig, Sylvie! Je hebt de opname verpest!' riep Phil. 'Je weet dat we hier aan het werk zijn.'

'Bob?' herhaalde Sylvie, haar broer negerend. 'Jij hebt de auto niet in het zwembad gereden.'

'Nee. Dat weet ik, Sylvie. Ik lees alleen mijn tekst.'

Phil ging tussen hen in staan en schudde zijn hoofd. 'Zelfs mijn zus gedraagt zich als een vrouw.' Phil wenkte de crew dat ze opnieuw moesten beginnen. 'Sylvie, ga opzij. Oké, mensen, laten we opnieuw beginnen. Rosalie, achteruit, jij. Niemand wil dat gezicht in zijn huiskamer.'

Rosalie stak haar middenvinger naar hem op en liep weg.

Sylvie had hetzelfde gebaar willen maken naar haar broer, maar ze negeerde hem en keek naar haar man. 'Bob, dacht je dat ik dit gedaan heb om de autoverkoop te bevorderen?'

'Nee.'

'O, *alsjeblieft!'* Phil gaf een klap op zijn eigen dij. Als hij Von Sternberg was geweest, had hij een rijzweep gebruikt. 'Spelen we soms *Hersengymnastiek*, Sylvie?' Sylvie bleef stokstijf staan.

Het sierde Bob dat hij ondanks het ongeduld van zijn zwager, Sylvie recht in de ogen bleef kijken. 'Ik dacht dat je van streek was over iets,' bekende hij.

'Heb je daarover nagedacht, Bob?'

Phil sloeg tegen zijn voorhoofd, maar niet zo hard als Sylvie gewild zou hebben. Hij wees op zijn horloge. 'Dit is niet het moment voor een teder onderonsje.'

Sylvie hield haar ogen priemend op haar man gericht. 'Nou, Bob?' drong Sylvie aan, niet alleen Phil negerend, maar ook de nu zwijgende crew en buren die zich in haar tuin verdrongen.

Met een wanhopig gezicht keek Phil naar de aandachtig toekijkende crew. Toen pakte hij de hand van zijn zus. 'Zeg, voel je er wat voor samen met Bob in de commercial op te treden?' vroeg hij op de vals opgewekte toon van een wanhopige clown op een uit de hand gelopen kinderfeest. Hij beheerste zich en ging verder op een toon die verontschuldigend klonk. 'Vrouwen kopen ook auto's.'

'Nee... echt niet. Ik wil niet –' Sylvie probeerde zich los te rukken.

Maar Bob greep haar andere hand. 'Toe dan! Jij was toch degene die zo graag wilde dat we spontaan zouden zijn? Schop alleen je schoenen uit, zodat ze niet nat worden,' zei hij. 'We filmen boven de knie.' Hij trok haar voor de camera, omhelsde haar en hield haar hals vast. Bob probeerde haar naar de camera te draaien.

Sylvie stond op het punt zich los te rukken, toen ze omlaagkeek en zag dat Bobs eigen broekspijpen opgerold waren en hij zijn sokken en schoenen had uitgetrokken. Ze staarde naar zijn blote voeten. Ze kon haar ogen niet geloven. Ze verstijfde weer en haalde moeilijk adem. Bobs hand op haar schouder werd plotseling ondraaglijk. 'Sorry. Nee. Dat kan ik niet,' zei ze vol afschuw, en rukte zich los.

'Je *kunt* het niet? Kom nou, Sylvie, sinds wanneer heb jij plankenkoorts?' vroeg Phil. Hij pakte haar hand.

'Nee, dat is het niet. Ik was het vergeten. Ik moet weg.' Sylvie rukte zich weer los.

'Waar moet je naartoe?' wilde Bob weten. Alsof hij het recht daartoe had.

'Ik moet gewoon weg. Ik moet...' Sylvie voelde de tranen in haar ogen prikken. Ze kon niet denken, ze kon niet liegen, ze kon niet blijven. Ze kon het niet verdragen dat Bob haar aanraakte terwijl iedereen naar haar keek. Ze voelde zich blootgesteld, vernederd. 'Ik moet naar... naar de pedicure of zoiets,' zei ze en holde weg.

7

Jim, Sylvie's vader, zat in zijn fauteuil, met zijn voeten op een poef, voor de televisie. Mildred was bezig de verdorde bloemen uit haar Kaapse viooltjes te plukken. Ze zag dat de pot van de viooltjes gebarsten was. Ze nam zich voor een andere te glazuren in haar eigen pottenbakkerij. Ze keek naar haar man, zag wat de wereld zag. Jim zag er nog steeds goed uit, maar hij was gerijpt tot een enigszins zwaarlijvig, grootvaderlijk type, het soort man dat havermout kon verkopen op de televisie. Hij zat nu met de afstandsbediening in zijn hand. Hij keek naar een documentaire over Duinkerken, of misschien was het Anzio – een die hij waarschijnlijk al honderdmaal gezien had.

'Mildred. Kijk eens!'

'Zet alsjeblieft een ander kanaal op. Je maakt me zenuwachtig,' zei ze. 'Ik vind het afschuwelijk als je zegt: "Schat... de nazi's." Alsof het mij wat kan schelen.'

'Ik dacht dat je ze weer zou willen zien verliezen.'

'Jim, het interesseert me echt niet. Vrouwen willen niet naar de Tweede Wereldoorlog kijken, tenzij Gary Cooper een officier speelt. Waarom geef je die afstandsbediening niet aan mij? Er wordt een oude Angela Lansbury uitgezonden.'

Hij wuifde haar weg, en besefte toen dat ze hem plaagde. 'Weet je, we hebben geruzied over de televisie sinds hij is uitgevonden,' merkte Jim op.

Mildred lachte. Jim strekte zijn arm naar haar uit, maar voor hij haar kon omhelzen brak er artillerievuur los. Hij keek weer naar het scherm en klopte Mildred alleen even op de rug.

Mildred had op meer gehoopt, en bovendien vond ze het niet prettig om beklopt te worden. Dat had ze nooit prettig gevonden. Het leek zo...

neerbuigend. Zoiets van, kom maar, oudje. Ze richtte haar aandacht weer op haar viooltjes. Op dat moment werd er gebeld. Jim verroerde zich natuurlijk niet, dus ging Mildred naar de deur om open te doen. Sylvie stond voor haar, onverzorgd, ademloos en duidelijk van streek.

'Lieve hemel! Sylvie! Wat is er gebeurd? Weer een auto-ongeluk?'

Sylvie schudde haar hoofd en probeerde iets te zeggen, maar er kwam geen woord over haar lippen. Mildred keek naar alle kanten en trok haar de hal in. Het had geen zin de hele buurt te laten meeprofiteren van dit laatste bizarre familiegedrag, om maar niet te spreken over Rosalie de Omroepster. 'Haal diep adem. Zo. Nu nog eens,' beval Mildred. 'Oké. Praat.'

'Bob heeft een vriendin,' bracht Sylvie er eindelijk hijgend uit.

De twee vrouwen staarden elkaar even zwijgend aan. Toen schudde Mildred haar hoofd. 'Bob niet. Ik geef toe dat mijn zoon een idioot is, maar mijn schoonzoon niet. We hebben hem in de zaak opgenomen *en* in onze straat...' Ze zweeg. 'Hoe weet je het?'

'Hij is nooit thuis. Hij vergaf het me te gemakkelijk van de auto. Heb je die hijskraan gezien in de achtertuin? Hij en Phil gebruiken die om een commercial te filmen. Paps heeft het ze gezegd.'

'Dat verbaast me niets,' mompelde Mildred.

'Mam, begrijp je het dan niet? Straks laat hij me nog in Beautiful Baby rijden. Er is iets *definitief* mis. En... de mensen zeggen dat ze ons hebben gezien. Maar altijd op plaatsen waar *ik* niet geweest ben.'

Mildred, wier hart sneller begon te kloppen, dwong zich tot het praktische aspect dat Angela Lansbury altijd gebruikte in *Murder, She Wrote*. 'Dat is niets. Indirect bewijs,' zei ze afwijzend. 'Je hebt me nog niets definitiefs gegeven.'

Sylvie barstte in tranen uit. 'Hij heeft zich laten pedicuren.'

'Pedicuren! O, lieve hemel!' Mildred nam haar dochter in haar armen. Sylvie was niet paranoïde. 'Een vakkundige pedicure?' vroeg Mildred, die haar schoonzoon het voordeel van de twijfel gunde.

Sylvie knikte en veegde haar neus af aan haar mouw. 'Hij heeft me eenentwintig jaar geprikt met die puntige, schimmelige teennagels van hem. En nu, juist nu hij me negeert, zijn ze kort en roze.'

'Hij heeft zich *vakkundig* laten pedicuren?' herhaalde Mildred verontwaardigd. 'Hij hunkerde ernaar om betrapt te worden,' mompelde ze.

Sylvie begon te huilen op Mildreds schouder. 'Ik weet dat hij met een jongere vrouw naar bed gaat.'

Mildred wiegde Sylvie in haar armen, maar slaagde erin haar schouders op te halen. 'Natuurlijk is het een jongere vrouw! Denk je dat mannen hun vrouw bedriegen omdat ze hun grootmoeder missen?' Mildred keek even naar haar man. Jim zat nog in de zitkamer en de Amerikaanse soldaten werden nog beschoten op het strand. Hij was als gehypnotiseerd. Als er een psychopaat met een blik zuur en een slagersmes voor de deur had gestaan, zou Mildred op dit moment blind en neergestoken zijn terwijl Jim wachtte op een onderbreking door de reclame. Mannen! Waar deugden ze voor? 'Het is je dochter,' riep Mildred naar hem.

'Hallo, snoes. Wil je de nazi's zien?' riep Jim terug, zijn ogen strak op het scherm gericht.

'Nee, schat. We gaan een babbeltje maken.' Ze wist niet zeker of hij het gehoord had of niet, maar omdat hij zich niet verroerde, dacht ze dat hij geen verdere communiqués van het front nodig had. Mildred nam haar dochter bij de arm en trok haar de trap op.

'Waar gaan we heen?' vroeg Sylvie, met haar handen in haar ogen wrijvend, zoals ze altijd deed toen ze nog klein was.

'Ergens waar je twee uur lang kunt uithuilen. Je gaat in bed liggen met een warme kruik. Daarna praten we.' Mildred bracht haar naar de slaapkamer, liet haar op het bed zitten, knielde en trok Sylvie's schoenen uit.'Ga liggen,' zei ze, en Sylvie gehoorzaamde. Mildred trok de chenille sprei over haar heen en stopte die in onder haar schouders, op de manier die Sylvie prettig vond.

Sylvie werd wakker in haar oude hemelbed. Alles in de kamer was gedateerd: tiener circa 1967. Het was een groot huis, en Mildred had de kinderkamers precies gelaten zoals ze waren. Op de plank stonden de Barbies nog uitgestald en er stond een blauwe Princess-telefoon. Buiten begon het donker te worden. Mildred zat in de schemering op het bed naast Sylvie, die langzaam overeind kwam en zich uitrekte. 'Hoe laat is het?' vroeg ze.

'Tijd om te stoppen met achterdocht en op zoek te gaan naar feiten,' zei Mildred.

'Is de hijskraan weg?'

'De hijskraan, je auto, je broer, en Bob. Ze zijn allemaal nat en ze zijn allemaal weg,' zei Mildred. 'De kust is vrij, zoals ze zeggen.'

Sylvie gooide de sprei van zich af en stond op.

'Waar ga je heen?' vroeg Mildred.

'Naar hiernaast. Terug naar huis. Ik ga op onderzoek uit.'

Sylvie zat in de schemering van haar eetkamer, weggekropen achter Bobs bureau. In alle jaren van hun huwelijk had ze nog nooit zelfs maar gekeken naar de geopende post die er lag. Nu was elk vakje en elke la geleegd. Ze had zelfs het vloeiblad opgetild om eronder te kijken. Ze had stukjes papier, kaarten en kwitanties om zich heen verspreid op het bureaublad en de eettafel. Het was donker geworden, maar Sylvie had niet de moeite genomen de lamp aan te steken. Ze hoefde niets meer te zien. Wat voor haar lag was niet alleen een papieren spoor van verraad, maar een soort Doe-Het-Zelf-Eerste-Keer-Overspelpakket. Haar handen trilden, maar ze hoopte dat ze de kracht had Bob neer te schieten als hij door de deur kwam – als ze een kogel had. Of een pistool om de kogel mee af te schieten.

Ze zou niet op het hoofd of het hart mikken – ze was woedend maar niet gestoord. Ze wilde niet naar de gevangenis. Ze zou hem alleen in zijn benen schieten, in allebei. Dan zou hij wat pijn lijden, maar niet half zoveel als zij. Als hij een tijdje gebloed en gejammerd had, kon ze hem naar die verdomde auto van hem sleuren, en zij zou rijden, terwijl hij op de bekleding lag te bloeden. Ze konden naar John gaan, die discreet de kogels zou verwijderen. Daarna zou ze Bob verlaten. Misschien zou ze met Reenie een nieuw leven beginnen in Vermont of in haar eentje in Mexico. Ze had altijd al de woestijn willen zien. Een aardig adobehuis, amarant, en een hond. Nee, twee honden. Golden retrievers, allebei vrouwtjes. Ze zou in het spoor van Georgia O'Keeffe treden, en misschien, als ze negentig was, zou er ook een jongeman naar haar toe komen, en zou ze het nog een keer willen proberen. Maar niet eerder.

Sylvie stond op en liep door de donkere gang naar haar muziekkamer – de enige plaats waar ze troost kon vinden. In de duisternis ging ze achter de piano zitten en begon te spelen. Het heldere glissando van Mozarts Pianoconcert No. 17 vulde de kamer. Ze had dit stuk op Juilllard gespeeld, voor een recital. Bob was er ook geweest. Ze herinnerde zich zijn gezicht toen hij haar na afloop gelukwenste. Die avond hadden ze voor het eerst met elkaar gevrijd. Hij was toen stapelverliefd op haar. Ze had goed gespeeld, maar nu – alleen in het donker – wist ze dat ze beter speelde. Haar vingers stokten een paar keer, maar haar gevoel, haar timing en het hart van de muziek waren beter, eerlijker.

Toen ze de deur open hoorde gaan, schrok ze op en liet haar handen zakken. De schok dat de muziek zo plotseling eindigde gaf haar de energie om zich om te draaien en haar man onder ogen te komen. Maar het was Mildred die in de deuropening van de muziekkamer stond, met een sandwich op een bord.

'Je hebt niets gegeten,' zei Mildred. 'Je moet zorgen dat je sterk blijft.' Sylvie deed de lamp aan, pakte haar moeder bij de hand en leidde haar de gang door. Bij de deur van de eetkamer keek Mildred de kamer in, hield hoorbaar haar adem in en zette de sandwich aan het andere eind van de rommelige eettafel.

'Wil je bewijs?' vroeg Sylvie. 'Ik heb het. Dubbel en dwars.'

'Dus je wilt geen sandwich, maar een pistool,' zei Mildred. 'Waar is Bob nu?' vroeg ze, terwijl ze Bewijs A oppakte.

'Hij heeft een boodschap achtergelaten. Hij moet zogenaamd overwerken en dan naar een buitengewone vergadering van de vrijmetselaars vanavond. Maar er is geen buitengewone vergadering. Ik heb het gevraagd aan de vrouw van Burt Silver. En gisteren was er ook geen vergadering.' Sylvie ging weer achter het bureau zitten. 'Ik wist dat er iets veranderd was,' zei ze. 'Het was niet de gebruikelijke, routineuze, me-als-vanzelfsprekend-beschouwende Bob. Het was de nieuwe, verbeterde, me-voor-de-gek-houdende, bedriegende Bob.' Sylvie pakte een gekreukt stukje papier op. 'Moet je zien,' zei ze.

Mildred liep de kamer door en pakte de kwitantie aan. Ze kneep haar ogen samen en hield het papier een eindje van zich af, maar kon het niet lezen zonder bril. 'Wat is het?'

'Een American Expressbon van juwelier Weiner's.'

'De dief. Koop jij daar?'

'*Ik* niet. *Ik* koop geen juwelen. Maar *iemand* heeft daar een ketting gekocht.' Sylvie's stem droop van sarcasme. 'Wie zou het kunnen zijn? Wacht! Kijk! De bon is getekend door Bob.' Ze draaide Mildred haar rug toe.

'Misschien waren het manchetknopen. Je weet hoeveel hij van manchetknopen houdt.'

Zwijgend overhandigde Sylvie haar de factuur van de juwelier. 'Geen manchetknopen,' zei ze. 'Een ketting. En geloof me, Bob heeft geen ketting meer gedragen sinds de universiteit.'

Mildred keek naar de factuur en toen naar haar dochter. Ze liet zich op een stoel vallen aan het hoofd van de tafel. Bobs stoel. 'Misschien is de ketting voor jou. Voor je verjaardag.'

'Ik heb mijn cadeau al. Weet je nog?'

'Het kan voor Reenie zijn. Als ze thuiskomt met Thanksgiving.'

'Probeer geen excuses te vinden voor mijn man,' zei Sylvie. 'Het is gestuurd aan M. Molensky.'

'M. Molensky? Dat is toch geen naam voor een vriendin?' zei Mildred. 'Klinkt meer als een accountant.'

Zwijgend overhandigde Sylvie Mildred een andere kwitantie. 'Spaar je adem. Lees het en huil.'

'Switzer's?' Sylvie knikte, legde haar hand voor haar mond en onderdrukte een snik.

Mildred liep naar haar dochter, het definitieve bewijs van de ontrouw van haar schoonzoon nog in haar hand geklemd. 'O, schat, het spijt me zo...' Mildred floot bij het zien van het bedrag onderaan de factuur. 'We hebben te maken met serieuze lingerie,' zei ze.

Sylvie huilde nu tranen met tuiten. 'En zelf draag ik katoenen slipjes,' snikte ze.

Mildred zuchtte. 'Weten mannen dan niet dat er discountzaken bestaan?' Ze streek over het haar van haar dochter. 'Een van de voornaamste verschillen tussen mannen en vrouwen is dat wij erover opscheppen hoe weinig we voor iets betaald hebben. Zij scheppen erover op hoeveel.'

'Dat is niet een van de voornaamste verschillen,' zei Sylvie grimmig. Ze gebaarde naar de papieren en kaarten. 'Vrouwen zouden niet zo stom zijn om te telefoneren naar hun minnaar in Cleveland vanuit hun huis in Shaker Heights. En dat is niet alles, mam. Toen ik de American Expressbonnen doorkeek waren er diners, hopen diners. Geen wonder dat de mensen zeiden dat ze me in het dorp gezien hadden. En ze waren duur ook. *En* hij gaf vijfentwintig procent fooi.'

Mildred knikte. 'Dat zegt alles. Mannen geven hoge fooien om iets anders goed te maken.' Mildred pakte twee andere bonnetjes op. 'Dus jij was niet in Vico's?'

'Nee. Maar Rosalie denkt van wél.'

'Wat deed *zij* daar trouwens?' vroeg Mildred zich af.

'Ze maakt afspraakjes met een kerel met negen tenen. Waarschijnlijk heeft hij haar daar mee naartoe genomen. Overigens, ben je nu overtuigd?' vroeg Sylvie.

'O, ja,' zei Mildred. 'Ik ben optimistisch, niet stom.' Ze schudde weer haar hoofd. 'Ik ben zo teleurgesteld in Bob. Dus wat nu?'

Sylvie had zich hetzelfde afgevraagd. Toen ze de stapel bewijzen had doorgenomen, was ze van ongeloof naar angst naar ontkenning gegaan en al die andere fasen die Elizabeth Kübler-Ross had beschreven als de stadia van het aanvaarden van de dood, want wat Sylvie had doorgemaakt was niet alleen de confrontatie met de bewijzen in Bobs bureau, maar de dood van haar huwelijk en het eind van al haar dromen voor de toekomst. In haar hart, verborgen onder haar optimisme en blindheid, had ze ergens het gevoel gehad dat er iets mis was, al had ze geweigerd er acht op te slaan. Achter Bobs bureau had ze niet alleen die realiteit onder ogen moeten zien, maar ook moeten beslissen wat ze eraan wilde doen. Ze had onmiddellijk geweten dat ze niet kon doen alsof, dat ze het niet kon excuseren, en er evenmin aan kon twijfelen dat het gebeurd was.

'Sylvie?' Mildreds stem klonk teder. 'Wat nu?'

'Voordat ik een beslissing neem, wil ik je nog één ding laten zien,' zei Sylvie verbitterd en met tranen in haar ogen. Ze haalde een klein pakje uit de onderste la van Bobs bureau en gaf het aan haar moeder. Mildred staarde naar het condoom in haar hand.

'In ieder geval had hij veilige seks.'

'De enige veilige seks die Bob kan hebben is met *mij*,' zei Sylvie. 'En dat is in zesenvijftig dagen niet gebeurd.'

'Tel je ze?' vroeg Mildred. 'Een slecht teken als je gaat tellen.' Ze zuchtte. 'Mijn god, als ik zou tellen hoelang het geleden is dat je vader en ik –'

'Moeder, alsjeblieft!' Sylvie stond op, verzamelde alle bewijzen en stopte ze in een grote envelop. Toen liep ze de kamer door.

'Wat ga je doen?' vroeg Mildred. 'Waar ga je heen?'

'Naar boven om te pakken.'

'Pakken?' herhaalde Mildred toen haar dochter verdween naar de gang. 'O, nee, Sylvie. Dat moet je niet doen.' Ze holde de trap op achter haar dochter aan. 'Ik heb al één ex-schoonkind in de straat. Je kunt het huis niet in de steek laten.' Sylvie was al in haar slaapkamer, en toen Mildred binnenkwam lag er een open koffer op het bed. Ze had er al een paar van haar katoenen slipjes in gegooid. 'Sylvie, niet doen. Je leven is *hier*.'

Sylvie deed de deur van de kast open, haalde er een blouse en een pakje uit – een Karen Kahn dat ze niet meer had gedragen sinds het eindexamen van de tweeling van de middelbare school – en wierp ze in de koffer. 'Wat voor leven? Dit is geen leven. Het is een schijnvertoning. Ik moet weg. Ik ben getrouwd met een man die niet alleen liegt en bedriegt, maar ook zijn teennagels laat polijsten.' Ze wist dat ze net zo kwaad was op zichzelf als op Bob, omdat een deel van haar iets had vermoed en een ander deel – het stomme deel – geweigerd had het te erkennen. Sylvie pakte het lampje op haar toilettafel op, haalde de stekker uit het stopcontact en gooide het in de koffer.

Mildred zette het lampje terug. 'Ik denk niet dat je voorlopig veel zult lezen. Maar áls je een boek wilt lezen, mag ik je dan *A Week in Firenze* aanraden? Camilla Clapfish is een uitstekende schrijfster. Ze weet alles van de middelbare leeftijd.'

'Nee, ik zal het te druk hebben met advocaten te bellen,' zei Sylvie verbitterd. 'Weet je, eigenlijk ben ik blij dat ik het ontdekt heb. Ik ben sterk. Ik zal het overleven. Ik zal advocaat worden of een gerechtelijk psychiater, of met een senator trouwen. Nee, ik zal een senator *worden* – een slanke. Ik zal een wet bekrachtigen om de invoerbelasting op buitenlandse auto's te verdriedubbelen. Dan zal Bob spijt hebben.'

'Je vader ook.'

Sylvie negeerde haar moeder. 'Hij was een man die ik altijd vertrouwde. Het spijt me alleen dat ik de was nog heb gedaan voor ik vertrek.'

Mildred liep door de kamer, maakte Bobs leren manchetknopendoos open en schudde ermee als een cocktailshaker. 'Hij is een man die altijd zuinig is op zijn manchetknopen,' zei ze. Ze maakte de doos open, haalde een van alle paren mooie manchetknopen eruit en stopte die in haar eigen zak. 'Dat zal hem knettergek maken. Luister, Sylvie. Je bent kwaad. Je bent gekwetst. Neem mijn raad aan: reageer het af. Geef geld uit. Gil. Huil. Neem desnoods een vriend. Laat *hem* emotioneel boeten. Maar hou vast aan je huwelijk.' Ze keek haar dochter strak aan. 'Ik ken Bob. Je echtgenoot is een man die van orde en routine houdt. Zoals de meeste mannen. En die geef jij hem. Niet een of ander sletje dat M. Molensky heet. Misschien heeft hij alles wat je hem gaf als vanzelfsprekend geaccepteerd, maar hij heeft het nodig. Laat dit gewoon overwaaien.'

Sylvie keerde haar moeder de rug toe, gooide nog een paar beha's in haar koffer en toen een ingelijste foto van de tweeling. Mildred keek toe, schudde haar hoofd en trok Bobs la met hemden open. Al zijn sporthemden, terug van de wasserij, waren gesteven, opgevouwen en nauwkeurig gesorteerd naar kleur. Hij was fanatiek wat zijn hemden betrof. De nette hemden bij de kostuums hingen in de kast, allemaal dezelfde kant op. Mildred haalde de kartonnetjes eruit en de plastic vormen uit de boorden, en haalde ze door elkaar alsof ze in een stoofpot roerde. 'Sylvie, hang je kleren op,' beval ze.

'Mam, je hebt geen idee hoe ik me voel. Ik kan onmogelijk weer in dit bed gaan liggen en bij Bob slapen.'

'O, wees toch realistisch!' snauwde Mildred. 'Voorlopig slaap je toch niet. Hoor eens, ik geef toe dat het een schok voor je is. Ik geef toe dat het verschrikkelijk is. Maar ik geloof niet dat hij het ooit eerder heeft gedaan. Ik ken Bob. Jij ook. Waarom zou hij het ooit nog eens doen? Je bent niet de enige die geconfronteerd wordt met haar sterfelijkheid, weet je.' Mildred trok de la open van Bobs nachtkastje, haalde zijn keurig opgerolde sokken eruit en combineerde de verkeerde sokken. Toen rolde zij ze weer op en legde ze terug in de la. Intussen voegde Sylvie een fotoalbum bij haar voorraad en stond op het punt de cactus van Kerstmis erbij te leggen, toen Mildred op de rand van het bed ging zitten. 'Sylvie, waar wil je naartoe?'

'Mam, de tijden zijn veranderd. Vrouwen nemen niet langer genoegen met dit gedrag. Ze blijven niet meer thuis. Ik wil de confrontatie met hem aangaan, ik wil hem straffen, en dan wil ik weg.'

'Luister naar me, dat gevoel gaat voorbij. Loop niet weg. En, Sylvie, hef niet je vinger tegen hem op.'

'Dat doe ik wél! En ik wil dat hij net zo lijdt als ik.' Sylvie pakte de telefoon op.

'Wat doe je?' vroeg Mildred.

'Ik maak een afspraak.' Mildred probeerde de telefoon van haar af te pakken, maar Sylvie liet het niet toe. 'Ik leef in een hel. Waarom zou hij dat niet?' vroeg Sylvie. Toen werd de telefoon opgenomen door de receptioniste van het autobedrijf. Met moeite dwong Sylvie zich heel vriendelijk te vragen: 'Betsy? Meneer Schiffer alsjeblieft... O, goed. Met allebei... Hij is niet? O... Van het terrein af?... Nee. Geen boodschap.' Sylvie smeet de telefoon neer en had in een seconde haar spullen bijeengepakt, gereed om te vertrekken.

'Wat, niet alleen je vinger maar jijzelf in eigen persoon?' vroeg Mildred.

'Ja! Ik wil deze woede niet verspillen Kan ik je auto lenen?'

'Hoor eens. Jullie hebben samen een verleden, dat is iets waard. Jullie hebben een verleden en misschien een toekomst. Als je je vinger tegen hem opheft, wordt hij eerst razend, en dan doof.'

Sylvie pakte haar koffer op. 'Jouw denkwijze is achterhaald.'

'Achterhaald, ammehoela,' zei Mildred schor. 'Denk na, Sylvie.

Denk heel goed na. Wat wil je? Een toekomst als Rosalie de Verbitterde?' Sylvie schudde slechts haar hoofd, pakte haar tas en liep de kamer uit. 'Waar ga je naartoe?' riep Mildred en volgde haar dochter.

'Ik heb een taxi gebeld. Ik ga naar de zaak, gooi het Bob voor de voeten, en dan verlaat ik hem.' Sylvie stond onder aan de trap. 'En ik neem mijn oude auto terug.'

'O, nee,' kermde Mildred. Er werd buiten getoeterd en Sylvie deed de deur open en zwaaide naar de chauffeur. Ze pakte haar koffer op. 'Alsjeblieft...' begon Mildred, maar haar dochter was al de deur uit en liep over het pad naar de wachtende taxi.

8

Sylvie had niet vaak een taxi genomen. Shaker Heights was het soort stad waar je zelf reed, en zelfs als ze naar de luchthaven gingen, reden zij en Bob er liever heen en lieten hun auto op het parkeerterrein achter. De taxi die nu buiten stond te wachten was helemaal blauw – het gehavende exterieur, de vinylbekleding van het interieur, de vuile vloermatten, en zelfs de ineffectieve pijnappelvormige geurverdrijver die aan de voorruit bengelde. Goed, blauw paste bij haar stemming, dacht Sylvie toen ze instapte. Daar de chauffeur zelfs niet aanbood haar te helpen met haar koffer, gooide ze hem zelf op de achterbank. Ik zal eraan gewend moeten raken dingen zelf te doen, dacht ze.

'Waarheen?' vroeg hij.

'Longworth Avenue. Crandalls Autobedrijf.'

'Oké,' zei de chauffeur. Ze kon alleen de achterkant van zijn nek zien en een vreemde pet die hij omlaag had getrokken. Die was ook blauw en had de vorm van een paddestoel met naden. De taxi reed weg en Sylvie boog zich naar voren.

'Mag ik u wat vragen?' zei ze. Ze probeerde zijn blik op te vangen in de achteruitkijkspiegel. 'Hebt u uw vrouw weleens bedrogen?'

'Niet dat ik me kan herinneren,' zei de chauffeur.

'Ik denk dat u, als u haar bedrogen had, zich dat wel zou kunnen herinneren,' snauwde ze.

'Misschien niet als ik heel erg dronken was,' zei de chauffeur. 'Niet dat ik drink. Niet meer. Maar natuurlijk ben ik ook niet meer getrouwd.'

Sylvie dirigeerde de chauffeur langs de hoofdingang van het BMW-terrein naar de zijstraat van Longworth. Sylvie, die de chauffeur het grootste deel van de rit had uitgekafferd, vroeg hem zijn best te doen om niet op te vallen. Ze stapte uit de auto, en hij overhandigde Sylvie haar koffer, kennelijk blij dat hij van haar af was. Ze zocht in haar tas. Ze wist niet zeker hoeveel fooi ze moest geven. De rit was vreselijk geweest, maar haar gedrag ook, en per slot had hij haar hierheen gereden en had hij haar beledigingen moeten aanhoren. Ze betaalde hem de ritprijs en haalde toen nog twee dollar te voorschijn. 'Dit is omdat ik u een schoelje heb genoemd,' zei ze. 'Het spijt me.' Ze zocht weer in haar tas en haalde er nog eens twee dollar uit. 'En dit is omdat ik u een "hopeloze klootzak" noemde. Ik weet zeker dat u niet hopeloos bent.' Ze zweeg even, herinnerde zich iets en gaf hem toen een biljet van vijf dollar. 'En dit is omdat u zei dat ik nog knap ben.'

De chauffeur glimlachte. Hij miste een kies, en de tanden die hij had leken de moeite van het bewaren niet waard. 'Hé, bedankt, dame.' Toen hij wegreed en Sylvie midden in de lege straat liet staan, stopte de auto van haar moeder, met Mildred achter het stuur.

'Niet tegenspreken. Zet je koffer op de achterbank en stap in,' beval Mildred. Sylvie had die toon voor het laatst gehoord toen ze in de zevende klas zat, en tot haar eigen verbazing reageerde ze automatisch en deed precies wat haar moeder zei. Toen ze in de auto zat, draaide Mildred het raam dicht en draaide zich om naar haar dochter. 'Oké. Je wilt een confrontatie met Bob?' Sylvie knikte en hield de envelop met bewijzen op. 'Stomme meid. Als je íemand ermee moet confronteren, zou ik zeggen de *vriendin*. Gooi haar de stad uit.'

'Mam, dit gaat niet over twee vrouwen die vechten om een man. Dit gaat om Bob, die me heeft belogen en voor gek gezet.'

Mildred zuchtte, schudde haar hoofd en manoeuvreerde toen moeizaam door een ingewikkelde bocht. Toen ze stopte voor het verkeerslicht op Longworth, zag ze op hetzelfde moment Beautiful Baby voorbijrijden.

'O, mijn god!' riep Sylvie uit. 'Ik wed dat hij naar haar toe gaat. Naar haar.'

Mildred reed door en begon hem te volgen. 'We kunnen niet vlak achter hem aan rijden,' zei ze. 'Weet je waar ze woont?'

'Aan de overkant van de brug. Cleveland. 1411 Green Bay Road. Daar is het negligé naartoe gezonden.'

Mildred snoof minachtend. 'Ik wed dat er geen groen is en geen baai,' zei ze. 'Ik denk dat het de buurt is achter het vliegveld. Flats.' Ze snoof weer, alsof het een smerig woord was. Zwijgend reden ze een tijdje verder. Grimmig omklemde Mildred het stuur en staarde voor zich uit naar Bobs achterlichten in de verte. Ze hield een auto tussen haar auto en Beautiful Baby. Toen ze Shaker Heights verlieten, werden de huizen kleiner en het verkeer drukker. Maar Mildred verloor Beautiful Baby geen moment uit het oog.

'Hé, dat doe je goed,' zei Sylvie bewonderend.

'Ik heb in een hoop dingen ervaring.' Ver voor zich uit zag Sylvie Beautiful Baby naar de kant van de weg gaan.

'Kijk!' riep ze uit. 'Bob is gestopt. Zou hij panne hebben? Of zou hij zich bedenken?' Ze gingen langzamer rijden. 'Het is een kraam langs de weg. Wat wil hij?'

'Is het niet een beetje laat op de avond om groenten te kopen?' vroeg Mildred. 'Wie heeft nu nog behoefte aan een aubergine? Toen Bob wegreed, koerste ze naar het stalletje en stopte.

Sylvie draaide het raam open. 'Wat heeft die man zojuist gekocht?' vroeg ze aan de verkoper.

'Een paar dozijn rozen. Hebt u belangstelling?'

Sylvie gaf een gil, deed het raam dicht en Mildred scheurde weg. Ze trapte het gaspedaal in om haar schoonzoon in te halen.

'Een overspelige bloemenstal. Natuurlijk is die nog laat open,' mompelde ze.

'Bloemen! Ik krijg nooit bloemen!' mompelde ze.

'Déjà vu,' zei Mildred, half bij zichzelf.

'Bob heeft me nooit eerder bedrogen.'

Mildred zweeg. Haar knokkels zagen wit en ze tuurde over het stuur heen. 'Ik had het niet over Bob,' zei ze ten slotte. Sylvie keek haar aan. Wat? Iets in de strakke mond van haar moeder gaf haar een aanwijzing.

'Paps? Heeft paps je bedrogen?' Sylvie kon het niet geloven. 'Niet paps.'

'Nee. Alleen een van zijn lichaamsdelen.' Mildred zweeg verlegen, en probeerde het toen uit te leggen. 'Herinner je je nog wat er gebeurde toen je broer in de puberteit kwam?' Sylvie haalde haar schouders op. 'Hm, misschien is Phil niet zo'n goed voorbeeld. Hij heeft de puberteit nooit achter zich gelaten. Maar bij de meeste jongens... ze... hun hoofd en hun penissen... peni... separaat. Het is de natuur. Maar – met uitzondering van je broer – het is maar tijdelijk. Ze komen weer bij elkaar als hij verliefd wordt. Hij wil zijn ding gebruiken om een gezin te stichten. Zo ging het met je vader en mij.'

'Alsjeblieft, mam. Er zijn grenzen. Vertel me niet over paps'... ding.'

'Je begrijpt het niet. Het was *ons* ding. Freud had gelijk: vrouwen *willen* een penis, maar ze willen hem vastzittend aan hun man. Toen jullie opgroeiden deelden je vader en ik zijn... ding.' Sylvie trok een "uuu-ghh!" gezicht. Ze wilde absoluut niets horen over het seksleven van haar ouders. Maar toen ze opzij naar haar moeder keek, zag ze dat Mildred in zichzelf glimlachte. 'In ieder geval, juist in de tijd dat paps ongeveer zo oud was als Bob, separeerden zijn penis en zijn hoofd zich weer. En plotseling keerde dat ding zich tegen mij en nam je vader mee uit met de boekhoudster.'

'O, mam, wat spijt me dat!' Sylvie staarde in de vallende duisternis naar Bobs achterlichten. Haar paps had haar mam bedrogen. Ze had het nooit geweten, het nooit vermoed. Ze zag hem in een heel ander licht. Hij was nu lid van De Oppositie, gewoon een andere man. Sylvie werd door zó'n droefheid overvallen, dat ze haar nagels in haar handpalmen moest drukken om afleiding te zoeken en het draaglijker te maken. Ze wendde haar blik af van de weg en Bobs auto, en keek weer naar haar moeders profiel. Ze had gedacht dat ze alles – of bijna alles – van Mildred wist. Hoeveel andere geheimen had Mildred voor zich gehouden? Hoeveel verdriet had ze moeten verwerken? En ze had nooit iets laten merken, had het nooit verraden aan haar kinderen. 'Het moet vreselijk zijn geweest voor je,' fluisterde Sylvie.

Mildred knikte. 'Het was een afgrijselijk jaar, maar ik had de keus tussen twee dingen: afwachten of weggaan. Vergeet niet dat we toen niet veel geld hadden. En ik had drie kinderen. Wat moest ik doen? Serveerster worden? Ik heb mijn waardigheid behouden door te blijven.'

Sylvie beet op haar lip. Misschien, dacht ze, moest ze niet zo snel zijn in haar oordeel over haar moeder, en haar opinie niet in de wind slaan. In een moment van verlegenheid keek Sylvie weer naar Mildred. Haar moeder was een sterke vrouw. Ze had veel meegemaakt en ze was erin geslaagd een gezin, een echtgenoot en een thuis te behouden, terwijl ze haar kleine pottenbakkerij creëerde. Wie was Sylvie om dat te veroordelen? Ze concentreerde zich op de weg voor zich en zag Bobs knipperende richtingaanwijzer. Sylvie gilde en wees. 'Hij draait – hij draait!'

'Ik heb het gezien,' zei Mildred grimmig.

Onwillekeurig vroeg Sylvie zich af of Mildred jaren geleden Jim net zo was gevolgd. Maar Sylvie wilde er niet naar vragen en wilde het ook niet weten. Maar ze wilde wél de strategie van haar moeder kennen. 'Dus wat heb je *gedaan*?' vroeg ze, terwijl ze de hoek omsloeg. 'Heb je het gewoon afgewacht?'

'Hemel, nee!' zei haar moeder en wendde voor het eerst haar ogen af van de weg en keek met een snelle, maar priemende blik naar Sylvie.

'Mam, dit soort gedrag kan ik onmogelijk dulden,' protesteerde Sylvie. 'Dat is ouderwets.'

'Noem je *mij* ouderwets? Zelfs voordat ze het woord hadden uitgevonden wist ik al hoe ik productief moest zijn.' Ze zweeg even. 'Ik heb een financiële regeling getroffen met de boekhoudster. Waarom denk je dat ik me twee jaar lang niet kon permitteren mijn benen te laten epileren? Een financiële regeling. Hoe modern is dat?'

'Ik koop niemand af, mam.'

'Zeg eens, hoeveel hou je van hem?'

'Van wie? Van Bob? Helemaal niet, nu.'

'O, nee? Denk nog eens na. Stel je voor dat je op mijn begrafenis bent...'

Sylvie huiverde. 'Doe niet zo morbide. Daar wil ik niet eens aan *denken*.' Ze was geschokt door de opmerking van haar moeder. Wat zou ze moeten beginnen zonder haar moeder?

'Oké, ' gaf Mildred toe. 'Je bent op de begrafenis van je *vader*. Op wiens schouder huil je uit?'

Sylvie dacht na. 'Die van Bob,' bekende ze toen.

'Ik heb er niets meer aan toe te voegen.'

Beide auto's reden een straat in met flatgebouwen. Het was een van de buurten die vijftien jaar geleden gebouwd waren – snel in elkaar gezet, goedkoop gemaakte 'stadswoningen' met flinterdunne muren en pseudo-Palladiaanse ramen met klapluiken. Het hele sjofele gebouw was okergeel geschilderd in een misplaatste poging het een Italiaans uiterlijk te geven, maar de verf was verbleekt en afgebladderd en het pseudo-Toscaanse werkte niet in Cleveland. Sylvie verbeeldde zich dat er stewardessen, mondhygiënisten en kapsters in hun eentje in elk van die konijnenholen woonden. Ja. En gescheiden pianoleraressen, voegde ze eraan toe. Zoals ik. Toen reed Bob een gereserveerde parkeerplaats in.

'Heeft hij zijn eigen parkeerplaats?' vroeg Mildred verontwaardigd.

'Mocht wat, zijn eigen plaats,' zei Sylvie laatdunkend. 'Het belangrijkste is dat het buiten is. Hij parkeert Beautiful Baby *buiten* voor haar! Dat zou hij voor mij niet doen.' Toen zag Sylvie waar Bob naast geparkeerd stond: een auto die identiek was aan haar eigen (onlangs verdronken) BMW. Ook een zilveren Z2 sportwagen! Sylvie gilde zo kalm mogelijk. 'Ze heeft mijn auto! Hij heeft voor haar precies hetzelfde model gekocht. Geen wonder dat ik hem heb laten zinken.'

Met een vastberaden gezicht reed Mildred langs de beide auto's en parkeerde verderop. 'Nu moet je niet –' begon ze, maar Sylvie hoorde de rest niet, omdat ze al was uitgestapt om Bob te bespieden. Maar ze zorgde ervoor dat ze niet gezien werd.

Bob liep naar een verbindingspad. Sylvie kwam zo dichtbij als veiligheidshalve mogelijk was, en probeerde geen geluid te maken of in het donker te struikelen. Bob draaide zich om en ze verborg zich achter een boom. Hij liep naar de aftakking van het pad dat naar 1411 leidde. Ze zag hem op de bel drukken van een flat op de begane grond. Een vrouw deed open, en al kon Sylvie niet goed zien in het licht dat door de deur naar buiten viel, toch zag ze dat ze elkaar omhelsden en dat Bob werd binnengelaten. Sylvie gebaarde naar Mildred, die nog in de auto zat en nu naast haar stopte. Sylvie stapte weer in. Mildred reed naar de parkeerplaats naast die van Bob.

Sylvie stapte weer uit, gevolgd door Mildred. Ze keek naar de zilveren BMW sportwagen, identiek aan de hare. Ze tuurde door het raam aan één kant, Mildreds hoofd naast het hare, hun neuzen tegen het glas gedrukt.

'Ik *moet* hem vernielen,' zei Sylvie.

'Beheers je. Scheiding is geen aantrekkelijk beeld voor een vrouw,' herhaalde Mildred tegen haar dochter.

'De tijden zijn veranderd.'

'Niet voldoende. Kijk naar Rosalie. Ze gaat uit met een man met negen tenen. Ze vreest de komende zomer als ze met hem naar het strand moet.'

'Ik ben Rosalie niet,' zei Sylvie uitdagend. 'Ik haat Bob. Hij had dit nooit mogen doen. En ik zal het hem inpeperen!'

9

Wat trek je aan voor een confrontatie met de maîtresse van je man? vroeg Sylvie zich af. En noemde je ze – die vrouwen – nog wel 'maîtresses'? Was ze zijn vriendin? Zijn minnares? De andere woorden die in Sylvie's hoofd opkwamen waren benamingen die ze voor niemand zou gebruiken, niet in hun gezicht. Hoewel, dacht ze, misschien tóch als ze dat van M. Molensky zag.

Sylvie zat in haar sportwagen, die nu weer zo goed als nieuw was – afgezien van de stank van schimmel. Ze was een en al vastberadenheid. De stank stoorde Sylvie, maar haar voorgenomen missie was problematischer. Ze had twee dagen gehad om alles te overdenken, erover te broeien en tot bedaren te komen en dan weer te broeien. Ze moest langzamerhand wel veranderd zijn in een stoofpot, dacht ze. Ze stopte op een plaats vlak achter 1411 Green Bay Road, stapte uit en streek de zwarte broek en blauwe trui glad die ze had aangetrokken. Toen klemde ze haar tas onder haar arm en liep met grote passen over het pad naar de ingang van de flat. Daar hief ze haar arm op om op de deur te bonzen. Maar plotseling liet haar bravoure haar in de steek en trok ze haar hand terug. Waar was ze mee bezig? Dit was niet iets tussen haar en M. Molensky, wie ze ook mocht zijn. Dit was iets tussen haar en Bob. Ondanks het advies van haar moeder en haar eigen afkeer van geweld, zou ze terug moeten gaan naar de zaak, haar man zoeken en zijn verdomde roze teennagels uittrekken. Ze voelde haar woede weer opkomen, draaide zich om en begon terug te lopen naar haar auto. Toen zag ze iets dat haar abrupt liet stilstaan en op adem komen. Het was de sportwagen, de auto die identiek was aan haar verjaardagscadeau.

Ze besefte plotseling dat ze Bob inderdaad zou moeten vermoorden. Maar eerst, voordat ze de rest van haar leven zou doorbrengen in de Betty Lou-vleugel van de staatsgevangenis van Ohio, zou ze de confrontatie aangaan met die M. Molensky. Sylvie draaide zich met een ruk om en liep snel terug. Voor de tweede keer stond ze voor de deur, op het punt erop te rammen tot hij verbrijzelde en haar vuisten bloedden, maar op het laatste moment klopte ze zachtjes aan.

Het duurde even. Sylvie hoorde geluid binnen, een geschuifel en gerammel. Ze klopte weer zacht. 'Wie is daar?' riep eindelijk een stem.

'De ongedierteverdelger,' antwoordde Sylvie met omfloerste stem. Ze voelde geen enkele gewetenswroeging over de leugen. Het was geen leugen. Ze was er klaar voor om dit insect te verdelgen.

De deur ging open en een vrouw stond erachter, half verborgen in het betrekkelijke donker van de zitkamer. 'Ik heb u niet gebeld,' zei M. Molensky – als ze M. Molensky *was*. 'Het leven is heilig. Ik wil levende dingen geen kwaad doen. Ik bedoel, mijn stiefvader is gestorven, en hij zou een van die torren kunnen zijn. Ik *wil* dat hij als tor leeft. '

Sylvie duwde haar opzij en liep de schemerige flat in. 'Feitelijk ben ik mevrouw Schiffer en ik zoek een rat. Zegt die naam u iets?' Blijkbaar wel, want M. Molensky trok zich terug achter de deur.

'U bent met Bobby getrouwd?' vroeg M. Molensky vanaf haar plaats achter de deur. 'U bent een ongedierteverdelger?'

Hield ze haar voor de gek? 'Ja en nee,' antwoordde Sylvie. M. Molensky hield de knop stevig vast. 'Het was een truc, zodat we konden praten en je dan vermoorden. Of hem.'

'Ik wist niet dat hij getrouwd was,' jammerde het meisje. 'Onwetendheid is negen tienden van de wet.'

'Nee. Dat is bezit,' verbeterde Sylvie haar.

'Ik heb geen drugs hier. Zelfs geen hasj!' protesteerde het meisje. Toen kwam ze achter de deur vandaan, al bleef ze in de schaduw ervan. Alles wat Sylvie van haar kon zien was dat ze een korte ochtendjas droeg van een of andere goedkope stof die aan haar lichaam plakte. Hij was wit met kleine roosjes erop en liet veel been zien. Sylvie zag dat ze mooie benen had, zelfs al waren haar voeten in grote badstoffen muilen gestoken. M. Molensky deed een stap en toen nog een stap uit de betrekkelijke duisternis van de hoek bij de deur. Sylvie zag haar gezicht toen de ander haar hoofd ophief en recht naar Sylvie keek. Lange tijd staarden ze elkaar aan, oog in oog.

'Mijn god!' zei Sylvie hijgend. Ze staarde naar haar eigen gezicht –

en toch niet. Het was haar gezicht zoals ze er tien jaar geleden had uitgezien. Hetzelfde brede voorhoofd, dezelfde wenkbrauwen, dezelfde blauwe ogen – al waren die van M. Molensky misschien iets donkerder blauw. Maar de vorm was gelijk. Het enige echte verschil waren de rimpels van tien jaar die op het gezicht van het meisje ontbraken. Sylvie staarde naar M. Molensky's neus. Het was Sylvie's neus, recht en lang, in het midden enigszins smal toelopend, met opengesperde neusgaten. Maar alweer, ook al was de neus een replica van die van haarzelf, de rimpels op Sylvie's eigen gezicht, van de neusgaten naar de mondhoeken, waren bij de ander niet te zien. 'Marionetrimpels' werden die genoemd, herinnerde Sylvie zich plotseling.

En hun monden! Sylvie voelde dat haar mond zich tot een 'O' plooide, terwijl ze zag dat M. Molensky hetzelfde deed. Het was doodgriezelig, alsof Sylvie zichzelf in een spiegel bekeek – maar een spiegel van tien jaar geleden. Ze staarden elkaar zwijgend en ontsteld aan. M. Molensky zag wat ze zou worden, en Sylvie zag wat ze geweest was. Sylvie staarde naar de kin van het meisje. Ja, eens had zij ook zo'n strakke kaak gehad, zo'n gladde huid. Niet eens zo lang geleden. Maar tijd en zwaartekracht hadden alles verslapt. Instinctief bracht Sylvie haar handen naar beide kanten van haar gezicht, tegen haar wangen en slapen, en trok de verzakte huid omhoog, zichzelf een kortstondige facelift gevend. Tegelijk hief de tweeling tegenover Sylvie haar eigen handen op en trok haar ogen en wangen omlaag. Sylvie vergat Bob, zijn verraad, en haar woede. Het enige dat ze kon zien was het werk van Vadertje Tijd. Ze keek niet naar wat ze had, maar naar wat ze had verloren.

De ogen van de jongere vrouw weerspiegelden haar eigen afschuw. In de blauwe diepten kon Sylvie een angst zien die even hevig was als haar eigen angst. Waarom? Zij had nog haar jeugd en schoonheid. Een meisje, herinnerde Sylvie zich plotseling, dat ook mijn man heeft, althans parttime. Maar als ze naar haar keek was het duidelijk dat ze even geschokt en met afschuw vervuld was als zijzelf. 'Eens heb ik er net zo uitgezien als jij,' fluisterde Sylvie. 'Precies zo.'

'En ik ga er net zo uitzien als jij,' fluisterde het meisje terug. Ze liet haar handen vallen en barstte in tranen uit. Ze plofte neer op een stoel en gebaarde na een minuut of twee dat Sylvie ook moest gaan zitten. Omdat Sylvie's benen trilden, leek het een goed idee. 'Mama zei altijd dat we allemaal ergens op de wereld een dubbelganger hebben,' zei het meisje snikkend. 'En dan zei ze dat ze hoopte dat die van mij meer hersens had dan ik.' Ze keek op en veegde haar ogen af. 'Ik wed dat jij wél gestudeerd hebt,' zei ze verbolgen. Sylvie knikte. 'Zie je wel. Ik heb een paranormaal gevoel wat die dingen betreft. Ik wed dat je bent afgestudeerd. *En* je bent een Vis.'

'Het eerste goed, het tweede fout,' antwoordde Sylvie automatisch, nog steeds starend naar haar dubbelgangster, die in de stoel tegenover haar zat. 'Ik ben een Maagd.'

'Dat zou mijn volgende veronderstelling zijn geweest,' zei het meisje, schuddend met haar blonde haren. 'Maar waarschijnlijk is Vissen je ascendant.' Ze had meer haar dan Sylvie, en het was erg blond. Natuurlijk blond? vroeg Sylvie zich af. Maar het gezicht... het was gewoon niet te geloven.

Intussen staarde de ander naar haar. Sylvie hoefde niet helderziend te zijn om te weten wat ze voelde of de tragedie die alle vrouwen ervaren. Van Vadertje Tijd kunnen we het nooit winnen, dacht Sylvie. En het was geen toeval dat hij een man was. Een moeder zou haar dochters niet zo slecht behandelen.

Eindelijk stond het meisje op, draaide zich om en liep de kamer door. Sylvie volgde haar, glurend naar de kamer van een maîtresse. Ze zag iets te veel roze, te veel prulletjes en beeldjes, niet genoeg echte meubels – een bruine kartonnen doos diende als bijzettafel – maar in een vaas stonden twee dozijn langstelige rozen. Bij het zien ervan kromp Sylvie even ineen. Intussen was het meisje verdwenen in een korte gang. Sylvie volgde haar door de slaapkamer – de slaapkamer, bedacht Sylvie, waar haar man haar had bedrogen – naar de badkamer. M. Molensky staarde in de spiegel, haar gezicht weer omlaaggetrokken, verouderd door haar handen.

Sylvie stond naast haar. 'De rimpels zijn er gewoon ingeslopen, als een onzichtbare hand die over mijn gezicht veegde,' zei ze. 'Op een dag kneep ik niet langer mijn ogen halfdicht als ik in de spiegel keek en zag de werkelijkheid.' Ze keek naar de perfecte, bedauwde huid van het meisje. 'Welke moisturizer gebruik je?'

'Quince cream en algen super-blue. Ik zweer erbij.' Ze pakte twee potten en hief ze op.

'Ik keek... ik keek vroeger in de spiegel naar jou,' zei Sylvie kalm.

'En op een dag... op een dag zal ik kijken naar...' ging het meisje op zachte toon verder, maar wendde haar blik af en liet haar zin onafgemaakt.

Sylvie keek van de spiegel rechtstreeks naar haar rivale. Het licht hier was fel en wit. Alles werd genadeloos blootgelegd. De twee vrouwen cirkelden om elkaar heen, kwamen steeds dichterbij. Ze bestudeerden elkaars gezicht: ogen, rimpels, huid, haar, alles. Het belangrijkste dat hen bezighield was die ongelooflijke gelijkenis. Even was Bob volkomen uit Sylvie's gedachten verdreven. Toen: 'Heeft hij je verteld dat we dubbelgangsters zijn?' vroeg Sylvie.

'Nee. Hij zei dat ik uniek was,' kermde het meisje. 'Het is spookachtig.'

'Ik wed dat hij het niet eens ziet.'

'Waarschijnlijk heb je gelijk. Ik weet hier *alles* van, omdat het mijn eigen persoonlijke nachtmerrie is. Maar dan andersom. Zoals mijn neef Ray, die had altijd een droom over een kettingzaag. Steeds maar weer. En in die droom sneed hij zijn been af met de kettingzaag.'

'En deed hij dat?' vroeg Sylvie, gefascineerd, maar tegelijk vol afkeer.

'Nee,' bekende M. Molensky. 'Hij wilde nooit in de buurt komen van een kettingzaag. Ik denk door die dromen. Het was een soort fobie van hem. Maar ik denk dat als hij zo'n zaag had gezien, hij zijn been echt zou hebben afgezaagd. In ieder geval heb ik ook zo'n soort fobie.'

'Ben je bang voor kettingzagen?' vroeg Sylvie.

'Nee. Dat was mijn neef. *Ik* ben altijd bang dat een man me zal afdanken voor iemand die jonger en stralender is. Ik noem het het John Derek-syndroom.'

Sylvie voelde zich duizelig, zowel door de schok als door de eindeloze spiralen van de logica – of het gebrek daaraan – van dit meisje. 'Ik dacht dat hij een oude acteur was, geen syndroom,' zei ze.

'Hij is allebei. Weet je nog hoe hij begon met Ursula Andress, en haar toen inruilde voor die... je weet wel. Die met de schoudervullingen... die met de Griekse vriend die niet met haar wil trouwen...'

'Linda Evans?' vroeg Sylvie.

'Ja! In ieder geval, ze leek *precies* op Ursula. En hij eindigde met Ten. Afrovlechtjes. Je weet wel, Bo. Ze zijn allemaal hetzelfde, alleen steeds jonger. De vrouwen van Clint Eastwood leken allemaal op elkaar: dat sproeterige, asblonde ding, tot zijn huidige vrouw. Niet eens mooi. Johnny Carson deed het ook. Weet je nog? Ze hadden zelfs allemaal dezelfde naam: Joanna, Joanne, Joan, Joanna, Joanna.' Ze zweeg even en liet haar stem dalen. 'Mijn theorie is dat hij *dat* deed omdat hij bang was dat hij midden in de nacht de verkeerde naam zou schreeuwen.'

'Maar dit is Hollywood niet, dit is Shaker Heights,' protesteerde Sylvie.

'Ach wat, het is een epidemie die over het hele land verspreid is! Trump deed het in New York. Marla voor Ivana. En nu hoor ik dat hij een nog jongere heeft. Ze ziet er *precies* zo uit.'

Sylvie was met stomheid geslagen. Het uiterlijk van het meisje, haar constante stroom bewustzijnsconversatie, de vreemde omgeving, alles leek surreëel. Straks zou ze nog een smeltende klok zien. 'Waar kom je vandaan?' vroeg Sylvie.

'De lucht... ik ben stewardess. Ik bedoel *flight attendant*. Ik heb Bobby tijdens een vlucht leren kennen.'

Ze herinnerde zich haar woede. '*Bobby!* Je mag hem *Bobby* noemen?' vroeg Sylvie verontwaardigd.

De ander negeerde haar vraag. 'Ik wist echt niet dat hij getrouwd was.'

'Alsof je hem dat gevraagd hebt,' antwoordde Sylvie verbitterd.

'...hij had niet eens een witte kring op zijn vinger van een trouwring,' zei M. Molensky, in een poging het te verklaren. 'Vraag niets. Vertel niets. Dat was mijn motto nog voordat het leger het van me stal.'

Onwillekeurig nam Sylvie onderzoekend op hoe dit meisje in elkaar zat. Ze was misschien een centimeter of vijf langer dan Sylvie, of misschien was het alleen haar ranke, soepele figuur dat die illusie gaf. En dat haar! 'Ik wed dat je cheerleader bent geweest,' zei Sylvie jaloers en beschuldigend.

'Heb jij ook een paranormale aanleg?' vroeg M. Molensky.

'Pardon?'

'Nou, je kwam er dichtbij. Ik was een majorette,' zei ze trots.

'Wat is het verschil?'

'O, er is een *groot* verschil, in de uniformen... soms vind ik het leuk om een uniform aan te trekken,' bekende M. Molensky.

'Dat geloof ik graag. En wat doe je dan? Seksspelletjes spelen met mijn man? Zoals de Piloot en de Stewardess?'

'Eigenlijk prefereert hij –'

Sylvie hief haar hand op, de arm uitgestrekt, de palm naar het meisje toegekeerd, voor ze nog meer kon horen. 'Praat tegen de vuist,' zei ze haar hand ballend. Ze wilde geen details weten, tenminste niet nu. 'Dus dit is niet de eerste keer dat je een relatie hebt met de man van een ander?' vroeg Sylvie op scherpe toon. 'Weet je niet hoe verkeerd overspel is?'

'Ik heb geen overspel gepleegd!' zei M. Molensky verwerend. 'Ik ben niet eens getrouwd.'

'Denk je niet aan de vrouwen die dat wél zijn? Degenen die getrouwd zijn met de Bobby's?' vroeg Sylvie. 'Dat andere vrouwen lijden onder wat jij doet?'

'Nee.'

'Het is nooit bij je opgekomen dat je de vrouw van iemand verdriet doet?' vroeg Sylvie met ongelovig uitschietende stem.

'Dacht je dat *ik* geen verdriet heb? Als ik Kerstmis en Valentijnsdag in mijn eentje moet doorbrengen? Dat ik mijn cadeaus van Bobby altijd later krijg?'

'Cadeaus!' krijste Sylvie. *'Cadeaus?'* Ze gaf het meisje net nog geen klap in haar gezicht, maar ze had er al haar wilskracht voor nodig. In plaats daarvan strekte ze haar hand uit naar de spiegel en in een wanhopige behoefte haar woede te uiten, smeerde ze een handvol van de crème over het beeld van M. Molensky. M. Molensky sperde haar ogen open. (Onwillekeurig merkte Sylvie op dat ze niet één kraaienpootje had.) In revanche besmeurde M. Molensky Sylvie's gezicht in de spiegel. Toen de beeltenissen vervaagden door het vet, draaiden ze zich om en keken elkaar recht in het gezicht.

'Jij bent de gelukkigste van ons beiden, weet je,' zei het meisje. 'Ik heb niet het gemak of de veiligheid van een wettige relatie. En dat komt omdat ik niemand in de hele wereld heb op wie ik kan rekenen.'

'En je familie?'

Het meisje liep bij Sylvie vandaan. 'Welke familie? Mijn moeder heeft me achtergelaten op de schoot van de kerstman toen ik vier was.' Ze haalde haar schouders op. 'Nou ja, soms schrijf ik mijn broer, maar hij is niet erg goed in het beantwoorden van brieven. Hij zal het wel erg druk hebben in het rehabilitatiecentrum.' Haar stem klonk opgewekter toen ze haar rampspoed vertelde; ze ging verder. 'Dus, zoals je ziet, ben *ik* het karma-slachtoffer.'

'Nee, *ik* ben het slachtoffer. Hoe kun jij spreken over karma? *Jij* steelt mijn man.'

Er viel een doodse stilte terwijl de twee vrouwen elkaar aanstaarden.

'Het is waarschijnlijk iets dat je in je vorige leven hebt gedaan. Zoals ik waarschijnlijk in het Presidential Estates Caravanpark ben opgegroeid omdat ik in een vorig leven een Chinese keizerin was.'

Wat? Het kind praatte wartaal. 'Weet je zeker dat je geen concubine was?' vroeg Sylvie bits.

'Ik geloof niet dat je kan worden gereïncarneerd als een groente,' zei M. Molensky nuchter. 'Hoor eens, ik wil geen ruzie met je. Kunnen we niet tot een vergelijk komen? Zoals met kinderen? Gezamenlijke voogdij. 'Ik zou hem een paar avonden per week kunnen krijgen en in de vakanties.'

'Vakanties!' gilde Sylvie en dacht aan Hawaii. 'Je gaat *nergens* heen met mijn man! En... en... ik ook niet,' biechtte ze op.

'O?... Nou, Bobby heeft me gevraagd of ik mee naar Mexico ga.'

Sylvie zweeg als het graf, volkomen verbijsterd. Als dat waar was, dan had haar moeder het mis. Dit was niet zomaar een sletje dat je kon afkopen. Het was niet alleen seks, als Bob bereid was met haar op reis te gaan. 'Hij wilde met je naar Mexico?' vroeg Sylvie. Ze draaide zich om en liep naar het raam, met haar rug naar het meisje gekeerd, om te beletten dat ze Sylvie's vertwijfeling zou zien. Ze bleef zwijgend staan, tot in haar ziel gekwetst. Als ze zich bewoog, zou ze instorten, dacht ze.

Sylvie voelde een hand op haar schouder. 'Het kwam alleen omdat we naar dat restaurant Flaming Fajitas gingen,' zei het meisje zachtjes. Haar sympathie was pijnlijk. 'Het was een spontane opwelling,' ging ze verder. 'Ik geloof niet dat hij het echt meende. Ik bedoel, ik heb nooit een ticket of een reservering gezien. Bovendien, wie wil nou in de zon liggen en haar huid bederven?'

Sylvie liep naar de spiegel om te proberen zichzelf duidelijker te zien, maar haar spiegelbeeld werd vervaagd door de crème. Het gaf haar een wazig uiterlijk, à la Katherine Hepburn, die in de jaren 1960 door vaseline heen was gefilmd. Naast haar leek het meisje ook wazig, al had *zij* geen filter nodig. 'Ik hoop dat ik er net zo goed uitzag als jij toen ik jouw leeftijd had,' zei Sylvie.

'Vast wel. Je bent ongelooflijk aardig. De vorige keer toen ik toevallig met iemands man samen was, kwam zijn vrouw hierheen en brak al mijn lampen.'

Ze draaiden zich af van de spiegel en keken elkaar aan.

Het meisje stak haar hand uit naar Sylvie. 'Tussen haakjes, ik ben Marla.'

Sylvie deinsde achteruit. *'Marla?* Zoals...'

'Ja. Ik hield van die naam. Maar toen werd ze aan de kant gezet.' Deze Marla slaakte een diepe zucht.

'Ik ben Sylvie.' Sylvie stak haar hand uit en Marla nam hem aan. Een ogenblik hadden ze een echte band met elkaar – tot Sylvie's oog op nog een vaas met rozen viel.

'Zijn die ook van...'

'Ik zeg het liever niet,' bekende Marla.

Plotseling werd het Sylvie allemaal te veel. '*Ik* wil degene zijn die rozen krijgt!' riep ze uit. 'En ik wil dat hij romantisch tegen me is. Ik wil behandeld worden als een...' Ze zweeg even. 'Zoals *jij*.'

'Nou, ik wil jou zijn!' zei Marla. 'Denk je dat het gemakkelijk is altijd mijn buik te moeten inhouden? Sinds ik geboren ben heb ik een echtgenote willen zijn.'

'O ja? Er staat er één voor je. Lijkt ze zo gelukkig?'

'Nee,' gaf Marla toe.

'Als je getrouwd bent, word je zelfs niet meer op je mond gezoend!'

'Als je ongetrouwd bent, moet je vierentwintig uur per dag lekker ruiken,' antwoordde Marla.

Ze was om dol te worden. Sylvie besefte plotseling weer de reden van haar komst hier. 'Ik wil dat je hem niet meer ziet,' zei ze.

'Probeer me maar te dwingen,' zei Marla, die klonk of ze de helft jonger was dan ze eruitzag. Even vroeg Sylvie zich af hoe oud ze dan zou zijn. Veertien? Zestien? 'Je kunt me niet voorschrijven wat ik moet doen.'

'Nee, maar ik kan Bob vertellen dat de relatie voorbij is.' Sylvie zag angst verschijnen in de ogen van het meisje. Ze ging er snel op door. 'Denk je dat hij zijn kinderen op zal geven? Denk je dat hij het huis op zal geven? En zijn baan?' Sylvie kneep haar ogen samen. 'Mijn vader is nog steeds eigenaar van het bedrijf. Als hij ontslagen wordt... mannen van zijn leeftijd eindigen met parttimewerk in de Wal-Mart afdeling van auto-accessoires. *Zonder* ziektekostenverzekering. En, geloof me, met zijn cholesterol zal hij gauw genoeg medische hulp nodig hebben.'

'Hij zal bij mij blijven,' zei Marla, hoewel ze niet alleen angstig keek, maar ook zo klonk. 'Hij houdt van me. Hij zou alles voor me opgeven. Je weet niet meer hoe dat voelt.'

De tranen sprongen in Sylvie's ogen. De klap kwam zo gemeen aan, dat ze het bijna opgaf, maar toen kwam haar woede boven. Zij kon ook gemeen zijn. 'O, denk je dat? Ik zal hem vertellen dat je dat hebt gezegd. Ik zal hem zeggen dat je mij hebt gebeld. Dat jij me vertelde dat *ik hem* moet opgeven.' Sylvie trok een overdreven bedroefd gezicht. 'Ik zal radeloos zijn en kwetsbaar en zo, en diep gewond. Jij zult degene zijn die overkomt als de veeleisende heks.'

Marla sperde haar ogen open. 'Maar *jij* bent naar *mij* toe gekomen!' hijgde ze.

'Dat zeg *jij*,' zei Sylvie spottend. 'Wie denk je dat hij zal geloven? Zijn onschuldige vrouw met wie hij bijna eenentwintig jaar getrouwd is of een vrouw die met Jan en Alleman naar bed is geweest?'

'Ik ben het elastiek, jij bent de lijm. Dat geldt dubbel voor mij,' zei Marla. Haar arsenaal bevatte niet veel groot geschut. Plotseling had Sylvie zelfs medelijden met haar. Dat was niet haar bedoeling geweest.

Als neerslachtige boekensteunen zakten ze ineen op tegenovergestelde kanten van het bad. Sylvie keek naar de spiegel en vroeg zich af hoe een van beiden zou kunnen winnen.

10

Sylvie was van 1411 Green Bay Road rechtstreeks naar het winkelcentrum gereden, naar de winkel van haar moeder. Haar handen hadden tijdens die korte rit zó getrild dat ze twee keer aan de kant van de weg had moeten stoppen. Auto's suisden voorbij, maar ze zag ze niet.

De gedachte die steeds maar door haar hoofd bleef malen was dat Bob, of wie dan ook, misschien nooit meer seks met haar zou hebben. De romantiek, het liefhebben, misschien wel haar hele seksleven was een tijdje geleden voor haar geëindigd, en ze had het niet eens geweten. Wat een idioot was ik! Wat een idioot ben ik, dacht ze, en herinnerde zich de brochure over Hawaii. Wat had Bob gedacht toen ze hem praktisch smeekte om te gaan? Ze bloosde van schaamte, ook al was ze alleen in de auto. Ze was pathetisch geweest. Wat had Bob precies gedacht terwijl zij bezig was hem een romantisch avontuur aan te praten? Dat hij met Marla Molensky wilde gaan?

Ademhalen werd onmogelijk. Ze was te geschokt. Ze was vervangen, en het ergste was dat ze het zelfs niet had geweten. Eenentwintig jaar trouwe dienst – voorbij. In de zakenwereld hadden ze tenminste de hoffelijkheid je een roze strookje en een horloge te overhandigen. Ze had een gevoel of ze aan alle kanten in elkaar was getrapt. Het idee dat Bob haar jongere tweelingzus, de meer perfecte Sylvie, betastte en liefkoosde, deed zo'n pijn dat het ondraaglijk was. En wat hadden de buren, haar leerlingen, haar vrienden geweten? Ze herinnerde zich Honey's commentaar, het feit dat ze overal in de stad gezien was. Sylvie kon er niet aan dénken. En ze zou het niet doen ook, anders werd ze gek.

Meer dan wat ook voelde ze zich verdrietig en gekwetst door Bobs bedrog. Hij was degene die ze meer dan wie ook ter wereld vertrouwde – op haar moeder na – en hij had haar voor de gek gehouden, haar bedrogen en belachelijk gemaakt. Hoe warhoofdig en dom dat meisje ook was, Sylvie moest toegeven dat zij zelf nog veel stommer was.

Toen ze bij het winkelcentrum kwam, parkeerde ze als een idioot, schoot onhebbelijk een parkeerplaats op vóór een blauwe Toyota, en ging heel egoïstisch bovenop de lijn staan, zodat er niemand naast haar kon parkeren, tenminste niet zonder de deurkrukken van haar verdomde auto eraf te rukken. Nou, ze mochten. Ze mochten ook de banden en de wieldoppen en de rest van die verdomde auto meenemen. De vrouw in de Toyota keek haar nijdig aan, maar de gewoonlijk zo gevoelige Sylvie knipperde zelfs niet met haar ogen. Ze was niet in het winkelcentrum voor een spoedreparatie van haar schoenen. Ze had haar moeder nodig. Ze beende de parkeerplaats over, door de deur van haar moeders winkel – Potz Bayou. De winkel van de pottenbakkerij was gedecoreerd met smeedijzer in New Orleans-stijl, aangepast bij de woordspeling van de naam. Namaak Spaans mos hing omlaag van het plafond. Alle planken stonden vol met alle denkbare onbeschilderde keramische artikelen, van het kleinste mokkakopje tot reusachtige schalen.

Keurige vrouwen zaten in groepjes bij elkaar aan lange tafels en glazuurden bekers en kommen. Twee winkelmeisjes, Cindy en een ander, nieuw meisje, stonden voorovergebogen een klant te helpen. 'Hoi, Sylvie!' riep Sandie Thomas.

Eén paniekerig moment dacht Sylvie dat ze zou moeten blijven staan om met haar te babbelen, wat ondenkbaar was. Wat moest ze doen als ze Mildred niet kon vinden? Ze zou en plein public, waar al die vrouwen bij waren, in tranen uitbarsten.
O, ze kunnen de pot op, dacht ze. Ze zijn niet belangrijk. Toen kwam goddank haar moeder uit de kamer met de pottenbakkersoven, haar handen afvegend aan haar schort. Sylvie liep met grote passen de winkel door. 'Had je nog een andere dochter, die je hebt laten adopteren?' vroeg ze.

Een paar vrouwen draaiden zich om en staarden naar haar, hun conversatie tijdelijk onderbroken door wat een mooier drama leek. Mildred sperde haar ogen open en gebaarde met haar kin naar de achterkant. Alsof het Sylvie wat kon schelen als de mensen het hoorden. Alsof *iets* Sylvie nu nog kon schelen. Naar de hel met alles. Als de oven aanstond en haar moeder hield hem brandend, dan was Sylvie meer dan bereid haar eigen hoofd erin te stoppen.

Maar Mildred nam haar verwilderd kijkende dochter bij de elleboog en leidde haar naar het kleine kantoortje achter in de winkel. 'Wat bedoel je?' vroeg ze met een geërgerde klank in haar stem.

'Ik heb haar gezien, mam, ze lijkt precies op mij, alleen is ze veel jonger.'

Mildred haalde haar schouders op. 'Je verwachtte toch zeker niet dat ze op jou zou lijken, maar dan ouder, hè?' Toen sloeg ze haar arm om Sylvie heen. 'Ik vind het zo erg voor je, lieverd.' Ze deed de achterdeur open, die toegang gaf tot de opslagplaats. Ze draaide zich om en riep naar de winkel: 'Cindy, mag ik alsjeblieft die grote bloempot op de derde plank hebben voor mijn dochter?'

Sylvie deed een stap achteruit en keek haar moeder aan alsof ze haar verstand had verloren. 'Mam, ik weet dat je dol bent op glazuren, maar dit is niet het moment voor keramiek. Ik kan nu niet schilderen.'

Cindy verscheen met een grote pot en overhandigde die aan Mildred. Cindy keek met openlijke nieuwsgierigheid naar Sylvie. 'Dank je, kind. Ik geloof dat mevrouw Burns je nodig heeft,' zei Mildred, haar wegsturend. Toen keek ze weer naar haar dochter. 'Een aardig meisje, maar nieuwsgierig.' Ze gaf de pot aan Sylvie.

'Mam, ik ga geen keramiek doen.'

'Niet *doen – gooien*.' Mildred maakte een gebaar naar buiten, naar de parkeerplaats en de stenen muur. Sylvie keek van de bloempot naar het gezicht van haar moeder. 'Dan zul je je beter voelen. Niet veel, maar iets. Je kunt niet al die woede in jezelf opkroppen. Dan word je ziek.'

Sylvie knipperde met haar ogen en toen, met een razernij waarvan ze niet wist dat ze die in zich had, smeet ze de pot tegen de muur. Hij verbrijzelde in duizend scherven die stuiterend op het asfalt vielen. Even – heel even – voelde ze een serene rust. 'Ik voel me *echt* een beetje beter,' gaf ze toe. Maar toen kwam de verwarring weer terug. 'Cindy, nog drie bloempotten alsjeblieft,' gilde Sylvie.

'En neem een bezem mee,' voegde Mildred eraan toe en liet toen haar stem dalen. 'Denk je dat je de eerste bent die dit soort therapie toepast? Toen ik erachter kwam van je vader en die boekhoudster... nou ja, toen wierp ik me volledig op de keramiek. Het was ongelooflijk kalmerend om al dat aardewerk te kopen en te breken en je vader de rekening te laten betalen. Hij vroeg altijd wat ik ermee deed, omdat ik nooit iets thuisbracht.' Mildred lachte. 'Ik vertelde hem dat ik het naar je tante Irene stuurde. En kijk – nu zit ik zelf in die business.' Ze klopte vertederd op het bord boven de achteringang. 'Ik hou van mijn werk. Ik heb personeel en ik maak een behoorlijke winst.' Ze trok haar wenkbrauwen op. 'En ik zet elke stuiver op de bank. Ik zou nu wel honderd boekhoudsters kunnen afkopen.'

Mildred keek naar haar dochter. 'Ik weet dat dit een schok voor je is – en voor mij – maar je moet het hoofd koel houden. Je bent niet de enige.' Mildred wees naar de drukke winkel. 'Zie je Sandie daar? Nog geen jaar geleden smeet ze acht complete serviezen kapot voor ze ze begon te beschilderen.' Mildred gaf Sylvie nog een pot en klopte haar toen op de rug. 'Verrek je schouder niet,' zei ze. 'Zet je hele lichaam erachter bij de volgende.' Ze zweeeg even. 'En, hoeveel heb je haar geboden?'

Sylvie schudde haar hoofd. 'Mam, ze kan niet worden afgekocht. Dit gaat niet om geld.'

Cindy verscheen, voorzichtig balancerend met de drie reusachtige potten. 'Ik ben bang dat hier een scherfje af is, mevrouw Crandall,' zei ze.

Mildred glimlachte naar haar. 'Dat geeft niet, kindlief. We werken er wel omheen.' Ze wachtte tot Cindy met enige tegenzin terugliep naar de voorkant van de winkel. Ze schudde haar hoofd. 'Dat kind heeft een neus voor huiselijke tragedies. Wat zij in deze winkel te weten komt, is niet alleen de *Days of Our Lives*, maar ook de nachten,' zei Mildred hardop. Toen sprak ze zachter. 'Je hebt haar niet genoeg geboden.'

'Mam, je begrijpt het niet. Ze is geen boekhoudster. Ze is een of andere new age-ruimtekadet. Maar ze is mijn dubbelgangster. Ze lijkt sprekend op me. Behalve dat ze minder kilometers op de meter heeft staan. Ze is een reserveonderdeel. Nou ja, meer een heel nieuw model.' Denkend aan het gezicht van het meisje, pakte Sylvie de bovenste pot en smeet die uit alle macht tegen de muur. Hij versplinterde met een voldoening schenkende plof, maar het was nog niet voldoende. Ze pakte de volgende en gooide die ook kapot. De verwoesting was bevredigend, maar nog steeds niet genoeg om Sylvie voldoende lucht te geven. 'Ik kan niet ademhalen,' zei ze tegen haar moeder.

'Dat kun je wél,' verzekerde Mildred haar. 'Dat kun je en dat zul je. Beschouw het als Lamaze. Je zult je er helemaal doorheen ademen.'

Sylvie schudde haar hoofd, wendde haar blik af van de scherven en terug naar Mildred. ‘Ik ga er niet *door*, ik ga er*uit*. Maar eerst wil ik dat Bob zich even verpletterd voelt als dat.’ Ze wees naar de stapel scherven. ‘Zo verbrijzeld als ik me voel.’

‘Dus je gaat je huwelijk kapotmaken, en niet alleen deze potten? Om die stomme fout van Bob?’

‘Het is geen fout. En *zij* is niet stom. Ze is vreemd en misschien amoreel, maar ze is niet op geld uit. Ze is op zoek naar een echtgenoot. En ze wil de mijne. Ze weet *precies* wat ze doet.’

‘Hm, daar moet je haar om bewonderen. Weten wat je wilt is de eerste stap naar het krijgen ervan,’ zei Mildred. ‘Ik ben er niet zo zeker van dat jij al weet wat je wilt.’

Sylvie begon bijna weer te huilen. ‘O, ja, dat weet ik wél. Ik wil dat Bob naar me hunkert. Ik wil dat *hij* zich afgewezen en verbruikt voelt. Ik wil dat *hij* zich bedrogen en belachelijk voelt. En ik wil weer kunnen ademhalen.’

Mildred overhandigde haar dochter een volgende pot. ‘Zul je je beter voelen na deze? Het is de laatste die ik heb.’

Sylvie schudde haar hoofd en zette de pot op tafel. ‘Nee,’ zei ze. ‘Er is een schilfer af. Wat heeft het voor zin? Als dingen oud worden of beschadigd zijn of niet perfect meer, wil toch niemand meer iets met ze te maken hebben?’

‘Nu voel ik me een slachtoffer van je sarcasme,’ snoof Mildred. ‘Sylvie, je bent pas veertig. Je bent nog niet eens geabonneerd op *Plus*. Je bent mooi, geen ouwe soepterrine. Ik zou graag willen dat je een beetje tot kalmte komt.’

‘Weet je wat *ik* zou willen? Dat ik weer kon ademhalen en denken,’ zei Sylvie. ‘En om dat te kunnen moet ik kalmeren. Ik moet het allemaal tot me door laten dringen.’ Ze zweeg even. ‘Ik geloof niet dat ik Bob echt wil vermoorden, maar ik wil hem niet zien met die vervangster. Weet je, als ik één wens kon doen, zou het zijn dat mijn man hartstochtelijk verliefd op me wordt. Maar ik wil Bob niet zoals hij nu is. Ik bedoel, zijn buikje en zijn haargrens kunnen me niets schelen. Ik wil de oude Bob. De Bob die hartstochtelijk was. Die me adoreerde. Ik herinner me nog wat een heerlijk gevoel dat was. Ik wil hem terug, en ik wil dat hij meer van me houdt dan ooit tevoren.’

‘Wat bedoel je, Sylvie?’ sputterde Mildred. ‘Dat je wilde dat je Bobs maîtresse was in plaats van zijn vrouw?’

‘Ja. Nou ja... nee, niet precies.’ Sylvie loog. Ze schaamde zich om het te moeten toegeven, maar op het moment *was* het min of meer wat ze wilde. Natuurlijk wilde ze Bob ook aan een vleeshaak zien hangen. Maar als hij gestraft was, wat dan? 'Zij is degene die alle aandacht en liefde krijgt. Zij krijgt bloemen en cadeaus. Intussen kan ik zijn hemden ophangen, kippen ontdooien en aan de kinderen schrijven.'

'Dat is een omschrijving van de baan van een echtgenote en moeder.'

'Ik wil promotie.'

'Je hebt een rustige periode nodig. Sylvie, elke vrouw heeft problemen met haar echtgenoot. Als ze er een hebben... Als ze die niet hebben, dan hebben ze problemen met hun vriend, of ze zijn eenzaam. De helft van de vrouwen met een echtgenoot verveelt zich bij hem of ze kunnen hem niet uitstaan. Of ze negeren hem. De andere helft wordt gek omdat *zij* genegeerd worden – of ze zijn achterdochtig. Niemand heeft het gemakkelijk.' Mildred keek door de deur van het kantoortje naar de drukke winkel. 'Daarom doe ik zulke goeie zaken. Misschien ben je niet gelukkig in je huwelijk, maar je kunt je altijd uitleven op het beschilderen en glazuren van een terrine. Ik heb het gevoel dat ik de gemeenschap een dienst bewijs.'

Mildred begon te vegen en zuchtte. 'De tijd gaat door, Sylvie. We groeien en we veranderen. Sommige dingen verliezen we. Andere krijgen we ervoor terug. Ik moet zeggen dat ik die maandelijkse menstruatiekrampen niet mis, maar soms...' Ze zweeg en zette de bezem weg. 'Hemel, waarover zit ik te jammeren. Ga naar huis, engel. Ga even slapen. Dan zul je je beter voelen. En bel me daarna. Dan kom ik naar je toe en praten we verder.'

Toen ze in de auto zat, tolden de gedachten door Sylvie's hoofd. Haar moeder had het niet begrepen van Marla, het feit dat ze als twee druppels water op elkaar leken, maar wie zou dat kunnen? Je zou het meisje moeten zien om het te geloven. Op een vreemde – heel vreemde – manier dacht Sylvie dat ze het misschien als een compliment moest opvatten. Bob had geen Spaanse señorita uitgezocht met zwart haar tot op haar heupen. Als ik mijn haar blondeer, dacht Sylvie, en ik val wat af... Als ik die wallen onder mijn ogen laat weghalen... ze zou het niet doen om Bob te behagen. Ze zou hem liever vergiftigen. Als hij tenminste eens een keer thuis at.

Ondanks het advies van haar moeder maakte het idee samen met Bob in hetzelfde huis te zijn haar duizelig. Hoe kon ze het opbrengen om hem niet te vermoorden of haar mond te houden, nu ze zijn maîtresse had ontmoet? Want ondanks haar verdriet, ondanks haar verwarring, voelde Sylvie diep in haar hart dat er iets was dat ze niet helemaal doorhad, iets wat de kern hiervan vormde. Iets dat belangrijker was dan de simpele kwestie van haar gekrenkte trots en het schandelijke verraad van haar man. Er was iets dat ze moest ontdekken, maar het flakkerde aan de grens van haar gedachten. Ze kon het niet scherp in beeld brengen.

Wat wilde ze werkelijk? had haar moeder gevraagd. Sylvie had pas een paar dagen geleden gedacht dat ze alles had wat ze maar kon wensen. En ze had zichzelf voor de gek gehouden. Het leven was te kostbaar om het te verdoen in een droomtoestand of met het streven naar een doel waar je hart niet echt naar uitging. Wat wilde ze *echt* en, als ze dat eenmaal wist, hoe kon ze dat krijgen?

11

Sylvie lag plat – nou ja, zo plat als maar mogelijk was met de heuvels van haar borsten en maag – op het eenpersoonsbed in Reenie's kamer. Ze kon de gedachte niet verdragen om naar haar eigen slaapkamer of haar eigen bed te gaan – het bed waarin ze al die jaren met Bob had geslapen. Maar ze moest érgens slapen, want ze had de kracht niet om nog een seconde langer rechtop te blijven staan. Ze staarde naar het plafond en voelde de tijd langs zich heengaan. Dat was het, wat er gebeurd was: de tijd was langs haar heen gegaan en had al doende, heel langzaamaan, beetje bij beetje, dag in dag uit, haar jeugd en haar frisheid en haar mogelijkheden en haar moed weggenomen en dit ding dat ze was geworden achtergelaten.

Ze legde één hand op haar heup – ze had daarvoor al haar energie nodig – en voelde het vet. De laatste keer dat ze in het winkelcentrum was geweest, had ze een broek gekocht maat veertig. De verkoopster had haar verzekerd dat het een 'Europese snit' was, maar Sylvie wist dat ze dikker was geworden.

Maar, hield ze zichzelf voor, het was niet meer dan natuurlijk. Ze werd ouder, net als ieder ander op de planeet. Inclusief dat... dat... new age-snolletje. Op een goeie dag (eh, waarschijnlijk over ongeveer elf jaar) zou dat arme, warrige sletje ook dikker zijn geworden. Haar zandloper van borstkas en middel zou zijn uitgedijd tot een rechte lijn. En haar billen zouden zakken.

Maar tot het zover was scheen Bob haar te prefereren boven zijn eigen vrouw. De tranen sprongen in Sylvie's ogen, maar ze knipperde ze weg. Ze was te kwaad en te geschokt om te huilen. Maar ze was van alle blaam gezuiverd. Ze was niet gek of overgevoelig of paranoïde. Zelfs haar moeder had het mis gehad. Bob negeerde haar wel degelijk.

Geen wonder dat hij het niet gemerkt had toen ze van parfum was veranderd of dat nieuwe nachthemd had gedragen. Geen wonder dat hij haar geen schuldgevoelens had opgedrongen over de auto in het zwembad. Hij compenseerde iets onbehoorlijks met iets onbehoorlijks van hemzelf. En geen wonder dat hij haar die auto had gegeven. Als je een autohandel had, was een auto het gemakkelijkste cadeau om te geven. Hij had er een aan zijn vriendin gegeven. Sylvie vroeg zich af aan wie hij nog meer een auto had gegeven. Hun stomer?

Ze vroeg zich ook af wanneer Bob haar echt had opgemerkt, echt aan haar gedacht. Ze balde haar vuisten. Deze nachtmerrie was iets dat andere mensen overkwam, andere minder fortuinlijke vrouwen. Het was Rosalie overkomen, maar zij was altijd... nou ja, een feeks geweest. Het overkwam vrouwen die onmiskenbare playboys als echtgenoot kozen. Het was Sandie Thomas overkomen. Maar haar kon het niet overkomen. Ze was echt een goede vrouw voor hem geweest. Ze had Bob niet genegeerd om zich op de kinderen te concentreren. Ze had niet gezeurd. Ze had belangstelling getoond voor zijn hobby's. Ze had zichzelf niet laten gaan – niet erg. Hemel, ze was drie jaar achter elkaar met hem gaan vissen. En ze had niet alleen het huis onderhouden, ze had ook hun muzikale leven gaande gehouden. Ze had hem meegenomen naar concerten, ze hadden duetten gespeeld. Dit soort dingen *overkwam haar niet*. Ze was niet stom, ze was niet blind, en ze was geen slachtoffer.

Maar het wás haar overkomen.

Het was ook haar moeder overkomen.

Sylvie had het gevoel dat ze wegzonk in Reenie's matras, alsof ze niet twáálf pond meer woog dan haar normale gewicht, maar duizend of een miljoen. Ze had een gevoel of ze dwars door de matras en de springveren heen kon zinken, door de vloer, naar het souterrain, en dan, terwijl haar gewicht steeds meer toenam, verder naar het middelpunt van de aarde. Ze wist zeker dat ze nooit meer overeind zou kunnen komen, laat staan lopen.

Maar toen ze zich dat moment herinnerde – die schok toen ze haar eigen jeugdige gezicht in de flat van die vrouw zag – moest Sylvie bekennen dat dit niet gewoon het gebruikelijke geflirt was. Zelfs nu nog zou ze er een eed op kunnen doen dat Bob haar nooit eerder bedrogen had. Zelfs nu nog, nu ze haar hart en buik en vuisten en dijen allemaal zwaarder voelde wegen dan een imploderende ster, moest ze toegeven dat Bob haar met de keuze van Marla Molensky, haar jongere tweelingzus, niet volledig had afgewezen. Goed, hij had haar, Sylvie Schiffer, afgewezen, maar hij had haar ook gekozen – of iemand die erg op haar leek. Hij had haar gekozen zoals ze vroeger was.

De gedachte was niet alleen een rationalisatie. De gelijkenis was te opvallend. Ondanks haar bezwaarde hart voelde Sylvie ergens, diep in zichzelf, dat Bob ongewild in deze affaire verzeild was geraakt, op zoek naar een Sylvie. Misschien niet de Sylvie die ze op dit moment was, maar de Sylvie die ze geweest was. Ja. Hij wilde haar. Hij wilde haar vroegere ik.

Die gedachte ontstelde en prikkelde haar. Ze stond op van Reenie's smalle bed en liep als een slaapwandelaarster, als Frankensteins vrouw, naar de kleedspiegel aan de binnenkant van Reenie's kastdeur. Ze staarde naar haar spiegelbeeld.

Natuurlijk zat haar haar vreselijk in de war, waren haar ogen rood van het huilen en zag haar gezicht bleek – behalve de vlekken op haar wangen die ze altijd kreeg als ze heel erg kwaad was. Sylvie begon in slowmotion haar blouse open te knopen. Ze liet hem op de grond vallen en worstelde toen met de knoop aan de te strak zittende tailleband van haar broek. Ze liet hem op haar enkels zakken, stapte eruit, en schopte haar schoenen uit. Toen reikte ze met haar handen achter zich, maakte haar beha los en liet die ook op de grond vallen, terwijl haar borsten tegelijk omlaagzakten. Ten slotte trok ze haar slipje uit en bleef naakt staan, op het gouden kruisje na dat ze om haar hals droeg. Toen herinnerde ze zich dat Bob het haar had gegeven toen ze vijf jaar getrouwd waren, en liet het bij de rest op de grond vallen. Ze had al haar moed ervoor nodig, maar ze vermande zich en keek in de spiegel.

Het licht dat door het raam naar binnen viel was niet schel – Reenie's kamer lag op het noorden – maar een heldere, witte illuminatie. Sylvie bekeek zichzelf in de spiegel van haar dochter. Wanneer hadden die wallen onder haar ogen zich gevuld met vet? En wanneer waren de twee kanten van haar kaak naast haar mondhoek zo gaan hangen? Ze bracht haar hand naar haar keel. Wanneer was die zo slap geworden? Ze liet haar ogen omlaaggaan naar haar borst. Haar borstbeen was bedekt met kleine sproeten en vlekjes. En haar borsten!

Haar borsten waren nooit erg groot geweest. Meestal was ze heel tevreden met haar borsten. Nu staarde ze ernaar en vroeg zich af wanneer de tepels omlaag waren gaan wijzen in plaats van omhoog. Ze herinnerde zich die stomme potloodtest – de meisjes op school hadden altijd gezegd dat je een beha moest dragen als je borsten zo laag tegen je borstkas hingen dat je er een potlood zo dik als een sigaret onder kon vasthouden. Mijn hemel! Zij kon daar een havanna verbergen zonder dat iemand het zou merken. Sylvie zette haar onderzoek voort. Haar buik was dikker geworden. Ze was gewend aan een klein rond heuveltje, maar dit was meer. Toen ze jonger was, was dat heuveltje zelfs aardig. Maaar nu leken de zwelling en het uiterlijk van het vlees, haar eigen vlees, onaantrekkelijk. En dan haar dijen! Ze keek naar de kuiltjes van de cellulitis. Wanneer was ze zo'n deegbal geworden? Voorbij de dijen waren haar benen nog zo gek niet – maar toen ze goed keek zag ze dat de aderen op twee of drie plaatsen dichter bij de huid begonnen te komen. Waren dat spataderen?

Bij de spiegel vandaan keek ze recht omlaag naar haar eigen lichaam. Ondanks de lichte zwelling van haar maag kon ze haar schaamhaar zien. Was dat dunner dan vroeger? En – o, mijn god – was dat een grijze haar ertussen?

Hoe was dit gebeurd zonder dat ze het had gemerkt? Had ze het te druk gehad met de kinderen, haar muziek, haar leerlingen, het huis en de tuin om het te merken? Ze was een vrouw van middelbare leeftijd geworden!

Natuurlijk was het onvermijdelijk. Ze had alleen niet gedacht dat het zo gauw zou gebeuren. Veertig was niet oud. Ze zou het ook niet zo erg hebben gevonden als ze dacht dat ze bemind werd. Maar nu, in het besef dat Bob zo weinig belangstelling voor haar had, verfoeide Sylvie wat ze zag. Tien – zelfs vijf – jaar geleden had ze alles nog op kunnen houden. Op haar dertigste kon ze doorgaan voor tweeëntwintig. Toen ze eenendertig was (en het donker was in de bar), hadden ze haar zelfs een keer om haar identiteitsbewijs gevraagd. Maar op een of andere manier had het haar allemaal ingehaald. De tien of elf jaar, of wat het verschil ook was met die andere vrouw, waren de jaren waarin enkele onherstelbare veranderingen in haar lichaam hadden plaatsgegrepen. Sylvie's enige troost was dat al die veranderingen ook die kleine sloerie zouden overkomen. Op een dag zou zij ook zo voor een spiegel staan. Maar in die tussentijd was Marla volkomen gaaf.

Sylvie bekeek zichzelf weer in de spiegel en bloosde. Ze voelde de blos omlaagtrekken langs haar hals en haar borst verhitten. Elke keer als Bob in de afgelopen paar maanden naar haar keek moest hij haar vergeleken hebben met die andere vrouw, die nog een elastische huid en gladde handen had. Wat vernederend! Sylvie moest zich van de spiegel afwenden. Ze pakte Reenie's oude peignoir van de haak en wikkelde zich in de grote flanellen jas.

Wanneer was de laatste keer geweest dat zij en Bob met elkaar hadden gevrijd? Ze had een grapje gemaakt toen ze tegen haar moeder zei zesenvijftig dagen. Maar hoelang was het werkelijk geleden? Ze probeerde het zich te herinneren. Al voordat de kinderen naar de universiteit gingen. En ze wist niet zeker of ze het in de zomer geprobeerd hadden. Kon het zo lang geleden zijn? Bijna vier maanden? Ze waren al eeuwen getrouwd, en er waren dorre periodes geweest, maar nooit zo lang als deze. Sylvie stak haar hand uit om steun te zoeken tegen de muur. Wanneer zou ze weer seks hebben? Misschien wel nooit meer. Hoe zou ze hierna ooit met Bob kunnen vrijen? En ze kon zelfs niet dénken aan een andere man.

Eerlijk gezegd had Sylvie nooit veel drama verwacht in haar leven. Ze had het gevoel dat ze haar eigen wereld schiep en verantwoordelijk was voor haar eigen geluk. Ze was er nog niet klaar voor om te worden afgedankt. Ze was er nog niet klaar voor om vleselijk genot op te geven of te worden verbannen naar de afvalhoop.

Bob had iemand anders gevonden, maar had toch nog alle veiligheid van het vertrouwde dagelijkse leven. Bob vrijde met een andere vrouw, een vrouw die er net zo uitzag als Sylvie tien jaar geleden. Bob had de klok teruggedraaid.

Maar welke oplossing was er voor Sylvie?

Sylvie zat in de spreekkamer van dr. John Spencer, maar ze kon niet lang stilzitten. Ze begon te ijsberen. De gebruikelijke ingelijste officiële documenten hingen aan de muur: medische diploma's, oorkonden voor diensten aan de gemeenschap, en dergelijke. Er hing ook een grote foto van Johns overleden vrouw Nora en tientallen foto's van hen samen. Jammer dat ze nooit kinderen hadden gehad, dacht Sylvie. Nora was onvruchtbaar. John zou een goede vader zijn geweest, en als ze kinderen hadden gehad, zou hij nu niet alleen zijn. Zoals zij straks zou zijn. Sylvie, nog steeds te onrustig om te gaan zitten, bleef ijsberen. Toen John uit zijn spreekkamer kwam, stond ze voor zijn neus.

'Sylvie, gaat het goed met je? Mijn assistente zei –'

Sylvie hief haar hand op om hem te beletten te praten en schudde haar hoofd. Ze had al haar zelfbeheersing nodig om niet in huilen uit te barsten. Het leek wel het enige te zijn waar ze de laatste tijd succes mee had. Hij wenkte dat ze hem de gang door moest volgen.

'Ik moet een e.c.g. hebben,' zei ze tegen John toen ze zijn spreekkamer binnenkwamen.

Hij keek haar bezorgd aan. 'Heb je pijn in je borst? Is het urgent?'

'Ja. Ik moet een urgente facelift hebben. En liposuctie.'

'Een facelift? Waarom?' Hij pakte haar hand vast. 'Sylvie, wat is er mis?'

'Alles. Bob bedriegt me. En ik heb haar gezien. Ze lijkt precies op mij, maar jonger. Ze ziet er net zo uit als ik, maar zonder kraaienpootjes. Net als ik, maar zonder onderkin.'

John plofte neer in zijn bureaustoel en plaatste de toppen van zijn vingers tegen elkaar. 'Het spijt me heel erg, Sylvie.'

Sylvie knikte. 'Ik zal je zelfs niet vragen of je ervan op de hoogte bent hoe Bob zijn vrije tijd doorbracht. Je bent een te goede vriend van ons beiden om partij te moeten kiezen.' Ze zakte ineen op de stoel tegenover John en liet één traan uit haar oog druppen. John stond op, liep naar Sylvie toe en stond op het punt haar in zijn armen te nemen, toen ze voelde dat hij een secondelang aarzelde. Sylvie was zich bewust van Johns gevoelens voor haar, en ze vond er troost in. John had waarschijnlijk zijn armen om haar heen willen slaan, maar hij raakte haar slechts op professionele manier aan. Zijn armen hadden een bolwerk kunnen zijn tegen haar seksloosheid.

'De ouderdom heeft me overrompeld, John. Ik heb niet opgelet. Ik wist niet dat ik er zo slecht uitzag –'

'Ben je gek geworden? Je hebt een psychiater nodig, geen plastisch chirurg. Geef je jezelf de schuld van Bobs gedrag? Je bent een aantrekkelijke, vitale vrouw –'

'De laatste keer dat ik hier was zei je dat ik vijf kilo af moest vallen,' viel Sylvie hem in de rede.

'O, maar dat *zag* ik niet, ik ging alleen op de weegschaal af,' protesteerde John. 'Voor mij blijf je altijd mijn vriendinnetje van het schoolbal. Ik trek het me nog steeds aan dat je mijn aanzoek hebt geweigerd.'

Sylvie liep naar het raam en keek naar de rustige straat. 'Ik kon het niet. Jij was wetenschap. Bob was muziek, en ik wilde spelen. Ik dacht dat Bob en ik samen zouden spelen.' Ze zweeg even. 'Niet dus. Wat is er gebeurd?' Ze liep terug naar John, legde haar hoofd op zijn schouder en begon weer te huilen. Hij nam haar in zijn armen.

'Sylvie, ik wil tegen je praten als arts. Nu en dan gedragen mannen zich als klootzakken.'

‘Jij niet.’

‘O, ja. Zelfs ik. Sinds Nora is overleden heb ik elk compliment bedacht dat ik haar niet heb gegeven. Soms vergeten mannen de belangrijke dingen.’

‘O, John. Het spijt me zo voor jou... en Nora.’

‘We praten nu over jou. Sylvie, het gaat niet om *jou*. Het gaat om Bob. Ik zie het voortdurend. Vergeet die operatie. Een vrouw wier ego een dreun krijgt, voelt zich onzeker. Je denkt dat als je er jonger uitzag, als je je uiterlijk veranderde... maar het gaat niet om het uiterlijk.’

Sylvie luisterde niet langer. Ze gebaarde wild met haar hand. ‘Je begrijpt het niet. Dit is geen normale situatie. Ze lijkt *als twee druppels water* op mij, John. Het gaat wél om het uiterlijk. Om jeugd. Om sterfelijkheid.’

‘Nee. Nee..’

‘Je snapt het niet... ik zou haar kunnen *zijn*. Zij zou mij kunnen zijn. We zouden kunnen switchen –’

‘Sylvie, de meeste mannen denken dat ze het comfort van een echtgenote willen en de opwinding van een relatie. Het is de menselijke conditie, de spanning tussen veiligheid en het onbekende, maar uiteindelijk...’

Maar Sylvie luisterde niet meer. Haar hersens werkten eindelijk met razende snelheid. Het begon tot Sylvie door te dringen. ‘... en we zijn geen van beiden gelukkig. Zij wil een huwelijk. Ik wil... romantiek.’

‘... niemand kan van twee walletjes eten.’

Het beeld van Marla en haarzelf flitste door Sylvie’s geest. Hoe ze hadden gestaard in de met crème besmeurde spiegel, identiek. ‘Je begrijpt het niet,’ herhaalde ze. ‘ik zou haar kunnen *zijn*. Ik zou haar *kunnen* zijn. *Ik* zou *haar* kunnen zijn,’ bleef Sylvie herhalen, als een actrice die haar tekst repeteert.

12

Sylvie sliep – goed, deed alsof ze sliep – op het uiterste randje van het bed, met haar rug naar de brede lege ruimte achter haar. Eindelijk – het moest al na middernacht zijn geweest – was Bob teruggekomen en was stilletjes naast haar gaan liggen. Ze vond het afschuwelijk om te weten dat zijn lichaam daar lag, zelfs al raakte hij haar niet aan. Haar rug leek een soort tintelende radar; ze kon zijn geringste beweging voelen en bewaarde zoveel mogelijk afstand. Ze was steeds dichter naar de rand van het bed geschoven. Ze kon niets aan die gevoelens doen, ook al had hij vanavond werkelijk zijn verrekte vrijmetselaarsbijeenkomst gehad. Maar de spanning in haar lichaam was onduldbaar. Als Bob werkelijk zijn hand had uitgestoken en haar had aangeraakt, zou ze waarschijnlijk gegild hebben en naar hem uitgehaald. Maar in plaats daarvan was hij snurkend in een soort coma geraakt, terwijl zij het grootste deel van de nacht wakker lag.

Telkens als ze haar ogen dichtdeed waren haar dromen bijna reëel – en gewelddadig. Een stuk papier dat kreukte, dan vlam vatte en haar geliefde huis afbrandde. Ze werd badend in het zweet wakker, om dan weer in slaap te vallen en te dromen. Deze keer dat het meisje in haar huis trok en Sylvie buiten stond, op straat, en door het raam naar binnen keek. Ze waren van plaats gewisseld, en het meisje had háár plaats ingenomen. Als ze wakker lag, draaiden haar gedachten in het rond tussen de feiten en haar keuzemogelijkheden.

En toen, als een trilling die begon in haar hoofd en door haar hele lichaam ging, kwam het in haar op. Het idee dat vlak achter haar bewustzijn verscholen had gelegen, kwam duidelijk boven. Sylvie dacht dat het bed trilde, maar het waren alleen haar hersenen die in beweging waren. Waarom zouden ze *niet* van plaats wisselen? Sylvie wilde niet dat Marla haar verving – zij wilde Marla's plaats innemen! Was het mogelijk? De mensen hadden hen van een afstand voor elkaar aangezien. En hun besmeurde beelden in de spiegel waren identiek. Zou het echt mogelijk zijn? Verleden jaar was Bob eindelijk gezwicht en had hij een leesbril gekocht. Hoe goed kon hij zien van dichtbij? En toen zag ze het voor zich – de culminatie niet alleen van van Bobs realiteit, maar ook van het advies van haar moeder en Johns zienswijze. Het vermengde zich allemaal, op een gedurfde, creatieve manier. Maar, dacht Sylvie, ik ben heel goed in staat om gedurfd en creatief te zijn.

Opgewonden door het plan dat ze bezig was uit te broeden, stapte Sylvie uit bed en ging in de gang beneden lopen ijsberen, terwijl ze de ene kop thee na de andere dronk, tot ze het allemaal heel zorgvuldig had uitgedacht. Het was driest en gecompliceerd en misschien onmogelijk en krankzinnig. Maar als ze het voor elkaar kon krijgen, had ze alles wat ze verlangde.

Met een beetje plastische chirurgie – niet te veel – en het verlies van een paar kilo (die ze toch al van plan was geweest te verliezen), en het blonderen van haar haar, plus een hoop van waarschijnlijk op kruiden gebaseerde make-up, kon ze Marla's plaats innemen. Dan zou ze Bob niet alleen op heterdaad betrappen, maar ze kon hem ook voor de gek houden, net zoals hij haar had gedaan. En als ze dat wilde, kon ze met Bob vrijen zoals ze vroeger hadden gedaan. Ze kon zich door hem het hof laten maken. Een romance met hem hebben. Of ze kon hem laten snakken naar seks en hem dan koel weigeren. Dan kon *hij* de afwijzing voelen die zij nu voelde.

Natuurlijk zou ze, om het tot stand te brengen, wat geluk en wat chirurgie nodig hebben en de volledige medewerking van de vrouw aan wie ze was gaan denken als Marla Molensky, NAM (New Age Malloot). Maar hoe langer Sylvie erover nadacht, hoe meer ze ervan overtuigd raakte dat het plan uitvoerbaar was. Per slot wilde de NAM een echtgenote zijn. Laat het haar maar eens proberen. Het deed Sylvie denken aan een van die films over de Tweede Wereldoorlog, die haar vader altijd weer bekeek, en waarin iemand als Gregory Peck achter de vijandelijke linie werd gedropt om zich op grond van een toevallige gelijkenis uit te geven voor de nazi-generaal; en dan zag je de geheime dienst van het leger Peck lesgeven in Duits, hem het litteken van een duel op de wang geven, en hem informeren over alle persoonlijke gewoonten van de generaal. Ten slotte lieten ze hem een perfect uniform aanmeten, waarna ze hem op een vrijwel onmogelijke missie zonden.

Maar het lukte hem altijd. Dus waarom haar niet? Ze zou new age kunnen leren spreken. En Marla zou beslist kunnen leren een kip te braden en genegeerd te worden. Het zou iets van Mark Twain zijn – de prins en de bedelknaap – maar op dit moment kon Sylvie nog niet beslissen wie wie was.

Hoe langer ze erover nadacht, hoe enthousiaster ze werd. Het obstakel was dat ze Marla moest overtuigen. Maar Marla wilde niets liever dan voor echtgenote spelen. Ze zou haar kunnen overhalen om te beginnen met een generale repetitie. Ik kan het best proberen, dacht Sylvie. Ik heb niets te verliezen: als Bob het ontdekte, zou hij woedend zijn over Sylvie's bedrog maar zich schamen over dat van hemzelf. Tegelijk was er een kans dat hij Marla's medeplichtigheid zou beschouwen als verraad. Sylvie glimlachte. Dat zou op zichzelf niet zo slecht zijn. Sylvie wist niet of ze haar huwelijk kon redden, of dat ze het zelfs wel wilde, maar ze wist in ieder geval zeker dat ze die relatie wilde verbreken. Als ze Bob nu vergaf, zou ze nog steeds alleen de echtgenote zijn – de betrouwbare, gemakkelijke, als-vanzelfsprekend-beschouwde echtgenote. En ze wist dat haar moeder in één opzicht gelijk had – ze wilde niet dat Marla Molensky ooit de nieuwe mevrouw Bob Schiffer zou worden. Sylvie wist maar al te goed hoe het water zich sloot boven het hoofd van een gescheiden vrouw. Maar erger nog, haar trots duldde niet dat ze vervangbaar was, een menselijke gloeilamp die er eens was ingeschroefd, maar er nu werd uitgeschroefd.

Sylvie zette haar laatste kop thee neer en kleedde zich aan toen het licht begon te worden. Ze liet een briefje achter voor Bob en reed door de stille straten van Shaker Heights. De bladeren waren op hun mooist. Het was schitterend hier in het roze licht van de ochtendstond. Ze hield van haar geboorteplaats. Ze wilde hier blijven, maar niet op de manier van Rosalie. Sylvie wilde blijven op haar eigen voorwaarden.

Dus alles wat haar te doen stond was Marla overhalen om mee te werken. Sylvie wist dat ze een beetje dubbelhartig moest zijn, maar daar was ze best toe in staat, vooral gezien de dubbelhartigheid die ze nu had ervaren. Wat ze nodig had om Marla te overtuigen was een stimulans. Ondanks de suggestie van haar moeder wist ze dat geld niet zou werken – maar ze dacht dat ze een manier wist om het meisje te motiveren.

Sylvie reed over de North Woodland Bridge, vond een winkelcentrum langs de weg met een delicatessenzaak die net opengingen en bestelde een kop koffie. Ze had bijna een besuikerde donut gekocht, maar bedacht bijtijds dat ze die moest laten staan tot ze haar plan had uitgevoerd. Terwijl ze haar koffie dronk staarde ze uit het raam naar het water. Voor haar was het geen Shaker Lakes. Ze had het gevoel dat ze de Rubicon was overgestoken. Ze stapte weer in haar auto, opgepept door de cafeïne, en reed – voor de tweede keer – naar 1411 Green Bay Road.

'Ik heb een voorstel voor je. Mag ik binnenkomen?'

'Ik denk het niet. Om de een of andere reden werken we op elkaars zenuwen,' antwoordde het sletje.

'Ik werk op je zenuwen?' vroeg Sylvie zo koel mogelijk. 'Ik kan me niet voorstellen waarom.'

Het sarcasme ging aan Marla verloren. 'Heb je toevallig Schorpioen in je ascendant?' vroeg Marla nerveus.

'Ik heb geen idee, maar ik beloof je dat ik het uit zal zoeken,' zei Sylvie liefjes. 'En als je me binnenlaat beloof ik je dat het je zal bevallen wat ik te zeggen heb.' Langzaam deed Marla de deur open en liet haar binnen. Ze was wél lichtgelovig.

Sylvie moest haar idee twee keer uitleggen. Misschien kwam het omdat het nog zo vroeg was, maar dit kind zou nooit een intelligentietest winnen.

'Dat zou waanzin zijn,' zei Marla toen ze het eindelijk doorhad, nog steeds huiverend in het ochtendlicht. Ze had opengedaan in een nylon babydoll, terwijl ze de slaap uit haar ogen wreef. Sylvie had twee kartonnen bekers koffie meegebracht en er een aan Marla aangeboden, maar Marla had geweigerd. Ze ging op haar sofa liggen, luisterend en geeuwend en zich uitrekkend als een kat. Sylvie had alles ademloos uitgelegd – twee keer – en kon nu niets anders doen dan wachten tot Marla alles had overdacht. 'Waanzin,' herhaalde Marla.

'Beschouw het als een tijdelijke verandering van baan,' opperde Sylvie. 'Dan hoef je even niet door die vriendelijke luchten te vliegen.'

'Vliegen?' vroeg Marla, die eindelijk wakker scheen te worden. 'O, vliegen. Dat doe ik eigenlijk niet.'

Sylvie zweeg even. 'Zei je niet dat je stewardess was?'

'Nee. Nou ja, dat heb ik gezegd. Ik bedoel, ik ben stewardess *geweest*. Bijna. Ik werd aangenomen en volgde de stewardessenopleiding, maar... in ieder geval was dat geen succes. En het werk dat ik nu doe is veel belangrijker.' Ze gooide haar hoofd in haar nek.

Sylvie bewonderde de frisheid van haar huid, de glans van haar haar, de leugens op haar lippen. Wie was dit meisje? Ze was fascinerend om te observeren. Sylvie had een gevoel of ze een oude video van zichzelf bekeek. Hadden niet meer dan zo'n tien jaar haar zóveel ontnomen? 'Wat doe je dan? Ik bedoel beroepshalve?' vroeg ze.

Marla ging rechtop zitten, streek de goedkope kant van haar nachthemd glad en zei: 'Ik ben een gediplomeerde professionele reflexoloog. Het is heel therapeutisch. Ik ben niet defensief op dat punt.' Ze zei het defensief.

'Die teenmassage?' vroeg Sylvie. Hm, *dat* verklaarde de nieuwe conditie van Bobs voeten. Sylvie probeerde zich voor te stellen hoe het zou zijn om de hele dag de wreef van vreemden te masseren. Lieve help, nog erger dan mondhygiëne. Ze voelde zich een beetje misselijk, maar dat kon het gevolg zijn van haar lege maag, de koffie en het gebrek aan slaap.

'Zie je, de voetzool is het venster van de ziel. En ik geloof dat ik de gave heb om te genezen.'

'Zonder gekheid?' vroeg Sylvie.

'Hoezo gekheid?' antwoordde Marla niet-begrijpend.

Sylvie, die moe was van het staan en ijsberen, besefte dat dit nog wel wat tijd in beslag zou nemen. Marla scheen te weinig meubels te hebben – alleen de sofa in de zitkamer – dus pakte Sylvie een vouwstoel die bij de kaarttafel in de kitchenette stond en zette die naast de bank. 'Hoor eens, Marla, je moet het zien of je van baan verandert. Promotie maakt. Als we een tijdje van plaats wisselen, zullen we allebei gelukkiger zijn in onze nieuwe baan bij Bob. Je zou kunnen ervaren wat het is om in veiligheid en zekerheid te leven... en je zou kunnen leren een goede echtgenote te zijn. Het zal je helpen een goede echtgenoot te vinden. Ik zal het je leren. Intussen zou ik kunnen meemaken wat het is om goede seks te hebben met de man naast wie ik meestal alleen maar slaap.' Sylvie hield haar adem in. Het meisje had geen nee gezegd. Zou ze ja zeggen?

'Zal hij niet merken dat we geswitcht hebben? Ik bedoel, meteen al?' vroeg Marla.

'Naar *mij* kijkt hij nauwelijks,' bekende Sylvie verbitterd.

Marla dacht na. 'Eerlijk gezegd, geloof ik dat hij zich te gegeneerd voelt om mij recht in het oog... de ogen te kijken. Is het oog of ogen?'

vroeg ze. 'Dat weet ik nooit. Want je kunt niet in twee ogen tegelijk kijken. Behalve mijn neef Dean, de jongste zoon van mama's zus. Hij en Sharleen wonen nu in Montana, of misschien is het Wyoming. Hij had een lui oog en als hij je aankeek, keek elk oog in een andere richting. Dus kon hij in je ogen kijken.'

Sylvie negeerde haar. Ze moest wel, anders zou ze gek worden. En Bob *hield* hiervan? 'Hoor eens,' zei ze, 'dit is mijn voorstel: we wisselen van huis, leven, kleren, alles. Voor een tijdje maar. Laten we zeggen twee weken.'

'Misschien niet onze kleren. Weet je,' zei Marla, met half dichtgeknepen ogen naar Sylvie starend, 'ik geloof helemaal niet dat je een herfst bent.'

'Een herfst?' vroeg Sylvie. Het hart zonk haar in de schoenen. Zinspeelde die kleine heks op haar leeftijd?

'Ja. Ik geloof niet dat je een herfst bent, dus zijn die kleuren die je draagt helemaal verkeerd voor je. Zelfs met dat muiskleurige haar. Ik bedoel, geen wonder dat Bob... je weet wel.' Marla haalde verontschuldigend haar schouders op. 'Je draagt zogezegd het verkeerde seizoen. Wat je aura totaal in de war brengt.'

Was er één kolder waar dit meisje niet in was getrapt? vroeg Sylvie zich af. 'Heb je het over die kleur-me-mooi onzin waar iedereen jaren geleden aan deed?' vroeg ze. Rosalie had dat als loopbaan geprobeerd, toen Mary Kaye geen succes had.

'Het is geen onzin,' protesteerde Marla Molensky. 'Het is heel intellectualistisch. Maar een hoop volgelingen weten niet wat ze doen, dat geef ik toe. Ik had een vriendin die haar kleuren had laten doen door die vrouw. En haar werd verteld dat ze een lente was. Dus ging Lynette al die nieuwe kleren kopen. Ze spaarde kosten noch moeite. Ik weet zeker dat ze haar Ann Taylor-limiet overschreed. En toen, vlak daarna, liep haar hond weg.' Ze zweeg. 'Dieren weten meer dan we denken.'

'Marla,' zei Sylvie vriendelijk, 'honden zijn kleurenblind.'

'Is het heus? Hm, misschien. Maar ze zijn heel gevoelig voor aura's. In ieder geval ontdekte Lynette dat ze geen lente was. Alleen door het verven van haar haar en wenkbrauwen werd ze nog geen lente. Ze was al die tijd een winter, ook al kleurde ze zich lichter. Dus je ziet dat je heel erg voorzichtig moet zijn.'

'Dat ben ik met je eens,' zei Sylvie, die probeerde de nodige zwaartekracht uit te oefenen om dit meisje op de aarde terug te brengen. 'We moeten heel, heel voorzichtig zijn, wil ons dit lukken.' Had ze haar plan weten te verkopen? Sylvie wist niet of het een ja was, maar in ieder geval was het geen nee. En dit meisje was zo'n... zo'n warhoofd... dat...

'O, dat was ik bijna vergeten.' Marla Molensky schokschouderde, stond op en liep naar het keukentje. Sylvie volgde haar en keek toe terwijl Marla flesjes openmaakte en eerst paren, daarna kleine groepjes en ten slotte tientallen pillen begon klaar te leggen. Toen ze die pillen begon te slikken, kon de verbijsterde Sylvie niet langer haar mond houden.

'Wat doe je?' vroeg ze. Was het kind een drugsverslaafde? Geen wonder dat ze zo warhoofdig was.

'Ik neem mijn supplementen. Jij niet? Weet je, dat is een van de dingen die ik voor Bob heb gedaan.' Ze slikte nog een paar pillen en keek strak naar Sylvie, blijkbaar weer verontrust door wat ze in haar eigen toekomst zag. 'Het is erg belangrijk om je dieet aan te vullen. Maar je moet erop letten dat je alleen natuurlijke supplementen neemt. Andere dingen kunnen slecht voor je zijn. Je moet alleen natuurlijke vitamine C nemen.'

'Waarom eet je dan geen sinaasappel?' vroeg Sylvie geïrriteerd.

'Calorieën, malle. Bovendien is dit veel geconcentreerder. Zolang het maar niet synthetisch is.'

'Marla, Linus Pauling nam synthetische C.'

Marla zette haar handen op haar heupen. 'Denk je dat ik mijn gezondheidsadviezen uit een *Peanuts*-strip haal?'

Sylvie haalde diep adem. 'Wat ik wil zeggen is dat de meeste mensen geen supplementen nodig hebben, en dat er geen verschil tussen is. John, mijn dokter, zegt dat het enige resultaat is dat ze worden weggespoeld door de nieren. Je produceert dure urine.'

'Je vergist je,' zei Marla. 'En dokters weten niet veel. De westerse geneeskunde is erg achtergebleven.' Ondanks Sylvie's frons ging ze verder. 'Nee, het *is* zo. Ik ken een meisje wier vriend – nou ja, hij was toen haar minnaar, maar nu is ze weer terug bij haar man. In ieder geval, die man werkt bij die firma. Een pillenfirma of zoiets. En *zij* zegt dat *hij* haar vertelde dat ze allerlei slechte dingen verwerken in synthetische vitamines.'

'Zoals?' vroeg Sylvie.

'Spinneneitjes,' zei Marla zelfvoldaan.

'Spinneneitjes? Waarvoor?'

'De pillen worden bedekt met een laag gemalen spinneneitjes om ze glibberig te maken, zodat je ze gemakkelijk kunt doorslikken.' Marla slokte de laatste pillen naar binnen om het te demonstreren.

'Maar, Marla,' zei Sylvie uiterst redelijk, 'waar zou je genoeg spinneneitjes kunnen vinden voor duizenden vitaminepillen? Bovendien, spinneneitjes zijn toch een natuurproduct?'

'Nou ja, ze zijn wel natuurlijk, maar ze zijn bah, vies. Bovendien zullen er wel spinneneitjeskwekerijen zijn. Waar ze gedwongen worden te leggen. Weet je, zoals ze doen met die arme batterijkippen.'

Sylvie vond het tijd worden om terug te komen op het oorspronkelijke onderwerp. 'Ik geloof echt dat we Bob voor de gek kunnen houden als ik wat plastische chirurgie had en jij... niet zoveel praatte.' Ze duimde en hield haar handen in haar zakken.

'En als we ontdekt worden?'

'Wat dan nog? *Hij* is de schuldige,' zei Sylvie. Ze vermeed het Marla's schuld te memoreren. Nou ja, ze bleef duimen. 'Hij heeft tegen ons allebei gelogen. Hij zei tegen jou dat je uniek was.'

'Dat is waar,' gaf Marla toe. 'Ik bedoel, het is waar dat hij het zei, maar het was niet waar. Wij zijn gelijk.' Ze zweeg even, blijkbaar nadenkend, of wat daarvoor doorging onder die Goldie Hawn-haren. Sylvie hield haar adem in. Zou het zó gemakkelijk zijn? 'Maar wat schiet *ik* ermee op? Jij houdt van die man en jij kunt hitsig en zweterig met hem worden, maar ik krijg alleen de kans om *net te doen alsof* ik zijn vrouw ben. Wat is dat voor zekerheid? Ik denk dat ik alleen met die flat achterblijf.'

'Heeft hij die voor je gekocht?' vroeg Sylvie ademloos en geschokt. De auto was tot daaraan toe, maar...

'Nee, het is gewoon onderhuur, net als mijn hele leven,' bekende Marla. Ze zette haar vitaminen weg, liep terug naar de zitkamer en plofte neer op de sofa. Ze trok haar knieën op onder haar kin, en Sylvie merkte onwillekeurig op dat haar bikinislipje paste bij haar babydoll. 'Ik ben negenentwintig. Toen ik nog op school zat, wilde ik maar één ding, en dat was trouwen. Mijn vriendinnen hebben al kinderen.' Marla hijgde van ongerustheid. 'Waarom doe je me dit aan? Net nu ik eindelijk een echt aardige man heb gevonden. Ik wil met hem trouwen. Ik wil een vrijstaand huis en kinderen. Ik wil mensen om van te houden.' Marla begon te snotteren. 'Straks komen de feestdagen. Ik weet niet of ik daar in mijn eentje tegen opgewassen ben.'

Sylvie haalde diep adem en dacht snel na. Ze gaf een klopje op Marla's hand. 'Ruil met mij en je hebt een gezin voor Thanksgiving.

Maak het diner klaar. Nodig gasten uit. Wees de gastvrouw in een groot huis. Oefen. Je zult niet alleen zijn op die dag.'

Marla ging rechtop zitten. 'Wauw! Zou ik dat alles kunnen doen? De tafel dekken? Met placemats? En een Pilgrimhoed dragen?'

'O, ja. *En* het eten koken. Van begin tot eind.'

Marla zweeg en overwoog het. Sylvie's vingers deden pijn van het duimen. Toen: 'Je komt in de juiste richting, maar toch, nee,' zei het meisje.

'Alsjeblieft,' smeekte Sylvie, en bedwong zich toen. 'Ik zal je wat vragen. Wil je getrouwd zijn met een man als Bob?'

'Dat is het *enige* dat ik wil.'

'Maar je weet niet hoe het *is* om met een man als Bob getrouwd te zijn, wel?' Ze zweeg even en liet dat bezinken. 'Ik geef je de kans om te zien hoe het is om met Bobby getrouwd te zijn. En als het je bevalt, en je kunt het aan... wie weet?'

'Wat? Ik kan hem krijgen? Dat is een beetje ál te aardig, hè?' vroeg Marla achterdochtig.

'Nee. Want ik wil iets van jou.' Sylvie zweeg om de kracht en moed te verzamelen om verder te gaan. 'In ruil voor mijn vriendelijkheid vraag ik je me te laten ondervinden hoe het is om Bobs buitenechtelijke pluizebol te zijn. Je kunt in mijn huis wonen. Je kunt aan mijn tafel zitten, en je kunt in mijn bed slapen, maar je kunt niet met Bob vrijen. Dat is de afspraak. Daarna onderhandelen we opnieuw.'

Marla bekeek Sylvie van top tot teen. 'Geloof je echt dat je het in je hebt om hem gelukkig te maken in bed?'

'Wie dacht je verdomme dat hem het voorspel heeft geleerd?' vroeg Sylvie. Haar stem klonk geprikkeld.

'Sorry. En dank je. Hij is erg attent.'

Sylvie haalde diep adem om tot rust te komen. 'Hoor eens, ik stel voor dat we Bob allebei, bij gebrek aan een betere benaming, een paar weken een proefrit laten maken door van plaats te ruilen.' Marla zei geen woord, maar ging verliggen op de sofa. God, wat had ze een perfect lichaam. Sylvie probeerde zich te herinneren of zij er vroeger zo goed had uitgezien. Ze dacht van wel, maar ze had het toen niet geapprecieerd. 'Luister goed,' zei Sylvie. 'Ik zeg tegen Bob dat ik op bezoek ga bij mijn zus en neem een kleine plastische operatie. Verzin jij een ander excuus. Dan gaan we allebei een paar weken weg. Samen. Ik trakteer.'

Marla kneep haar ogen halfdicht. 'Je bent toch niet lesbisch, hè?'

Sylvie rolde met haar ogen. Marla kroop weg in de hoek van de bank, alsof ze zich tegen Sylvie wilde beschermen. 'Oké. Ik vraag het maar.' Ze staarde naar het plafond. 'Hm, misschien. Maar... maar ik zou niet weten hoe ik een groot huis moet runnen. Is er vloerverwarming? Ik heb nog nooit vloerverwarming gehad. En ik kan niet strijken. Ik weet niet wat hij graag eet. Of hoe ik het moet klaarmaken. Of, of, wat dan ook.'

'Precies wat ik bedoel. Als onderdeel van dit uitwisselingsprogramma geef ik je een spoedcursus "Bob. De Echtgenoot". En *jij* leert me om verleidelijk en afhankelijk te zijn.'

'Dat is gemakkelijk!' riep Marla uit.

'Mooi. Dus gaan we ergens heen waar ik alles laat liften wat gelift moet worden, afslank en mijn haar laat blonderen,' zei Sylvie. Ze schudde haar verkrampte vingers los. Victorie! 'Intussen... zorg jij dat je op mij lijkt. Afgesproken? Trek je een tijdje in mijn vrijstaande huis? Om echt te ervaren hoe het huwelijksleven met Bob is? En misschien de jackpot te winnen? Of de Bobby-prijs?'

Marla leek terug te krabbelen. 'Ik weet het niet,' zei ze. 'Misschien is het beter als ik hem gewoon langzaam van je steel.' Marla hield haar duim en wijsvinger op een paar centimeter van elkaar. 'Mevrouw Schiffer, ik ben er vlakbij om je man in mijn eentje voor mezelf te krijgen. Waarom zou ik een risico nemen? En als je er hier, in *mijn* leven een zootje van maakt? Ik heb een reputatie op te houden, weet je.'

'Daar ben ik van overtuigd,' zei Sylvie, maar het sarcasme ontging Marla. 'Hoor eens, ik zal er geen zootje van maken. Ik zal reflexologie leren. Ik zal alles doen wat jij doet. Ik zal zelfs supplementen nemen. Ik doe dit met hart en ziel. Kom, meid. Het is maar voor een paar weken. Het zal geinig zijn. Denk eraan, straks is het Thanksgiving.'

'Heb je porselein? Een compleet servies?'

'Juffrouw Molensky, in mijn huis staan twaalf officiële eetstoelen.'

Het was de laatste motivatie voor een vrouw die geen stoelen had die niet opvouwbaar waren, om maar te zwijgen over een eetkamer. 'Wauw! Goed,' zei Marla. 'Ik doe het.' De beide vrouwen gaven elkaar een hand en bezegelden de afspraak.

Sylvie was boven en pakte weer haar koffer, maar deze keer in haar eentje, georganiseerd en met een missie. Toen Bob binnenkwam met de post, keek ze kalm op en slaagde erin te glimlachen. Ze was bang dat het meer een grimas was, die hem zou afschrikken, maar het was het beste waartoe ze in staat was. Typisch. Hij scheen het niet te merken. Ze troostte zich met de wetenschap dat zijn gebrek aan waarneming haar bij haar plan zou helpen. Voor hun volgende dialoog had ze het script al klaar. Sylvie deed haar best om haar stem normaal te laten klinken. 'Hallo,' zei ze, maar in haar eigen oren klonk zelfs dat ene woordje als een verwijt. Maar niet in die van Bob.

'Hoi, kindje.' Hij strekte zich uit op de chaise longue bij het raam en bladerde de nieuwe *Sports Illustrated* door. 'Ik heb je gemist vanmorgen.'

'Ik heb besloten weer naar die vroege yogalessen te gaan.'

'O, dat doet me eraan denken. Hebben we nog van dat yoghurtijs? Het vetarme?'

Waarom dachten mannen dat hun vrouw voortdurend een volledige inventaris in haar hoofd had van alles wat er aan eetbaars in huis was? 'Heb je in de vrieskast gekeken?' vroeg Sylvie met overdreven geduld. Waar zou yoghurtijs anders zijn?

'Nee,' bekende Bob opgewekt. 'Ik dacht dat jij in de keuken zou zijn als ik thuiskwam.'

'Heus? Waarom?' Sylvie ging door met pakken en borg haar shampoo en conditioner in een verzegeld plastic tasje. Bob had niet eens gezien waar ze mee bezig was. Hij was verdiept in zijn tijdschrift. Sylvie vroeg zich af hoelang het zou duren – als ze nu meteen wegging – voor hij zich realiseerde dat ze weg was. Vijf minuten? Een uur? Twee weken? Waarschijnlijk pas als hij geen schoon ondergoed meer had, dacht ze bits.

Bob was nog steeds verdiept in zijn tijdschrift. 'Nou, je bent altijd in de keuken als ik thuiskom,' antwoordde hij eindelijk.

'Dan is dit dus een van de kleine verrassingen in het leven,' zei Sylvie. Ze was klaar met pakken en sloot de koffer. 'Nog verrassingen bij de post? Hebben we een romantische reis naar Mexico gewonnen voor twee personen?' Sylvie beet bijna haar tong af. Kijk uit, vermaande ze zichzelf zwijgend.

Bob ging er niet op in. 'Niets van de kinderen. Hebben ze nog gebeld?' Hij was duidelijk op de automatische piloot.

'Ja, Kenny. Hij zei dat als ik de helft van zijn nieuwe bas betaalde, hij de andere helft zou betalen. Ik heb hem een cheque gestuurd.'

Bob keek eindelijk op. 'Ik kreeg hetzelfde telefoontje! Dus heb ik hem ook een cheque gestuurd. Die jongen krijgt nu gratis een nieuwe basgitaar!' Bob schudde zijn hoofd en begon toen te lachen. 'Hij zou een verrekt goeie verkoper zijn.' Hij keerde weer terug naar zijn *Sports Illustrated.*

'We kunnen niet meer doen dan bidden,' zei Sylvie. 'In ieder geval zul je tijdens mijn afwezigheid eens met hem moeten praten over dat bedrieglijke spelletje.'

Bob keek weer op van zijn tijdschrift. Voor het eerst zag hij de gepakte koffer. 'Ga je ergens heen?'

'Misschien is het je nog niet opgevallen. In vier woorden: ik pak een koffer.'

'Ik dacht dat je bezig was sokken te rollen of zoiets.' Hij zweeg met een licht verbijsterde uitdrukking op zijn gezicht, en keek naar zijn voeten die behaaglijk op het uiteinde van de chaise longue lagen. 'Weet je, ik zag het vanmorgen pas toen ik op mijn werk kwam, maar ik heb de hele dag rondgelopen met niet bij elkaar passende sokken. De ene is zwart en de andere is blauw. Het leek net of ik daardoor hinkte.'

'Echt waar?' vroeg Sylvie met een uitgestreken gezicht. Hij trok zich haar vertrek erg aan.

'Ja. Mijn zwarte voet was zwaarder dan mijn blauwe.' Hij trok beide sokken uit en liet ze op de grond vallen. Sylvie ving een glimp op van zijn gerenoveerde teennagels en draaide zich om, voordat ze gearresteerd zou worden wegens geweldpleging met een koffer.

'Al hou ik nog zo van een goeie sock'n roll,' zei ze, 'mijn zus krijgt een peeling en ze heeft me nodig.'

'Je zus? Ellen? Wat is een peeling?'

'Iets waar ik blijkbaar niet voldoende van heb gehad,' mompelde Sylvie en klapte de koffer dicht. Zaten zijn tenen er maar tussen! Pas op, zei ze bij zichzelf. Bederf dit niet voordat het begonnen is. 'Hè?' zei Bob, of iets dergelijks. Ze keek met een bedrieglijk stralende glimlach.

'Niets. Een peeling is zoiets als het opieuw politoeren van een auto – eerst smeer je hem in met een of ander chemisch middel dat de bovenste verflaag eraf haalt, dan schuur je hem zachtjes en hoop je dat hij er beter uitziet.' Ze wachtte even. 'In ieder geval heeft Ellen me nodig en moet ik haar gezelschap houden. Tot de korstjes eraf vallen.' Sylvie keek in de spiegel. 'Misschien dat ik ook iets laat doen,' zei ze achteloos. 'Als ik er toch ben.'

Bob stond op en gaf haar een klopje op haar rug. Sylvie had al haar wilskracht nodig om zich niet onder zijn hand vandaan te rukken en haar schouder te ontzetten. 'Jij hoeft niets te laten doen,' zei hij. 'Je ziet er geweldig uit.' Toen liep hij naar de badkamer, zijn neus weer in *Sports Illustrated*.

'O, ja?' vroeg Sylvie op gespannen toon. 'Je hebt zeker niet gemerkt dat dit huis bezocht is door de zwaartekracht.'

Ze wees naar de spiegel boven zijn bureau. Bob keek erin. Sylvie kwam naast hem staan. Ze staarde naar hun spiegelbeeld en bedacht dat zij en Marla precies zo naast elkaar hadden gestaan en in de spiegel hadden gekeken. Bob keek nu ook, maar alleen naar zichzelf. 'Onderkin,' zei ze voldaan.

'Wel heb ik ooit! Moet je dat zien,' riep hij verbaasd uit.

'Ja. Moet je dat zien. We zijn allebei een beetje uitgezakt. Als jonge mensen ons zien zullen ze zich beslist vol afschuw van ons afwenden,' zei ze meesmuilend.

Bob raakte zijn kin aan, en keek onderzoekend naar zijn eigen spiegelbeeld. Het was duidelijk dat hij zich bezorgder maakte over zijn eigen uiterlijk dan over dat van haar. Goed. Nu had hij tenminste iets om aan te denken terwijl ze weg was.

'Kom, ik moet ervandoor,' zei ze. Voor het eerst die avond klonk haar eigen stem haar opgewekt in de oren. 'Ik wil niet te laat komen voor de peeling.' Bob bleef zijn gezicht bestuderen en tikte vlak onder zijn kin op het kleine zachte plekje dat verzakt was à la Michael Douglas. 'Ik vind het heel naar om je alleen te laten,' kirde Sylvie. 'Beloof me dat je niet iedere avond thuis blijft zitten.'

'Ik vind wel iets te doen,' zei Bob afwezig.

Sylvie probeerde niet te grijnzen. Ze wist wat hij *dacht* dat hij zou gaan doen, maar er wachtte hem een verrassing.
'Misschien kun je naar John of Phil.'

'Spaar me,' zei Bob. 'Van het sublieme naar het ridicule.'

'Nou, dan zul je een nieuwe vriendin moeten zoeken.' Sylvie dwong zich te lachen.

Bob keek haar aan met een, nou ja, nerveuze blik, maar die duurde slechts een seconde. 'Ik?' vroeg hij. 'Wie zou mij nou willen hebben?' Sylvie haalde haar schouders op. Bob draaide zich weer om naar de spiegel. Sylvie moest bijna lachen. Toen pakte ze haar koffer op. Terwijl hij nog in de spiegel stond te staren, riep ze achterom: 'Met Thanksgiving ben ik weer thuis.'

Ze liep de slaapkamer uit, in de wetenschap dat als alles goed ging, het Marla zou zijn die terugkwam. Sylvie was al bij de trap, toen Bob achter haar aan gehold kwam. 'Bel me als je er bent,' zei hij. Hij legde zijn hand op haar schouder terwijl ze de trap af liep. 'Het zal prettig zijn de kinderen weer thuis te hebben. Het hele gezin bijeen.'

Sylvie kon er niets aan doen. Ze liep veilig vóór hem op de trap, zodat hij de traan niet kon zien die uit haar oog biggelde toen ze op de laatste tree stond.

Marla was bezig een paar slipjes en een Lycra fietsshort in een tas te proppen toen ze op de deur hoorde kloppen. Snel trapte ze de tas onder het bed. Ze ging naar de zitkamer, keek door het kijkgaatje en deed open. Bob stond voor haar met een brede grijns op zijn gezicht en een fles champagne in de hand, net alsof hij niet een leuke vrouw had om bij thuis te komen. Marla hield zich een beetje stijf toen hij haar in zijn armen nam.

'Raad eens?' vroeg Bob, toen hij de zitkamer in liep en de deur achter zich dichtdeed. Marla had al gemerkt dat hij niet graag buiten gezien wilde worden met haar. 'Mijn vrouw gaat een paar weken de stad uit. En weet je wat dat betekent?' jodelde hij en stak zijn neus in haar hals.

'Dat ze het ontdekt heeft van ons?' vroeg Marla.

'Nee, nee.' Hij kuste haar teder. Marla hield haar lippen strak. 'Ze gaat haar zus opzoeken. Maar voor ons betekent het dat ik 's avonds niet naar huis hoef.' Hij haalde twee limonadeglazen – alles wat ze had – uit de keuken. 'Je weet toch dat je me altijd vraagt om de nacht te blijven? Nou... ik ben er nu helemaal voor jou.'

Hoe was het mogelijk dat ze nooit eerder had opgemerkt dat hij... arrogant was? *Zij* moest altijd wachten, *hij* gaf haar zijn kostbare tijd. Maar nu glimlachte ze. 'Wauw!' zei Marla. 'Dat meen je niet! Hemel, Venus moet flink in de war zijn, want ik moet ook de stad uit.'

'Wat?' vroeg Bob. Hij had zitten spelen met de champagnekurk en op dat moment schoot die met een plof uit de fles. De champagne stroomde over zijn handen.

'Mama belde zojuist dat oma weer krampen heeft. Het is het vocht van de rivier die vlak langs het huis stroomt. Ze hadden geen bejaardentehuis moeten bouwen in Lowood, heb ik gezegd. In ieder geval moet ik haar gaan masseren.'

Bobs gezicht betrok. Marla probeerde een ernstig gezicht te trekken. Dat was niet gemakkelijk, want haar oma woonde feitelijk in

Vegas, waar ze in een casino werkte bij de beveiligingsdienst. Ze keek naar Bob, die met de druipende champagnefles in zijn handen stond. 'Wanneer kom je terug?' vroeg hij als een kleine jongen.

Marla haalde haar schouders op. 'Zodra oma zich beter voelt. Waarschijnlijk in een mum van tijd. Maar ik moet meteen weg. Vanavond nog.'

'Vanavond? Zeg dat het niet waar is!' Bob probeerde te grijnzen. Hij sloeg zijn arm om haar heen. 'Kom op, je wilt een fles Dom Perignon toch niet laten bederven? En misschien hebben we tijd voor een vluggertje.'

'O, nee,' zei Marla, nu al high wegens haar nieuwe macht. 'Ik rij nooit als ik gedronken heb.'

13

Sylvie had het benauwd toen ze wakker werd, en besefte twee dingen: ze was niet doodgegaan onder het mes en ze lag in een helwitte verkoeverkamer. De operatie was dus achter de rug. Maar iets – niet het verband om haar hoofd, niet het koude kompres op haar ogen... rook. Erger nog... stonk. Had ze nu al een infectie opgelopen? Kwam er pus uit haar gezicht?

In paniek rukte Sylvie het natte kompres van haar ogen. Marla's rimpelloze gezicht was vlak boven het hare.

'Hi!' zei ze opgewekt. 'Ziet er lelijk uit. Voel je je goed?' Ze wachtte niet op Sylvie's antwoord. 'Wauw! Je lijkt mijn zus Brianna wel na een van haar, eh, "kleine uiteenzettingen" met Tony. Maar het is oké. Hij heeft nu een straatverbod gekregen. Sylvie merkte dat Marla met een verband of een soort gaasdoek over haar gezicht waaierde. Dát was het, dat stonk naar...'

'Wat doe je?' vroeg Sylvie schor.

'Aromatherapie,' zei Marla. 'Plantaardige oliën om je genezing te bevorderen.'

'Alsjeblieft! Ga weg daarmee! Het stinkt naar rottende bananen, iets dat – dood is,' hijgde Sylvie. 'Ik geloof dat ik misselijk word.'

Ze kon nog net op tijd overeind komen en een kom pakken, voor ze erin overgaf. Ze hoopte dat ze geen hechtingen kapotmaakte. Ze klopte op haar ogen en toen op haar gezwollen wangen. Haar gezicht deed niet echt pijn; het was gevoelloos. Ze hief haar hoofd op van de vieze boel in de kom.

'Mooi zo,' zei Marla, zo opgewekt als een fanaticus op een bijeenkomst van de Klan. 'Het werkt. Je drijft de giften er al uit.'

Sylvie veegde haar mond af aan het koude kompres en vroeg zich af of ze over voldoende kracht bezat om haar rivale te wurgen. 'Marla, gooi dat vod onmiddellijk weg,' zei ze, terwijl ze moeite deed om haar stem niet zo zwak te laten klinken. Probeerde het meisje haar te helpen of te vermoorden? Moeilijk te zeggen.

'Hé! Ik heb dit ook gebruikt toen mijn moeder haar tweede hysterectomie had,' zei Marla beledigd. 'Het maakte een enorm verschil.'

'Haar *tweede* hysterectomie? vroeg Sylvie flauwtjes, en liet zich terugvallen op het kussen. Ze overhandigde de kom aan Marla. 'Wie heeft er nou twee nodig?'

'*Precies*. Als ze de eerste keer aromatherapie had toegepast, zou ze geen tweede nodig hebben gehad. *En* als ze niet naar die Filippino-dokter was gegaan. Hij zei dat hij de eerste operatie kon doen zonder scalpel. Kom nou! Weet je, tussen ons gezegd en gezwegen, ik geloof dat mijn moeder nog steeds ijdel is wat haar lichaam betreft, en ze is al zevenenveertig, de lieverd.' Marla zweeg, net voordat Sylvie ging proberen haar te vermoorden, en belde de verpleegster. 'Persoonlijk vind ik ijdelheid in oude mensen een zelfbevestiging.'

Sylvie keek door oogspleetjes naar Marla Molensky. Ze vroeg zich of het kind zich bewust zou zijn van wat ze zo onbewust leek te doen. En ze scheen ook te liegen – heel vaak. 'Welke moeder? Ik dacht dat je zei dat je moeder je op de schoot van de kerstman had achtergelaten.'

'O,' zei Marla. Een secondelang lag er een angstige uitdrukking op haar gezicht. 'Nou, dat *deed* ze ook. Een tijdje. Maar toen kwam ze terug. En intussen vroeg de kerstman of hij me later kon ontmoeten, dus gaf ze hem aan bij de beveiligingsdienst.'

'Je maakt me in de war,' zei Sylvie. Het duizelde haar.

'Kun je nagaan hoe *ik* me voelde!' zei Marla. 'Hoor eens, je ziet bleek. Misschien kun je beter gaan rusten. O! Daar komt de verpleegster.'

Een vrouw in een groene operatiejas kwam de kamer binnen, met nog meer koude kompressen op een blad. 'Wat *is* dat voor stank?' vroeg de verpleegster. Ze keek naar Sylvie alsof zij de schuldige was. 'Uw dochter kan beter de kamer uit gaan terwijl ik uw verband verschoon,' zei de verpleegster. Sylvie kreunde. Marla was – gelukkig voor haar – achter het wit van Sylvie's verbonden hoofd verdwenen.

Sylvie zat in een onderzoekstoel. Marla liep te ijsberen door de kamer, terwijl dr. Hinkle het nu stijf geworden verband eraf knipte. 'Ik wil niet dat u teleurgesteld bent. Het duurt wel even voordat de zwelling verdwijnt,' legde dr. Hinkle uit.

'Ze heeft niet genoeg ijskompressen gebruikt. Ik heb haar gewaarschuwd,' viel Marla hem in de rede.

'En het duurt even voor de verkleuring verdwijnt,' zei de dokter tegen Sylvie, Marla negerend. 'Denk eraan, wat u vandaag zult zien, is niet het eindresultaat,' stelde hij Sylvie gerust. Ze voelde zich zo zenuwachtig dat ze het ogenblik bijna wilde uitstellen, al had ze er drie dagen op gewacht.

'Zal ik het erg walgelijk vinden?' vroeg Marla. 'Want ik kan zelfs niet aanzien dat een klein vogeltje gekwetst wordt. Dus u kunt zich voorstellen hoe ik me zou voelen als ik grote bloederige hechtingen in een gezicht zou zien.'

'Uw zusje is heel bemoedigend,' zei dr. Hinkle sarcastisch, terwijl hij het laatste verband verwijderde. Zachtjes raakte hij Sylvie's wang aan en onderzocht toen de incisies achter haar beide oren. Hij bekeek haar gezicht een paar ogenblikken aandachtig, terwijl Sylvie haar adem inhield. 'Het is heel goed gegaan,' zei dr. Hinkle met een knikje. 'Niet erg gezwollen.'

'Hij liegt! Vraag je geld terug,' zei Marla tegen Sylvie. 'Je ziet eruit als een rauwe biefstuk.'

De dokter hield een spiegel op, maar Sylvie draaide haar hoofd af. 'Ik wil het niet zien als het zo erg is,' fluisterde ze, en dook weg.

'Zusterlijke rivaliteit kan de genezing belemmeren,' zei de dokter. 'Misschien kan uw zusje beter naar huis gaan. In ieder geval is het niet erg. Ik lever uitstekend werk. Ik heb al mijn vrouwen totaal vernieuwd.'

Twee dagen later was de zwelling op Sylvie's gezicht al aanzienlijk verminderd. De blauwe plekken waren van paars verbleekt tot blauw. Ze was uit bed en liep rond, al voelde ze zich in het begin een beetje verlegen, omdat haar hoofd gewikkeld was in een soort parka-capuchon van een eskimo, allemaal wit verbandgaas. Maar er waren een hoop vrouwen in het kuuroord die nog veel ergere dingen droegen, bijvoorbeeld een beschermende kegel. Een paar vrouwen hadden ook plastic neusbeschermers, wat wees op een neusoperatie, en sommige vrouwen – wier gezichten er voortreffelijk uitzagen – liepen met de verraderlijke stijfheid die veroorzaakt wordt door kneuzingen na een liposuctie. Dus Sylvie paste goed in het geheel.

Ze ontdekte ook een onverwachte bonus van de operatie – sinds de anesthesie had ze haar eetlust verloren. Ze had geleefd op gelatinepudding en bouillon, en ze was al twee kilo afgevallen.

Terwijl Sylvie bezig was te herstellen, waren zij en Marla gestart met wat Sylvie noemde 'het contraspionage-programma', om het succes van de verwisseling te garanderen. Ze waren begonnen met elkaar algemene mededelingen te verstrekken over hun leven: vrienden, inhoud van hun bureau, het merk tampons dat ze gebruikten. Nu zaten ze in de slaapkamer die ze samen deelden. De schuifdeuren stonden open om de koele lucht binnen te laten. Dikke vrouwen in joggingbroeken renden (of probeerden dat) achter een lenige jonge vrouwelijke drilsergeant. Bah! Volgende week zou Sylvie met dat regime moeten beginnen. Ze moest maar genieten van haar rust zolang ze dat nog kon. Ze zat rechtop in bed, terwijl Marla in een stoel naast haar zat met een blocnote op schoot en een roze pen met een hartje erop in de hand. Sylvie merkte dat Marla het stuntelige handschrift had van een kind van de basisschool. Tot haar eigen verbazing was Sylvie haar zowaar aardig gaan vinden in deze week. Ze was getikt, maar ze had iets liefs, waarop Sylvie ondanks zichzelf reageerde. 'Oké,' zei ze nu. 'Bob wil dat alle kleerhangers in zijn kast dezelfde kant op wijzen.'

'Wil hij dat omdat hij in het leger is geweest?' vroeg Marla.

'Nee. Dat is anale retentie.'

'Ik dacht dat we nu nog niet over seks zouden praten,' zei Marla, en voor Sylvie kon antwoorden werd er op de deur geklopt. Marla stond op en deed open. Tot haar verbazing zag Sylvie haar moeder staan.

'O, mijn god! Sylvie?... Wat heeft die dokter met je gedaan?' riep Mildred tegen Marla. Ze legde beide handen voor haar eigen gezicht. 'Zou hij dat met mij ook kunnen doen?' ging ze verder. Voordat Marla kon antwoorden, greep Mildred geschokt de dienstkar in de gang vast om steun te zoeken. Die ze niet kreeg; de kar rolde weg. Mildred probeerde zich in evenwicht te houden, maar de kar bleef doorrollen, en Mildred gleed langzaam langs de deur, van verticaal tot horizontaal. Vanuit haar bed gilde Sylvie tegen haar moeder.

'Mam, gaat het?'

Mildred hees zich overeind van de grond en liep de kamer in. Ze was gehypnotiseerd door Marla's gezicht en had haar ogen er niet van afgewend, zelfs niet toen ze in de gang omlaagzakte. 'Geen probleem,' zei Mildred tegen Marla, haar ogen nog steeds op Marla gericht. 'Hoe kun je praten zonder je lippen te bewegen? En wie heeft je ogen gedaan?'

'God,' zei Marla.
'Dr. Hinkle,' antwoordde Sylvie tegelijkertijd.

Bij het horen van Sylvie's stem wendde Mildred haar blik van Marla af. 'O, lieve help!' zei ze, toen het eindelijk tot haar doordrong dat er twee van hen waren. Ze keek van het ene gezicht naar het andere, terwijl haar eigen gezicht verbleekte. Toen liet ze zich op de stoel vallen die Marla net had vrijgemaakt, bovenop Marla's blocnote en haar hartvormige pen. Sylvie kromp even ineen, maar Mildred scheen niets te voelen. Sylvie herinnerde zich haar eigen schok toen ze Marla voor het eerst had gezien en probeerde haar moeder eroverheen te helpen. 'Mam, wat doe je hier?' vroeg Sylvie vriendelijk.

Mildred had een paar ogenblikken stilte nodig om de dingen op een rijtje te zetten. Ze staarde naar haar gezwachtelde dochter. Toen staarde ze naar Marla. 'O, mijn god!' zei ze. 'Zij is de boekhoudster –'

'Ja, mam. Dit is Bobs knuffel.'

'Maar, maar... hoe? Praten we over de Stepford-vrouwen? Is dit een kloon? Ik wist niet dat ze al verder waren dan de schapen.'

'Hoe heb je me gevonden?' wilde Sylvie weten.

'Bob vertelde me dat onzinverhaal over Ellen en een overhaaste peeling. Kom nou! Daar trapt alleen een schoonzoon in. Dus heb ik je zus gebeld. Ze vertelde me trouwens dat ze je zal dekken tegenover Bob, en ze wilde weten hoe je het vond om veertig te zijn. In ieder geval heb ik het serienummer van je auto opgezocht, je diefstalcontrole opgevraagd en Bobs computer gebruikt om je te vinden.' Mildred staarde naar Sylvie, staarde naar Marla en keek toen weer naar haar dochter. 'Ik heb niet al die jaren voor niets naar *Murder, She Wrote* gekeken,' ging ze verder. Toen keek ze weer naar Marla. 'Ongelooflijk!' fluisterde ze.

Sylvie glimlachte. Nu zou haar moeder het eindelijk begrijpen. 'Ik vergeet mijn manieren. Jullie zijn nog niet eens aan elkaar voorgesteld. Marla, dit is mijn moeder. Mam, Marla.'

'Heeft je moeder je *Marla* genoemd? vroeg Mildred en keek weer naar Sylvie. 'Perfecte naam voor een... boekhoudster.'

'Hé, wacht eens even! Ik ben geen boekhoudster,' protesteerde Marla. 'Ik ben een gediplomeerde massagetherapeute, gespecialiseerd in reflexologie.'

'Bedoel je dat je mannen beroepshalve masseert?' vroeg Mildred, met opengesperde neusgaten.

Marla sloeg haar armen over elkaar en trok een gezicht dat – bij haar – doorging voor streng. 'Waarom geloven mensen toch niet dat massagetherapie een volstrekt legitieme medische behandeling is?'

Mildred nam het meisje van boven tot onder op, vanaf het kruintje van haar blonde hoofd, langs haar lange benen in een minishort, tot haar roze, gepedicuurde teennagels, die onthuld werden door haar hooggehakte muiltjes. 'Hm, ik kan me niet voorstellen waarom,' zei Mildred sarcastisch. 'Blind vooroordeel, denk ik.' Ze schudde haar hoofd. 'Dus je dagelijkse werk is het stelen van de echtgenoten van andere vrouwen,' zei Mildred. 'Veel succes met deze. Hij zal de zaak nooit in de steek laten.'

Marla was gepikeerd. 'Ten eerste wist ik niet dat hij getrouwd was. Ten tweede ben ik geen dievegge. Wat er toen gebeurd is met die jurk bij Target was een vergissing. Ik was van plan ervoor te betalen. En ten vierde, toen ik Bobby ontmoette, wist ik niet dat uw dochter zo goedgeefs was.'

'Ze *is* goedgeefs,' gaf Mildred toe. 'Kijk maar eens hoe ze al haar rimpels heeft weggegeven.' Mildred staarde naar het gezicht van haar dochter. 'Het is verbijsterend,' zei ze. 'Je ziet er wérkelijk tien jaar jonger uit. Deed het erge pijn?'

'Helemaal niet.' Sylvie glimlachte.

'Was het erg duur?'

'O, ja.' Sylvie glimlachte nog stralender. 'Maar ik heb het met de creditcard betaald. Bob krijgt de rekening pas aan het eind van de maand.'

Mildred snoof, keek weer naar Marla en vervolgens naar Sylvie's gezicht. 'Het is verbijsterend,' gaf ze toe. 'Niet alleen de operatie, maar ook de gelijkenis. Geen wonder dat je van de kaart was.' Ze pakte de hand van haar dochter. 'Goddank dat je zo tegen de dingen opgewassen bent.'

Sylvie glimlachte naar haar moeder. Marla glimlachte ook naar Mildred, maar Mildred negeerde haar. Marla liet zich daardoor niet weerhouden. Koket ging ze op de grond zitten aan de voet van wat nu Mildreds stoel was. 'Je boft *zo* dat je een moeder hebt als mam,' zei ze tegen Sylvie.

Mildred snoof. 'En jouw moeder...?'

Op Marla's mooie gezichtje verscheen die gepijnigde uitdrukking.

'Erin geluisd door de politie,' zei ze ernstig. 'Onmogelijk dat ze dat geld verduisterd kon hebben. Ze was niet eens goed in wiskunde.'

Mildreds ogen gingen zó ver open, dat Sylvie bang was dat ze dr.

Hinkle nodig zou hebben om ze te laten herstellen als zij ze nog verder opensperde. 'Mam, zullen we een eindje gaan wandelen?' vroeg Sylvie, terwijl ze probeerde uit bed te komen. Mildred hielp haar dochter liefdevol, ook al schudde ze afkeurend haar hoofd. 'Ik moet mijn bloedcirculatie op gang houden,' zei Sylvie tegen Mildred. 'Voor mij geen embolie.'

'Nee. Bewaar dat maar voor voor Bob,' was Mildred het met haar eens.

Marla sprong op. 'Ik help je wel,' bood ze aan.

'Haal liever wat water voor die plant,' zei Mildred tegen Marla. 'Hij ziet eruit of hij het nodig heeft.' Ze gebaarde naar de vermoeide maïsplant in de hoek.

'O, daar ben ik niet erg goed in,' bekende Marla. De bedoeling van Mildreds opmerking was haar ontgaan. 'Ik heb geen groene vingers, geloof ik.'

'Ik denk dat mijn moeder even met me alleen wil zijn,' zei Sylvie vriendelijk.

'O. *O!* Oké. Natuurlijk. Ik zal mijn aantekeningen intussen bestuderen,' zei Marla. Ze klonk meer dan een beetje vepletterd en keek naar de eveneens verpletterde blocnote op de stoel waarvan Mildred zojuist was opgestaan. 'Natuurlijk. Ik zal in mijn eentje mijn aantekeningen doornemen zodat ik weet waar Bobby –'

'Bob,' verbeterde Sylvie haar.

'O. Ja. Dus zodat ik weet waar *Bob* alles opbergt. Behalve die ontbrekende manchetknopen.' Ze knipoogde naar Mildred. 'Mam, kan ik je verwachten voor Thanksgiving? Het is mijn lievelingsfeestdag. En ik kan bijna niet wachten tot ik voor *Bob* kan koken.'

'Laat je haar Thanksgiving doen?' vroeg Mildred met duidelijke ontsteltenis aan Sylvie. Sylvie knikte. 'Wij komen *niet*,' zei Mildred nadrukkelijk tegen Marla.

Sylvie leidde Mildred de kamer uit, de gang in. Vrouwen liepen langzaam heen en weer, sommigen hielden zich vast aan de stang langs de muur. Ze droegen allemaal puntmutsen. Toen ze langskwamen hoorde Sylvie twee vrouwen met elkaar praten: 'Dit was gratis, omdat hij de vorige keer niet voldoende had opgetrokken,' vertelde een vrouw van middelbare leeftijd aan een oudere vrouw. 'Hinkle is goed in dat opzicht. Hij corrigeert. De laatste keer had hij er niet eens genoeg huid uitgehaald om een portemonnee van te maken.'

'Ik weet wat je bedoelt,' zei de ander. 'Ik heb hem gezegd dat ik er niet *uitgerust* wil uitzien, verdomme, ik wil er *jong* uitzien.'

Mildred zuchtte diep en schudde haar onbelaste hoofd. 'Ik weet niet wat je van plan bent, maar ik weet dat het niets goeds is,' zei Mildred tegen Sylvie. 'Ik maak me ongerust over je. Waarom kun je niet zo zijn als je zus, Ellen? Zij heeft het feit geaccepteerd dat ze ouder wordt en nooit meer seks zal hebben. Net als ik.'

'Ik maak me ongerust over *jou*, mam.'

'Nee. Jij maakt mij ongerust. Wat heeft dit te betekenen, Sylvie? Ik geef toe dat het kind als twee druppels water op je lijkt. Het is schokkend. Het... het... laat jou in het niet zinken. Maar wat wil je? Een ménage à trois? Want ik kan gewoon niet door de vingers zien –'

'Mam, alsjeblieft. Ik heb alles onder controle,' zei Sylvie, en legde toen haar hele plan uit – hoe het zou kunnen lukken, en hoe, als het dat deed, ze alles zou krijgen wat ze wilde: Bob die met haar vrijde *en* voor gek werd gezet. 'Dan zal ik hem kunnen dumpen,' zei ze. 'Of misschien doe ik dat niet en dump ik alleen Marla.'

'Sylvie, het was de binnenkant en niet de buitenkant van je hoofd die dr. Hinkle had moeten opereren. Ben je niet bang om een andere vrouw in je huis te laten? In je *bed*? Hoe kun je haar vertrouwen? Een winkeldievegge, de dochter van een oplichtster? Heb je haar een bloedtest laten afnemen? Je bent niet goed bij je hoofd. Straks heb je geen huwelijk meer.'

'Dat heb ik nu ook niet. Ik weet dat het een familietraditie is, mam, maar ik ben niet van plan de rest van mijn leven celibatair te blijven.'

'En als Bob eens verliefd op haar wordt?'

'Verliefd? Doe niet zo mal. Hij zal denken dat ze zijn vrouw is.'

Mildred zweeg even, knipperde met haar ogen, schudde haar hoofd en lachte toen en knuffelde haar dochter.

Sylvie zat achter de piano in de lounge van het kuuroord en speelde 'If They Could See Me Now'. Het was een van Lou's lievelingsnummers, maar hij speelde het als een treurzang. Marla werd geacht de rol van lerares te spelen. Ze tikte de maat – uit het ritme – met haar voet. Zelfs Lou, gedeprimeerd en talentloos als hij was, zou *dat* merken. Sylvie schudde haar hoofd. Wat voor talenten Marla Molensky ook had, ze was niet muzikaal. Ze wist niets van klassieke muziek af, kon geen enkel instrument bespelen en kon blijkbaar niet eens zingen. Sylvie sloeg met opzet een paar afschuwelijk valse noten aan, maar Marla bleef haar hoofd bewegen alsof de muziek perfect gespeeld werd. Ten slotte stopte Sylvie, maar sloeg toen met haar vuist op het toetsenbord. 'Marla! Luister! Ik heb je gezegd dat je een leerling moet onderbreken als je een fout hoort.'

'Dat zal ik ook doen. Zodra ik er een hoor,' beloofde Marla opgewekt. Toen liet ze haar stem dalen. 'Maar ik ben niet zo erg goed in een confrontatie.'

Sylvie zuchtte. Nou ja, niet veel van haar leerlingen schenen naar haar commentaar te luisteren, dus dacht ze dat Marla wel een week of twee de schijn zou kunnen ophouden.

Ze zaten samen aan de lunch, of iets dat ervoor doorging. Sylvie kreeg alleen een proteïnenrijke dieetdrank, terwijl Marla een feestmaal zou krijgen. Beiden hadden blocnote en pen naast hun bord liggen. Ze zaten aan het eind van een lange gemeenschappelijke tafel, tegelijk pratend en schrijvend, elkaar instruerend. Marla, wier eten nog niet was opgediend, keek naar Sylvie, die kleine slokjes nam van haar drank, om er zo lang mogelijk over te doen. 'Sylvie, stop! Dat heb je niet allemaal nodig,' zei Marla.

Sylvie staarde naar het armzalige dieetglas, dat pas half leeg was. 'Marla, ik –' maar voor ze haar zin kon afmaken, had iets anders Marla's aandacht getrokken.

'O, nee!' zei Marla, wijzend naar het bord van de vrouw naast haar. 'Wat dóe je?'

De vrouw sloeg haar ogen neer met een schuldbewuste uitdrukking op haar gezicht, al zag Sylvie alleen maar de voorgeschreven dieetmaaltijd op haar eetblad: gebakken aardappels zonder boter, een kleine kipfilet en wat geraspte kool die moest doorgaan voor koolsla. 'Ik wilde niet de hele aardappel opeten,' zei ze, om zich te verdedigen.

'O, je kunt die aardappel wel eten,' zei Marla, 'maar niet met die dierlijke proteïne. Je wilt toch niet dood? Zetmeel en proteïnen gaan niet samen. Besef je wel hoelang die in je maag liggen te rotten?' De vrouw schudde haar hoofd. 'In de natuur eten de dieren maar één soort voedsel tegelijk,' ging ze verder. 'Je ziet een koe toch ook geen gras en dan fruit en dan proteïne eten?'

De hele tafel keek nu naar Marla. 'Noem je mij een koe?' vroeg de vrouw met een rood gezicht van woede. Ze leek wel een beetje op een rund, vond Sylvie. 'Wie is er doodgegaan en heeft jou tot diëtiste bevorderd?' vroeg de koe. 'Ik weet niet eens waarom *jij* hier bent.' Een paar andere vrouwen aan tafel knikten. 'Je bent mager genoeg. Je bent zelfs perfect. Wat is jouw doel? Anorexie?'

Marla reikte met haar hand over de tafel en nam zachtjes die van de dikke vrouw in de hare. 'Ik probeer alleen maar te helpen,' zei ze. 'Er zijn simpele regels voor het combineren van voedsel die al het verschil maken. Je kunt eten wat je wilt – je mag het alleen niet combineren met de verkeerde dingen.'

'En eet jij helemaal niet?' vroeg een mollige brunette van middelbare leeftijd. Ze keek onderzoekend naar Marla. 'Ik ben Brenda Cushman uit New York City, en ik weet alles van diëten.'

'O, ik eet heus wel, ik wacht nog op mijn maaltijd,' antwoordde Marla.

Sylvie vond dat ze beter tussenbeide kon komen voor er een revolutie uitbrak. 'Iedereen eet proteïnen met zetmeel. Kip met rijst. Vlees en aardappelen. Tonijn met noedels.'

'Nou, dan doet iedereen het verkeerd. Daarom zien ze er allemaal zo slecht uit. Als je proteïnen eet, kun je die alleen maar combineren met groene groenten. Of je kunt fruit eten met groenten, maar nooit fruit met proteïnen.' Ze keek naar de rest van de tafel. 'En denk eraan, dames,' zei ze belerend, 'een tomaat is een vrucht en geen groente.'

De vrouw uit New York City keek kwaad naar Marla. 'Ik ben hier alleen maar omdat mijn dochter Angela gaat trouwen en ik niet van plan ben een dikke moeder-van-de-bruid te zijn waar mijn ex-man Morty bij is.' Toen wendde ze zich tot de dikke vrouw naast haar. 'Ze is getikt,' mompelde Brenda Zus of Zo met een hoofdbeweging naar Marla.

'Nee, ze is een *nut*,' zei een vrouw die Sylvie al eerder was opgevallen. Het arme mens was mager boven het middel, maar had een enorm achterwerk en dijen vol kuiltjes.

'O, met noten moet je heel voorzichtig omgaan,' zei Marla tegen Kuiltjes.

'Of ik dat niet weet,' merkte Sylvie op. Ze kon zien dat de revolutie op het punt stond uit te barsten. Marla was te jong, te slank, te mooi en te irritant om hier populair te kunnen zijn. En dat ze de euvele moed had om advies te geven – en dan nog zo'n mesjokke advies – was... 'Marla, ik weet niet of het iedereen wel interesseert,' waarschuwde Sylvie.

Marla haalde haar schouders op. 'Nou,' zei ze opgewekt, 'ze moeten het zelf weten.' Ze richtte zich weer tot de voltallige tafel. 'Jullie graven je graf met je tanden.'

De New Yorkse vrouw keek op van haar kanteloep en cottage cheese. 'Een aantrekkelijk beeld aan de lunch,' snauwde ze.

Marla keek in haar richting. 'O, nee!' riep ze uit. 'Eet je *kaas* bij die kanteloep? Je weet toch wat we zeggen? Meloen: eet hem alleen of laat hem alleen.'

'Laat *mij* alleen,' snauwde de vrouw uit New York en nam heel nadrukkelijk een grote lepel cottage cheese, samen met een stuk meloen, en kauwde met open mond.

Op dat moment kwam eindelijk iemand van het personeel met Marla's dienblad. Daarop bevonden zich dampend, voor iedereen te zien, drie dikke plakken gehakt, een grote portie macaroni en kaas, en een salade die droop van de olie. Om het af te ronden was er ook nog een punt romige bananenpudding. Sylvie keek verlangend op van haar proteïnen-en-kweekgrassap. Alle andere vrouwen staarden ernaar. Marla keek naar haar bord. Ze haalde verontschuldigend haar schouders op. 'Nou,' zei ze, 'ik ben hier om te proberen op haar te gaan lijken.' Ze gebaarde met haar vork naar Sylvie voor ze haar eerste hap nam. Toen keek ze verzaligd met volle mond. 'Ik heb nooit geweten dat je zo lekker kon eten,' kirde Marla. 'Het is fantastisch om een echtgenote te zijn.'

Sylvie kreeg lange, valse klauwen aan haar vingers door iemand die zich een 'nageltechnicus' noemde, terwijl Marla, die naast haar zat, haar eigen nagels liet knippen, wat een traumatische gebeurtenis voor haar bleek te zijn.

Maar Sylvie voelde zich even ontsteld, zo niet erger. 'Geen wonder dat je geen piano kunt spelen,' riep ze uit. 'Hoe kon je voeten masseren, of ook maar *iets* doen, met zulke nagels?' Ze strekte haar eigen hand uit en staarde naar haar nieuwe Anne Rice vampier-look.

'Het is iets dat je is aangeboren,' zei Marla zelfvoldaan. 'En als ik die acupunctuurpunten aanraak, geloof me, dan springen de mensen in de houding en zijn zich ervan bewust.'

'Hoe kunnen ze in de houding springen als je hun voeten masseert?' vroeg Sylvie.

'Ik sprak metabolisch,' antwoordde Marla. Toen stond ze op, met alle waardigheid die een vrouw wier naam eindigde op een 'a' kon opbrengen. 'En nu,' zei ze, 'ga ik plassen.'

Ze aten weer, als je het zo kon noemen. Hun maaltijden met de andere gasten van het kuuroord begonnen volgens Sylvie gevaarlijk te worden. Alle andere vrouwen, chagrijnig door het ontberen van voedsel, benijdden en verfoeiden Marla. Sommigen negeerden haar openlijk. En allemaal verlangden ze naar haar maaltijden, die Marla smakelijk en snel naar binnen werkte, ook al klaagde ze dat ze moeilijk haar vork kon hanteren sinds ze ontklauwd was. Sylvie was eindelijk van de proteïnedrank af en kreeg nu een piepkleine salade, een beetje vis en drie kleine gekookte worteltjes. De groep vrouwen aan tafel praatte onveranderlijk over eten; wat ze wilden serveren op Thanksgiving – of op dat moment op hun bord zouden willen hebben. Sylvie probeerde niet te luisteren – haar maag begon te knorren bij hun gebabbel.

'Ik wil nog twee kilo meer afvallen,' zei de mollige vrouw uit New York. 'En dan, zodra ik weer thuis ben, ga ik een hele pompoentaart eten van de banketbakker.'

Aan het andere eind van de tafel gaf een nieuwkomer advies. 'Als je suiker in de vulling doet, komen ze terug voor meer,' zei ze tegen de vrouw naast haar.

'Ze houden mij of wie dan ook niet voor de gek met die spaghettitroep. Als dat pasta is, ben ik Kate Moss,' zei de brutale, verwaande blonde vrouw naast Marla tegen iedereen die wilde luisteren. Sylvie verbaasde zich erover dat ze allemaal geobsedeerd waren van eten. Zij ook? De vrouw naast Sylvie keek haar aan en probeerde haar in het gesprek te betrekken. 'Weet je wat goed is op Thanksgiving? Geglaceerde yammen, maar met een pond slagroom in plaats van marshmallows.'

'Echt waar?' Sylvie probeerde verbaasd te kijken. Ze zou een schuimrubber kussen kunnen eten als het bedekt was met slagroom.

Alle vrouwen bleven stuk voor stuk naar Marla's bord kijken. Een paar nieuwkomers stootten elkaar aan. Marla was de enige die stapels verleidelijk voedsel op haar bord had liggen. En ze at alsof ze uitgehongerd was, terwijl de anderen hun worteltjes heen en weer schoven op hun bord. Ze mocht dan voedseltheorieën uitbazuinen, maar ze at als een vrachtwagenchauffeur die van zijn laatste goede diner genoot voor hij op de snelweg kwam. Eindelijk keek Marla op van haar fanatieke eetpartij en wenkte de serveerder. 'Kan ik nog wat boter krijgen?' vroeg Marla.

'Hoe kan ze zoveel eten en toch zo slank blijven?' Kuiltjes, aan het eind van de tafel, durfde het onder woorden te brengen, alsof ze de woordvoerster was voor de hele groep.

De brutale blonde boog zich naar voren. Ze had zich voorgesteld, maar misschien omdat Sylvie duizelig was van de honger of misschien omdat het haar niet interesseerde, ze kon zich de naam van de vrouw niet herinneren. 'Waarom zit *jij* hier?' vroeg de blonde vrouw aan Sylvie, alsof dit een gevangenis was. Dat moet betekenen dat mijn blauwe plekken verdwenen zijn, dacht Sylvie, dus gaf ze een nietszeggend antwoord. Toen wendde de blonde zich tot Marla. 'Jij bent hier zeker om je tweelingzus gezelschap te houden,' zei ze. Jaloers keek ze naar Marla's bord. 'Maar als je voor twee blijft eten, ben je straks in je eentje terug.'

Sylvie liet het tot zich doordringen. Eerst was ze aangezien voor Marla's moeder, toen voor haar oudere zus, en nu voor haar tweelingzus. Marla en Sylvie wisselden een blik. Misschien voelde de brutale blonde zich buitengesloten, want ze verhief haar stem. 'Hé, ik weet een mop,' flapte ze eruit, de stilte verbrekend met haar volumineuze geluid. Sylvie en Marla keken haar allebei aan. Aangemoedigd ging ze verder. 'Een miljonair heeft drie vriendinnen, die niet veel van elkaar verschillen, en hij moet besluiten met wie hij zal trouwen.' Nu luisterde iedereen. Ze leunde over de tafel heen en liet haar stem dalen. 'Dus geeft hij elk van hen een miljoen dollar om mee te doen wat ze willen. De vrouwen weten het niet, maar dat is de manier waarop hij zal beslissen met wie hij gaat trouwen.' Sylvie en Marla staarden naar de vrouw, die verder ging. 'De eerste geeft alles uit aan haar winkeltochten. De tweede brengt het naar de bank – ze *spaart* het. De derde investeert het en verdubbelt het miljoen. Dus wie denk je dat hij kiest?'

Sylvie en Marla keken elkaar aan. 'De investeerder?' raadde Sylvie.

'Nee, malle,' zei Marla met superieure wijsheid. 'Degene met de grootste tieten!'

14

Bob kon zich niet herinneren dat hij ooit zo slecht gegeten had – niet op college, niet in het zomerkamp, zelfs niet in het studenteneethuis. Wanneer had hij in de laatste tien dagen iets groens gegeten, behalve die overgebleven tonijnsalade? En hij had pas gemerkt dat die beschimmeld was toen hij er gisteravond een hap van genomen had. Vanavond gingen hij en John samen eten. Bob reed in Beautiful Baby, ondanks het feit dat John zich er zo ongemakkelijk in voelde. John was te lang en te slungelig voor zo'n kleine auto, maar Bob was niet in staat nog meer veranderingen te verdragen – nu Sylvie weg was en Marla de stad uit, hij moest het toegeven, was zijn hele leven verstoord.

'Wil je Italiaans?' vroeg John.

'Nee. Ik heb Italiaans gegeten als ontbijt.'

'Wie eet er nou Italiaans als ontbijt?'

'Italianen,' zei Bob grimmig. 'Ik leef op afhaalvoedsel. Vanmorgen heb ik twee koude pizzapunten gegeten. Ik doe mijn eigen was. Ik kan niet eens bij elkaar passende sokken vinden.'

'En dat allemaal omdat je je vrouw bedriegt.'

'Dat doe ik niet. Nu niet.'

Johns gezicht klaarde op. 'Je hebt het uitgemaakt met R en N –'

'Bijna.'

'Bijna? Wat betekent "bijna"? Dat is dubbelzinnig. Het is aan of het is uit.'

'Niet per se,' gaf Bob toe. 'Ze is weg. Wil je Chinees?' vroeg Bob toen ze langs het Peking Palace reden. Hij zweeg even. 'Nee. Laat maar. Toen ze van Peking overgingen op Beijing, ging het eten achteruit.'

John schudde zijn hoofd. 'Jongen, je hoorde je meer zorgen te maken over je huwelijk dan over je dieet.'
'Natuurlijk maak ik me zorgen over mijn huwelijk.'
'Een huwelijk dat je om te beginnen al nooit had moeten hebben. Als jij in ons laatste studiejaar weg was gebleven, zou *ik* nu met Sylvie getrouwd zijn.'
'Dat zou vreselijk zijn,' gaf Bob toe. 'Ze is nu al bijna twee weken weg. Het is een puinhoop in huis. Ik mis haar.'
'Mis je haar ook als je op bezoek gaat bij Roze en Naakt?'
'Als ik bij haar ben denk ik nergens aan. Bij haar gaat het om iets anders.'
'Hm, ik denk dat ik mijn opwachting maar eens moet maken,' zei John. 'Misschien kan ik waarderen wat jij niet weet te appreciëren. Ik vermoed dat Sylvie zich 's avonds eenzaam voelt. Ze zou die tijd met mij kunnen doorbrengen.'
Bob keek naar John, die met hoog opgetrokken knieën op de lage stoel zat. 'In vier woorden of minder, wil je het me vertellen als je probeert mijn vrouw te stelen?'
'Ja, verdomme, makker,' snauwde John terug. 'En dat zijn maar drie woorden. Ze was eerst van mij.'
Zwijgend reden ze een tijdje verder. 'Hé! Wat zou je zeggen van een steak?' vroeg Bob, van onderwerp wisselend en naar de snelweg draaiend. Hij reed het parkeerterrein van restaurant Hungry Heifer op.
'Doorregen vet vlees? Ik zou van de week maar eens komen om je cholesterol te laten controleren,' zei John, terwijl hij zich ontvouwde uit de auto, een soort origami in omgekeerde volgorde. John gaf Bob een klopje op zijn schouders toen ze naar het restaurant liepen. 'Je leeft gevaarlijk, jongen,' zei hij tegen zijn vriend.

Bob plofte neer op bed. Zijn maag voelde opgezet. Hij had de Porterhouse steak niet helemaal kunnen opeten. Liggend worstelde hij zich uit zijn broek, maar hield zijn onderbroek aan. Hij was zelfs te moe om zijn poloshirt uit te trekken. Nou ja, hij kon erin slapen – *als* hij kon slapen. Hij had de laatste tijd slecht geslapen – en kon zich niet herinneren dat hij ooit zo lang alleen had geslapen. Niet meer sinds college, dacht hij. En het beviel hem niets. De hele slaapkamer – gewoonlijk een veilige haven – stond hem tegen. Hij had zijn bed al een week lang niet opgemaakt, en de lakens waren gekreukt, de dekens als touwen opgerold. Stapels kleren lagen, als hopen vuile sneeuw, in de kamer verspreid. Kranten en reclamefolders namen beide nachtkastjes in beslag en op de grond lag een hoop andere rommel die hij niet kon identificeren zonder aandachtig te kijken. Sylvie zou een beroerte krijgen als ze dit zag. Morgen zou hij orde moeten scheppen, dacht hij. Als hij de nacht doorkwam. Hij kreunde en ging op zijn zij liggen. Hij wilde niet op zijn buik slapen, *als* hij al sliep.

Juist toen Bob het licht uit wilde doen ging de telefoon. Hij strekte zijn hand uit, maar de telefoon stond niet op de gebruikelijke plaats. Het duurde even voor hij hem gevonden had – hij moest het snoer volgen om het toestel te vinden – bijna onder het voeteneinde van het bed. Bij de derde bel had hij hem te pakken. Wie zou er om deze tijd bellen? Het moest Sylvie zijn. Hij nam op en liet zich weer op bed vallen. Hij verminderde de druk op zijn maag door het elastiek van zijn onderbroek omlaag te schuiven. 'Hoi, lieverd, ik ben thuis,' zei hij. En aan het andere eind van de lijn werd hij voor zijn moeite beloond met Sylvie's gegiechel.

'Nu wel, ja. Ik heb al eerder geprobeerd je te bellen, maar je was er niet. Was je met een vriendinnetje uit?' vroeg Sylvie.

'Ik was met jouw vriendje uit,' mopperde Bob. 'Ik moest van John met hem mee naar de Hungry Heifer om een Porterhouse steak te eten, en hij heeft me de hele avond zitten vertellen hoe volmaakt jij bent.'

'Jeetje, ik meen twee leugens te ontdekken in die zin,' zei Sylvie plagend. 'Je *moest* van John een Porterhouse eten? Met jouw cholesterolpeil? Dat betwijfel ik. En ik wed dat hij niet langer dan twintig of dertig minuten over mij heeft gepraat.'

'Je hebt in beide opzichten gelijk.' Bob lachte en wreef over zijn maag met de hand waarmee hij niet de telefoon vasthield. Hij voelde zich nu al beter. Het was goed om begrepen te worden. 'Je hebt me te pakken,' gaf Bob toe.

'Heb ik dat?' vroeg Sylvie.

Bob zweeg even en gaf geen antwoord, althans niet snel genoeg. De laatste tijd leek het soms of Sylvie... Hij liet het erbij. 'Hoe gaat het met Ellen?'

'Ellen? O, met Ellen gaat het uitstekend. Met mij ook.'

'Ik dacht dat je zei dat er een probleem was met de roofjes. Als het goed met haar gaat, kom dan thuis.'

'Nou ja, nog niet *helemaal* goed,' zei Sylvie. 'Weet je, het is niet alleen Ellen. Ik heb zelf ook een klein beetje laten knijpen en trekken.'

'Dat meen je niet!' zei Bob, die bijna overeind kwam. Tot zijn maag protesteerde. 'Dat had jij helemaal niet nodig. Je ziet er geweldig uit.'

'We zien er nu allebei geweldig uit,' zei Sylvie. 'Maar ik denk niet dat Ellen bij ons kan komen met Thanksgiving. Heb je nog iets van de kinderen gehoord?'

Voor Bob kon antwoorden, hoorde hij de bel van de wachtstand van de telefoon. 'Wacht even,' zei hij. 'Er komt een ander gesprek binnen.'

'Om deze tijd?' vroeg Sylvie.

'Waarschijnlijk een van de kinderen,' mompelde Bob, al betwijfelde hij dat.

'Zo laat?' zei Sylvie bezorgd. 'Ze bellen 's avonds nooit, tenzij er een noodsituatie is.'

'Wacht even,' zei Bob. Hij drukte de knop van de telefoon in.

'Hoi, snoetepoet,' kirde Marla's stem. 'Ik ben stiekem uit oma's huis geslopen en helemaal naar de supermarkt gelopen om je te bellen.'

'Marla.' Bob zweeg even. 'Ik heb je gemist. Het is gewoon niet te geloven dat je oma geen telefoon heeft.' Bob voelde zweetdruppeltjes op zijn bovenlip. Zweet, of misschien vet van de Porterhouse. 'Wacht even, schat,' zei hij. 'Ik heb nog een ander telefoontje.' Hij klikte terug naar Sylvie. 'Sylvie?' vroeg hij. Eén afschuwelijk moment was hij bang dat hij Marla nog aan de lijn had, maar gelukkig, het was Sylvie's stem die antwoord gaf.

'Ja. Was het Reenie? Is ze weer van studievak veranderd? Is alles oké?'

'Nee. Nee. Ik bedoel ja. Het was Reenie niet.'

'Was het Kenny? Heeft hij nog steeds problemen met zijn kamergenoot?'

'Nee. Het was een van die verkooptelefoontjes. Je weet wel. Een veteraan die me gloeilampen wilde verkopen. O, kun je nog heel even wachten?' vroeg hij zonder haar de tijd te geven om te antwoorden. Hij moest weten wanneer Marla terugkwam. Maar hij kon Sylvie niet afschepen.

'Hallo,' zei hij aarzelend in de telefoon.

'Hé, zeg eens, ik heb niet genoeg munten om dit te betalen,' antwoordde Marla's stem. 'Je weet dat ik te slim ben om op jouw kosten te bellen. '

'Hoor eens, ik kan nu niet met je praten,' zei Bob. 'Wanneer kom je thuis?' Zijn maag begon nu echt op te spelen, en zijn voorhoofd en borst waren bedekt met zweet.

'Ik loop de hele weg hierheen in het donker, waar ze niet eens straatlantaarns hebben, en jij zegt dat je niet kunt praten? Bobby, heb je een andere vriendin?'

'O, schat, geloof me, één is genoeg.' Bob besefte op wat voor toon hij sprak en probeerde wat opgewekter te klinken. 'Jij bent alles wat een man ooit nodig kan hebben. Luister, ik moet –'

'Als ik alles ben wat een man nodig heeft, waarom ben je dan nog steeds bij je vrouw?'

'Wacht even,' zei Bob en klikte terug naar Sylvie. 'Hallo?' zei hij en wachtte om te horen of Sylvie zou reageren. Soms werkte die knop op de telefoon niet en kreeg je dezelfde terug die je aan de lijn had voordat je op de knop drukte. Het zou erg zijn om Marla 'Sylvie' te noemen, maar het zou fataal zijn om zijn vrouw een andere naam te geven. Even fataal als die Porterhouse die op dit moment niet alleen in zijn maag leek te zitten maar ook op zijn aorta.

'Bob, wie *was* dat?' vroeg Sylvie.

'O, het was die verdomde veteraan weer. Hij moest me zo nodig vertellen dat hij in een rolstoel zat. Waarschijnlijk is het zwendel, maar ik heb toch twaalf lampen gekocht. Maar, Syl, ik voel me niet goed. Ik denk – nou ja, laat ik alleen maar zeggen dat dat vlees me niet goed bekomen is. Ik ben bang dat het er weer uitkomt.'

'O, liefje,' kirde Sylvie. 'Wat spijt me dat. Ik wou dat ik er was om je hoofd vast te houden.'

Bob dacht dat hij met die zin wel kon ontsnappen, om te horen wanneer Marla terugkwam. 'Ik moet ervandoor. Doe Ellen de groeten van me,' zei Bob, en wachtte nauwelijks tot zijn vrouw geantwoord had voor hij terugklikte naar zijn wachtende vriendin. Maar toen hij de andere lijn kreeg hoorde hij alleen een zoemtoon.

Marla had opgehangen.

De volgende ochtend zoog een herstellende Bob op een paar tummetjes terwijl hij zorgvuldig Beautiful Baby waste. Het soppen van de spatborden had iets kalmerends, iets bijna sensueels. Het wassen van je auto was een van de weinige handelingen in het leven die intens bevredigend waren, want, als je er de moeite voor nam, kon je het perfect doen. Terwijl hij de zeperige spons uitspoelde, zag Bob zijn zwager Phil over het terrein lopen. Vaarwel rust. Toen hij dichterbij kwam, begon Phil tegen hem te praten. 'Is paps er vandaag?'

'Het is woensdag. Hij is gaan golfen.' Hemel, zijn vader ging al vijf jaar op woensdag golfen, maar Phil had het schema nog steeds niet door. Lette hij dan nooit op?

Zijn volgende vraag bewees dat het antwoord nee was. 'Zeg, waar is Sylvie? Ik ben bij jullie langsgegaan, maar ze was er niet.'

'Word wakker en ruik de anesthesie,' zei Bob, opkijkend. 'Ze is een paar dagen naar je zus. Ellen heeft iets laten "doen".'

'O, die is altijd bezig haar huis opnieuw in te richten. Geen kinderen. Het houdt haar bezig.'

'Nee, ik bedoel facultatieve chirurgie. Je weet wel, plastische chirurgie.'

'Ja? Wat? Een toetectomie?' vroeg Phil, schijnbaar hevig geïnteresseerd. 'Ik heb geprobeerd Rosalie een tietenverbouwing cadeau te doen toen we zoveel jaar getrouwd waren.'

'Misschien was het daarom de laatste dag van je huwelijk,' merkte Bob hoofdschuddend op. Zijn stemming, zijn hele meditatie, werd bedorven door die clown.

'Heb je die mop gehoord over die kerel wiens verloofde in alle opzichten perfect was? Je weet wel, mooi, jong, rijk en sexy. Alleen één ding was er mis aan: ze had geen grote tieten. Ken je die?' vroeg Phil.

'Nee, Phil, ik geloof niet dat ik die ooit gehoord heb,' antwoordde Bob, en draaide zich weer om naar zijn auto. Het opwrijven ervan zou hem rust geven. Hij zou dat muggengezoem negeren. 'Kun je me hem in vier woorden of minder vertellen?'

Phil legde een hand op Bobs schouder en belette hem de auto op te poetsen. 'Goed, om kort te gaan, hij aarzelt natuurlijk om met haar te trouwen. Ik bedoel maar, geen ballonnen. Maar een van zijn vrienden zegt: "Ben je gek? Je geeft zo'n schoonheid op omdat haar tieten onder de maat zijn?" "Maar ik hou ervan als ze groot zijn," zegt de man. "Dan weet ik de oplossing voor je," zegt de ander. "Laat zij ze drie keer per dag bekloppen met toiletpapier. Voor je het weet is ze Pamela Lee." "Je houdt me voor de gek," zegt de man. "Toiletpapier? Helpt dat?" "O, ja," zegt zijn vriend. "Mijn vrouw veegt al jarenlang haar achterste ermee af en nu is haar achterwerk groter dan een huis."' Phil verviel in een hysterische lachbui. 'O, en ken je die van de miljonair met drie vriendinnen?'

Bob keek Phil onbewogen aan en antwoordde slechts: 'Phil, je bent een atavisme. Je loopt hopeloos achter: het is niet meer Pamela Lee. Anderson. Ze zijn gescheiden.'

'O, ja? Dan hebben zij en ik iets met elkaar gemeen.' Hij wipte van de ene voet op de andere, maar bood niet aan Bob te helpen met de auto.

'Heb je al iets gehoord van Sylvie?'

'Elke dag, maar die telefoongesprekken zijn nooit voldoende.'

'Dat meen je niet! Vrouwen kunnen je dood betekenen aan de telefoon. Ik vertelde Rosalie steeds weer dat ik alle details niet hoefde te horen. Ik weet meer dan iemand wil weten over haar moeder...'

Bob keek achterom naar zijn zwager. Hij klonk zo verbitterd. 'Dus het spijt je niet...'

Phil zweeg even en wendde zijn blik af, staarde over het terrein met de lege modellen. 'O, jawel, ik heb geen behoorlijke stoelgang meer gehad sinds Rosalie de Rancuneuze me eruit heeft gegooid. Siciliaanse meiden! Ze leven voor een vendetta, maar ze kunnen wél koken.'

'En Sylvie maakt fantastisch braadvlees,' merkte Bob nostalgisch op, alsof ze twee jaar weg was in plaats van twee weken. Met die woorden stapte hij in Beautiful Baby, nat als ze was, en reed weg.

15

Sylvie was al naar haar yogacursus geweest toen ze Marla ontmoette aan het ontbijt – of wat er voor doorging. Marla had een vol bord met toast en eieren en pindakaas en plakjes banaan, samen met een kom yoghurt bedekt met verrukkelijke, calorieënrijke granola. Sylvie zat tegenover haar en dronk haar soja-en-meloenbrouwsel. Ze zou de proteïne nodig hebben om de aerobics te overleven.

Marla lepelde yoghurt in haar mond en giechelde. 'Dus toen hij je liet wachten, wie zei hij toen dat het was?' vroeg ze weer.

Toen de beide vrouwen hadden bekend dat ze erover dachten stiekem Bob te bellen, besloten ze dat tegelijk te doen. 'Hij zei dat je een invalide veteraan was,' zei Sylvie.

'Nou, dat is niet waar,' verklaarde Marla. 'Ik ben nog nooit in een oorlog geweest.'

'Alleen als je de strijd tussen de seksen niet meerekent,' antwoordde Sylvie.

'Ik snap niet waarom je als een jongen loopt,' zei Marla later, toen de twee vrouwen samen aan het werk waren in een lange, verlaten gang van het kuuroord.

'Misschien omdat ik een oudere broer had,' opperde Sylvie. 'Phil was een atleet. Heel erg macho.'

'Ik had ook een oudere broer die een macho was,' zei Marla. 'Nou ja, een stiefbroer. Of misschien een halve stiefbroer. Wat een smeerlap. Hij maakte avances toen ik elf was.' Marla zat op de grond en plakte papieren kuuroordschoenen met tape vast aan het tapijt. Het leek veel op een voetendiagram uit Syvie's tijd op Miss Walkers dansschool. 'Oké, probeer het maar,' zei Marla, terwijl ze op handen en voeten overeind kwam. Verbeeldde Sylvie het zich, of was Marla's gezicht werkelijk dikker geworden? Toen Marla zich vooroverboog, kon Sylvie duidelijk zien dat haar achterste het in ieder geval wél was. Goddank dat er aardappelpuree en boter bestonden, dacht Sylvie, en glimlachte heimelijk.

'Oké. Loop in mijn voetstappen,' beval Marla. Hoofdschuddend zette Sylvie haar voeten één voor één op de plaatsen die Marla aanwees.

Ze moest één been bijna voor het andere kruisen, waardoor haar bekken van de ene kant naar de andere zwaaide.

'Goed zo!' riep Marla, die Sylvie van achteren gadesloeg.

'Marla, dit is belachelijk,' zei Sylvie, ronddraaiend. 'Dat is de manier waarop een hoer loopt.'

'Ik ben er nog nooit in mijn leven voor betaald!' viel Marla driftig uit.

'Wat ik wilde zeggen was dat *jij* niet zo loopt.'

'Wel als er een man achter me loopt,' zei Marla. 'Doe het nog eens.' Sylvie gehoorzaamde en slaagde erin 'de loop te lopen' zonder om te tuimelen.

Sylvie zat op de wc, waarvan het deksel omlaag was geklapt, en wriemelde heen en weer. Ze leek daar al een uur gevangen te zitten terwijl Marla haar opmaakte.

'Schiet *op*!' zei Sylvie. 'Ik heb een gevoel of ik op spelden zit.'

'Over spelden gesproken, je zou best een elektrolyse kunnen gebruiken,' merkte Marla op, terwijl ze weer een andere borstel oppakte en onder Sylvie's kin kietelde. Het meisje had meer kleuren en borstels dan Rembrandt. 'Harmoniëren, harmoniëren, harmoniëren. Dat is het geheim van een perfect gezicht,' vertrouwde ze haar toe.

'Wil je nu alsjeblieft ophouden?' vroeg Sylvie. 'Ik bedoel, wat heeft het voor zin?'

'Ta da. Fantastisch! *Dat* is de zin ervan.'

Toen Sylvie in de spiegel keek, was 'O, lieve help!' alles wat ze aanvankelijk kon uitbrengen. 'Heb ik daar zo lang op moeten wachten?' Marla had een zware basis gebruikt om Sylvie's paar overgebleven gelige plekken te camoufleren, en toen een heel nieuw gezicht geschilderd op het onbeschreven, poriënloze canvas.

Sylvie tuitte haar glanzende kersenrode lippen, die nu buiten de onderste liplijn doorgetrokken waren, maar van boven smaller waren getekend. Onder haar ogen waren roze strepen op haar wangen en bruine strepen eronder, in een imitatie van jukbeenderen en wangholten. Haar ogen – nou ja, het waren niet *haar* ogen, het waren de ogen van Nathan Lane in *The Birdcage* – waren bewerkt met drie kleuren oogschaduw, waren zwart omrand, en hadden wimpers die op dikke, zwarte duizendpoten leken.

'Ik zie eruit als Norma Desmond,' fluisterde Sylvie.

'Ja. Maar denk eraan dat Norma Marilyn Monroe werd.' Marla keek objectief en kritisch naar Sylvie's gezicht. 'Het is een beetje neutraal. Ik kan het wel wat bijwerken,' beloofde ze.

Die avond, met pijnlijke spieren en uitgeput na haar twee sessies water-aerobics, liet Sylvie zich op bed vallen alsof haar auto in het zwembad van het kuuroord bovenop haar terecht was gekomen. Alles deed pijn, maar ze moest toegeven dat ze strakker en steviger was dan in jaren het geval was geweest. Intussen lag Marla languit in de leunstoel naar een film te kijken. 'Waar kijk je naar?'

'De laatste Elise Eliot. Ik ben de titel vergeten.'

'Vind je haar niet geweldig?' vroeg Sylvie.

'Ik zou het niet weten. Ik heb haar nog nooit ontmoet.'

Sylvie was te moe om zelfs maar te grijnzen over Marla's antwoord. Haar hele lichaam deed pijn. 'God, ik kán niet meer,' kermde ze, terwijl ze de deken optrok met haar pijnlijke armen.

'Ik heb honger,' zei Marla. 'Ik heb zin in iets gebradens. Kip, of mozzarellasticks.'

'Hoe kun je in vredesnaam honger hebben?' vroeg Sylvie. Zij had als diner niet meer dan een blaadje sla en een plakje vis gehad, terwijl Marla een steak, gebakken aardappels en twee maïskolven had verslonden, en een enorme salade die verdronk in de dressing, zodat elke vrouw aan tafel haar wenkbrauwen optrok.

'Dat is het probleem,' zei Marla. 'Ik heb het je toch gezegd? Als je eenmaal begint met eten kun je niet meer ophouden. Eten doet je alleen maar verlangen naar meer eten. Ik wou dat ik een chocoladereep had,' zei Marla.

Sylvie kreunde weer en draaide zich op haar zij. Ze had al in twee weken geen suiker meer gehad, en bovendien was ze te moe om te kauwen.

Ze lag in het donker in bed tot ze Marla hoorde snurken. Sylvie glimlachte. Bob mocht alle andere dingen met dat meisje in bed hebben gedaan – maar hij had waarschijnlijk nog nooit een nacht met haar doorgebracht, dus wist hij niet wat voor geluiden er uit dat aanbiddelijke neusje kwamen. Feitelijk waren er tientallen, misschien wel honderden dingen die zij over Marla wist en Bob niet.

En het was gek, maar hoe meer ze wist, hoe aardiger Sylvie haar vond. O, ze was een warhoofd en niet erg intelligent en een beetje een jokkebrok, maar dat was allemaal niet háár schuld. Sylvie begon veel sympathie voor haar te koesteren. Wat zou zij hebben gedaan als zij in zo'n slecht functionerend gezin was geboren als Marla blijkbaar? Als zij eens niet intelligent was geweest en geen muzikale aanleg had gehad? En hun leeftijdsverschil zorgde ook voor een essentieel economisch verschil. Tegenwoordig, nu er steeds minder kansen waren, afgezien van haar gebrek aan ontwikkeling, deugde Marla voor niet veel dingen. Als ze niet zo knap en aantrekkelijk was geweest, had ze kunnen eindigen met een vaste baan in de frituurafdeling van Micky Dee.

Wat angstig om onbemiddeld te zijn.

Het was moeilijk om je plaatsje in de wereld te veroveren, dacht Sylvie, en voor een vrouw nog moeilijker dan voor een man. Vrouwen hadden nog minder mogelijkheden, en kregen minder betaald, maar mannen hadden niet meer de oude ridderlijkheid die echtgenotes en alleenstaande vrouwen had beschermd. Sylvie wist dat het een enorme luxe was om een welgestelde familie te hebben, met een vader die niet alleen haar opleiding had betaald, maar ook haar jurk voor het eindbal van school en haar pianolessen en elke sportuitrusting die ze maar wilde. Hoe zou het zijn als je niemand had die voor die dingen zorgde? Hoe zou het zijn om niemand te hebben op wie je terug kon vallen als de nood aan de man kwam? Ze dacht aan Marla en hoe bang ze soms moest zijn.

Sylvie had zoveel geluk gehad, en ze wist het. Maar wat zou er met Marla gebeuren? Sylvie kon zich voorstellen dat de koesterende kant van Marla een goede moeder van haar zou maken, maar haar inefficiëntie, haar gebrek aan logica – nou ja, eerlijk gezegd, haar eigenaardigheden en krankzinnige overtuigingen en opvattingen – zouden het kind een vreemde opvoeding geven, als ze er ooit een kreeg.

Wie zou van een meisje als Marla houden en haar lot aan het zijne verbinden? Het was zo gemakkelijk haar niet serieus te nemen. Als Sylvie daaraan dacht, voelde ze zich bedroefd en kwaad ter wille van Marla. Wat Bob deed was verkeerd – niet alleen tegenover haar, maar ook tegenover Marla. Sylvie wist dat hij niet voor het meisje zou zorgen, niet op de manier die ze nodig had. Hij gebruikte haar, net zoals hij Sylvie gebruikte. Ze dacht aan het oude legerrijmpje: "This is my rifle, this is my gun. One is for shooting, the other's for fun." Marla was het wapen en – tenzij ze zich heel erg vergiste, zou haar man met Marla vrijen, haar wat geld en aandacht geven, maar zich nooit tot iets verplichten. Hij had Sylvie nodig als zijn geweer, een instrument om zijn leven ordelijk te houden. Bob hield van ordelijkheid.

En zelfs al zou Bob – god verhoede – besluiten Sylvie voor dit meisje te verlaten, dan wist Sylvie dat hij nooit, maar dan ook nooit er zelfs maar over zou denken kinderen met haar te hebben. En waar bleef Marla dan, die naar kinderen hunkerde? Hoe meer ze erover nadacht, hoe kwader Sylvie werd. Tot ze besefte dat het krankzinnig was om je zo kwaad te maken ter wille van de maîtresse van je man.

Ze waren terug in de lounge. Sylvie zat weer achter de piano Ze had Marla ingelicht over al haar leerlingen, hun persoonlijkheid en hun vaardigheid. Maar hoewel Marla Lou's en Honey's en Samantha's en Jennifers vorderingen en namen en favoriete nummers in haar geheugen had geprent, kon ze nog steeds geen mol van een kruis onderscheiden. Sylvie speelde het eind van 'If They Could See Me Now'. Zoals gewoonlijk knikte Marla met haar hoofd, maar niet in de maat. 'Ja, ja,' mompelde ze. Wanhopig maakte Sylvie een grote, duidelijke fout, en heel luid. Marla keek op en schudde aarzelend nee. Bij het nee sprong Sylvie op van de pianokruk.

'Goed! Goed!' riep ze uit en omarmde Marla.

'Ik geloof dat je de polsbeweging onder de knie hebt. Nu de achterkant van de muis van je hand. Hoe sterk zijn je handen?' Met tegenzin deed Sylvie wat haar gezegd werd, maar het gebaar kwam obsceen op haar over en volstrekt belachelijk. Bovendien werden haar handen moe. Hoelang zou ze dit vol moeten houden? Alsof ze haar gedachten kon lezen, zei Marla: 'Reflexologie is negentig procent kracht en dertig procent techniek.' Sylvie kon nog net de opmerking inslikken dat die percentages bij elkaar veel meer dan honderd waren. 'Houd mijn voet in je linkerhand terwijl je het werk doet met je rechter,' beval Marla.

Sylvie zat met Marla's voeten op haar schoot en oefende haar nieuwe 'beroep' uit. Met afkeer op haar gezicht en minachting in haar hart.

Sylvie had niet verwacht dat het zo moeilijk zou zijn, maar ze ontdekte dat er heel wat meer bij kwam kijken dan ze gedacht had.

'Ik heb dit nog nooit van mezelf geweten, maar ik vind het vreselijk om iemands voeten aan te raken,' zei Sylvie met een grimas.

'Jezus vond het niet erg,' zei Marla op superieure toon. 'Bovendien komt dat alleen omdat je ze niet begrijpt. Ze zeggen niet voor niets "op beide voeten neerkomen". Voeten die pijn doen zijn een ellende. En ze zeggen ook: "De voet is het venster van de ziel".'

Sylvie keek haar aan of ze gek geworden was. 'Nee, dat zeggen ze niet,' zei ze. 'En jij zegt dat de voet het venster is van de ziel. Dat zeggen ze ook niet. De *ogen* zijn het venster van de ziel.'

'Nou ja, wat dan ook,' zei Marla en rukte haar voet omhoog. 'Au. Hé, zeg! Wees een beetje voorzichtig, wil je? Als je dat doet kun je iemands wreef voor lange tijd bezeren.' Ze trok haar rechtervoet van Sylvie's schoot en wreef erover. 'In ieder geval, als je de voet eenmaal respecteert, zul je over dat misselijke gevoel heen komen. Behalve natuurlijk als de voeten vuil zijn of van die grote, harde eeltplekken hebben. O, tussen haakjes, Simon Brightman houdt van hot pink nagellak van Clinique,' zei Marla tegen Sylvie. 'Ik vind niet dat die goed bij de teint van zijn huid past, maar geef het hem maar.'

'Simon? Een mán die nagellak op zijn teennagels wil?' vroeg Sylvie ongelovig. Sylvie zat aan de voet van Marla's fauteuil met Marla's rechtervoet op haar knie. 'Wacht even, dat moet ik opschrijven,' zei Sylvie en wilde haar blocnote pakken.

'Dat is niet alles wat ze willen,' zei Marla. 'Een van mijn vaste klanten staat erop dat ik pumps draag die de gleuven tussen mijn tenen laten zien.'

'Wat?' vroeg Sylvie vol walging.

'O, je weet wel... als een schoen laag is uitgesneden en een beetje te strak zit en je voet knelt tussen je grote teen en je wijsteen. Hij vindt het heerlijk om daarnaar te kijken. En nog wat: sommigen willen dat je op hun tenen zuigt.'

'Wat? Nu hou je me voor de gek,' krijste Sylvie.

'Ik ben een professional,' antwoordde Marla zonder aarzelen. Sylvie wist niet zeker of dat betekende dat teenzuigen in of out was. Ze kokhalsde.

'De afspraak was dat jij je speciale klanten zou behandelen,' zei Sylvie.

'Ja, maar als er een spoedgeval komt en Bob wil niet dat ik middenin de nacht uitga? Ik wil niet dat ik door jou een van mijn vaste klanten kwijtraak.'

'Wat is in vredesnaam een spoedgeval?'

'Oké, het is niet *alleen* een pedicure. Ik ben een soort therapeut. Zie je, mijn klanten vinden dat ze me elk uur van de dag kunnen bellen – dag en nacht.'

'Dus het zijn niet alleen voeten?' vroeg Sylvie kritisch.

'Het *zijn* voeten. Je weet niet veel van mensen af.'

'Marla, ben je een prostituee?'

Marla ging rechtop zitten. 'Dat was gemeen. Ik ben nooit – helemaal nooit – voor seks betaald. Mijn specialiteit is... nou ja... voetfetisjisme.'

'Bedoel je dat je ze in je mond steekt?'

'Nee. Maar meestal laat ik ze op mijn tenen zuigen. Mannen vinden dat heerlijk. De koninklijke familie is er dol op. Ik heb er foto's van gezien.'

'Dat is grof. Dat is *walgelijk*.' Sylvie huiverde zichtbaar. 'Doe je dat ook bij Bob?'

'Natuurlijk. Hij is een Steenbok grenzend aan de Boogschutter. Dat is een heel sensueel teken. Dat is waarschijnlijk ook de reden waarom zijn teennagels zo hard zijn.'

'Ik wist dat er een reden voor moest zijn. Maar hij vindt het *prettig*... als je erop *zuigt*?'

Marla zei niets, likte alleen haar lippen af en knikte. Ze keek naar Sylvie met een uitdrukking van de kat-die-op-de-kanarie-zuigt.

'Het kan me niet schelen,' zei Sylvie opstandig. 'Hij verdient het niet dat er op zijn tenen wordt gezogen. Of welk deel van zijn lichaam ook. En ik weiger absoluut op de tenen van vreemde mannen te zuigen.' Sylvie deed het licht uit en keerde Marla haar rug toe.

'Goed. Dan blazen we het af en krijg ik Bob op de harde manier.'

De kapsalon was overvol. Alle klanten, die in een rij op de stoelen voor de spiegel zaten, ongeacht hun kleur of leeftijd, lieten zich blonder maken. Ze hadden allemaal blauwe crème op hun haarwortels. Sylvie deed allebei: ze liet haar haar blonderen *en* strepen. Dat was nog niets. Een dikke vrouw in een short met donker haar liet zich platina haren aanmeten.

'Weet je zeker dat ik Gwyneth Paltrow-blond word?' vroeg Sylvie zenuwachtig aan haar kapster, Leonida.

'Absoluut. Een vriendin van me in Hollywood heeft een paar lokjes van haar opgeveegd toen ze zich de laatste keer liet knippen. Ik kan ze u laten zien als u wilt.' Sylvie schudde haar hoofd. Ze dacht aan de middeleeuwse schrijnen waarin vingers en botjes en tanden werden bewaard. Waren filmsterren de heiligen van vandaag? De heilige Gwyneth. 'Misschien was het Mozarts haar,' mompelde ze. 'Zorg anders maar gewoon dat ik er goed uitzie.'

'Geen probleem,' verzekerde Leonida haar. 'Ik maak me meer zorgen over uw zus.'

'Geloof je in het fatum?' vroeg Marla.

Sylvie's oren werden verbrand en haar bovenlip was nat van de hitte van de droogkap. Ze verschoof de prop watten. Ze zat hier al langer dan drie uur. Hoelang duurde die transformatie en hoe vaak moest het worden bijgehouden? 'Haat?' zei ze. 'Natuurlijk geloof ik in haat. Op het ogenblik haat ik mijn man omdat hij me die ellende laat doormaken.'

'Wie niet?' vroeg de nu platinablonde. Ze zat onder de volgende kap. Sylvie en Marla negeerden haar.

'Fatum, zei ik. Het lot. Onze bestemming.'

Sylvie haalde haar schouders op. Er liep een dun streepje bruine verf langzaam langs Marla's voorhoofd. Het leek een beetje op de letter 'J'. Het zag er *heel* donker uit. Sylvie vroeg zich af of het de huid van het jongere meisje permanent zou beschadigen. Jammer dat het niet in een 'A' was gedropen. 'Ik denk het niet,' zei Sylvie.

'O, ik wel. Helemaal. Weet je, ik geloof dat het mijn bestemming is om met Bob getrouwd te zijn.'

'Meen je dat?' Sylvie draaide haar hoofd zó snel om dat haar oor bijna werd afgesneden door de hete rand van de droogkap. 'Waarom?'

'Nou, om drie redenen. Ten eerste omdat mijn moeders toekomst een keer voorspeld was door die vrouw wier neef getrouwd was met een zigeunerin. En ze zei zelfs tegen mijn moeder dat ze problemen zou hebben met mij, maar dat ik later een geregeld leven zou gaan leiden. Ze zei ook dat mijn moeders ringworm zou verdwijnen, en dat gebeurde ook, toen mijn stiefpapa de kat had doodgemaakt.'

Sylvie raakte onwillekeurig gefascineerd door die logica. 'Wat zijn je andere bewijzen?' vroeg ze.

'Nou, we waren een keer in Atlanta, mijn vriendin Tonya en ik, en we gooiden geld in de fontein van het Hyatt-hotel. Het is een goed hotel. In ieder geval, zij wenste dat Buddy– dat was haar vriend, hij is nu haar man, nou ja, eigenlijk hebben ze het laatste jaar gescheiden geleefd en heeft ze een eis tot echtscheiding ingediend. Maar goed, toen wenste Tonya dat Buddy haar een enkelkettinkje zou geven, en precies vier of vijf maanden later, met Kerstmis, deed hij dat. En ik wenste dat ik met een aardige man als Bob zou trouwen. Ik bedoel, ik kende Bob toen nog niet, maar ik dacht dat ik hem op een goede dag wel zou ontmoeten. Dus dat is een tweede reden. En de laatste reden is dat toen ik de Psychic Friend's Network, Hoshanna, belde – zij geeft een indiaanse geest door – ze me vertelde dat alles echt, echt goed zou aflopen.'

Sylvie haalde diep adem. Als ze nog veel tijd met Marla doorbracht, zou een van hen in een zenuwinrichting terechtkomen. Het was alleen maar de vraag wie van hen. Marla keek naar de pedicure die bezig was de grote teennagel van de platina vrouw te lakken. 'O, nee,' zei ze. 'Nee. Je moet *nooit* met de grote teen beginnen. Dat blokkeert de energie van de nieren en de lever. Dat is echt, echt slecht.'

De pedicure en de vrouw keken op.

'Als je met de kleine teen begint, hebben de negatieve ionen de tijd om naar de grotere tenen te gaan en kunnen ze worden losgelaten,' legde Marla nuchter uit. 'Anders eindig je met een hoop yang-energie in de bal van je voet.' Ze schudde haar hoofd met een waarschuwende uitdrukking op haar gezicht. 'En je weet hoe *dat* voelt.'

Marla zat op de stoel naast Sylvie. De kapster was net klaar met het föhnen van Marla's haar. Het had een vaalbruine kleur en was in de nonstijl zoals Sylvie het altijd droeg. Marla wendde haar blik af van de pedicure en staarde naar haar spiegelbeeld. Ze liet een zacht gekerm horen. Toen liet ze haar hoofd hangen en verborg het in haar armen. Ze was duidelijk gedeprimeerd.

In de hele rij stoelen bogen de vrouwen zich voorover om te kijken.

'Wat heb ik gedaan?' riep Marla uit.

De kapster gaf Marla een schouderklopje en probeerde haar te troosten. 'Ik weet het. Ik weet het. Het is heel moeilijk om van licht naar donker te gaan. Waarom heb je het gedaan?'

'*Zij* heeft het me laten doen, ' zei Marla, naar Sylvie wijzend.

'Je hoeft niet te doen wat een jongere zus je vertelt,' zei de nu platinablonde tegen Marla. 'Waarschijnlijk is ze jaloers.'

'Nu niet meer,' zei de vrouw uit New York hatelijk. Sylvie, wier haar nu gestreept blond was, zakte weg in haar stoel.

'Toen ik van honingblond overging op lichtbruin, had ik grote doses Seresta nodig,' voegde een andere klant eraan toe. 'Ik heb maandenlang antidepressiva gebruikt.' Marla barstte in snikken uit.

Platina probeerde Marla te troosten en klopte haar op haar schouder. 'Winona Ryder is een brunette,' zei ze, 'en zij kreeg Johnny Depp.'

'Voor een tijdje,' zei de New Yorkse.

'En kijk eens naar prinses Di. Wat heeft *zij* aan haar blonde haar gehad?' mengde een derde vrouw zich somber in het gesprek. 'Zo slecht ziet het er niet uit.'

Marla kreunde en raakte steeds dieper in een depressie. Ten slotte stond ze op, liep met grote passen naar Sylvie en trok haar mee, langs de andere vrouwen, naar buiten.

'Vergeet het maar. Ik doe er niet meer aan mee. Wat een idioot ben ik! Het was niet goed tot me doorgedrongen dat ik er na dit alles werkelijk zo zou uitzien als jij.'

'Zag *ik* er zo slecht uit?' vroeg Sylvie, Marla onderzoekend opnemend. Haar haar was niet alleen bruin, maar hing plat om haar hoofd. Zonder make-up en zonder de lengte die haar kapsel haar gaf, leek haar gezicht een beetje op dat van een dobermann.

'Erger! Jij zag er zo uit met rimpels. Het is een rotafspraak.' Marla draaide zich om naar de muur en sloeg ertegen met haar vuist. 'God, ik ben altijd de pineut! Ik ben zes kilo aangekomen. En hoe moet *jij* me een man bezorgen als je niet eens je eigen man kunt vasthouden?' Marla draaide zich om en liep in de richting van hun kamer. 'Ik ga weg.'

In paniek volgde Sylvie haar en probeerde wanhopig haar te kalmeren. 'Marla, kom nou. Over twee weken kun je weer blond worden. En je slanke figuur terugkrijgen.'

'Maar ik *hou* nu echt, echt van eten. Ik bedoel ik had in *jaren* niet gegeten. Eten is verslavend. Gisteren droomde ik van macaroni met kaas. Je weet wel, in een casserole met een korstje van paneermeel erop.'

'Nou, in ieder geval is dat zetmeel met zetmeel. Volgens jouw theorie mag dat toch?'

'Ha! Dacht je dat je gewoon van de ene dag op de andere kan afkicken? O, god, nu praat ik alweer over eten.'

'Nou ja, het is bijna Thanksgiving.'

Ze luisterde niet. 'Ik eindig met de rest van mijn zinvolle leven alleen te zijn, dik, truttig en ongetrouwd.'

'Marla, bedaar. Het is gewoon een schok voor je geweest, maar het is niet zo erg. Marla, het heeft voordelen. Heus waar. Weet je nog dat je wilde dat Bob zou blijven slapen? Hij zal nu elke nacht bij je slapen.'

'Nou en? We zullen niets *doen*!'

Sylvie probeerde zo snel mogelijk na te denken. Ze was al zo ver gekomen. Ze kon het nu niet mis laten gaan. Een van de gymleraressen liep langs. Ze glimlachte naar Marla. 'Nog een paar lessen erbij, Sylvie,' zei ze.

'Ik *ben* Sylvie niet...' begon Marla, maar de vrouw was al voorbij. 'O, mijn god. Ze ziet me voor jou aan,' fluisterde Marla. 'Het is gelukt. Het is echt, echt.' Marla begon te snikken.

Het was waar, besefte Sylvie. Ze pakte Marla bij de schouders en wierp haar haren naar achteren.

'Luister naar me. Zo gemakkelijk is het niet om veilig te zijn. Een man, een gezin, krijgen, is een hele onderneming. Daar heb je hulp voor nodig. Dat heeft iedereeen.'

'Heus?' zei Marla, maar ze bleef huilen.

'*Jij* hebt die nodig. Er is een dorp, of althans een doodlopend straatje voor nodig. Ik kan je leren hoe je een goede echtgenote moet zijn, zodat je een andere man kunt krijgen. Ik zal het rolmodel zijn dat je nooit gehad hebt.'

'Mooi, maar bedankt,' zei Marla. Ze rukte zich los en veegde haar neus af met haar hand. Ze begon weg te lopen.

Sylvie was wanhopig. 'Ik ken elke rijke, ongetrouwde man in de buurt. Ik zal je helpen een echtgenoot te vinden.' Sylvie's gezicht verhelderde. 'Als ik je er eens een *garandeer*?'

Marla bleef staan. 'Als ik zeg dat ik je huis niet verlaat voordat je er een gevonden hebt?'

Sylvie dacht even na en besloot toen va banque te spelen. Ze knikte. 'Afgesproken. Ik vind iemand voor je.'

'Goed. Anders houd ik Bob.'

Sylvie probeerde dat niet te horen. 'Marla, luister. Je hebt geen idee hoeveel respect een echtgenote krijgt, *hoe* ze er ook uitziet.' Sylvie trok Marla mee naar de receptie. 'Ik wil dat je daar een voorproefje van krijgt. Let op.' Ze nam Marla bij de hand, bracht haar terug naar de kapsalon en liep naar de receptioniste. 'Neem me niet kwalijk, maar mevrouw Schiffer wil nu onze rekening betalen.'

De receptioniste had de rekening onmiddellijk gevonden. 'Verven.

Verven. Knippen. Knippen. Coupe soleil. Föhnen. Föhnen. Dat is $357,00. Hoe wilt u het betalen, mevrouw Schiffer?' Ze keek naar Marla.

'Ze wil betalen met haar Visa Gold Card.' Sylvie gaf een creditcard aan Marla. Marla keek ernaar, glimlachte vaag en gaf hem aan de receptioniste.

'Dank u, mevrouw Schiffer. Wilt u misschien een cappuccino of een espresso, mevrouw Schiffer?'

Marla grijnsde breed. Ze legde haar hand tegen haar hart en mompelde: 'Mevrouw Schiffer. Mevrouw Robert Schiffer.' Marla was duidelijk overweldigd; Sylvie was alleen maar opgelucht.

Marla en Sylvie gingen beiden rusten. Sylvie omdat ze niet meer op haar benen kon staan na haar laatste sessie gewichtheffen en Marla omdat ze in de laatste dagen elk onsje vet erbij had gekregen dat maar mogelijk was. Geen beenheffen meer.

Sylvie had haar blocnote in de hand. Die stond bijna vol met aantekeningen over Marla's leven, al stelde dat helaas niet veel voor: een paar meisjes die ze kende van haar gym, een buurvrouw met een kat, en haar ouders over wie ze zelden sprak. 'En als iemand van je familie belt?' vroeg Sylvie.

'O, die bellen nooit. En als ze het doen is het altijd op mijn kosten. Accepteer het gesprek niet.' Marla leek niet van streek, maar het moest haar toch wel dwarszitten. 'O, en denk eraan dat je ze geen geld belooft. Ze bellen alleen als ze geld nodig hebben.'

'Het spijt me,' zei Sylvie, in een poging haar medeleven te tonen.

'Het spijt *jou*?' vroeg Marla. '*Ik* stuurde het vroeger altijd.'

Sylvie besloot verder te gaan. 'Oké,' zei ze, Marla onderrichtend. 'Ik slaap altijd aan de rechterkant. Vergeet alsjeblieft niet waar rechts is...' Ze haalde diep adem. Dit was het laatste onderwerp dat ze nog niet had durven aanroeren. Maar nu, met haar jeugdige gezicht en haar platte buik, om nog maar te zwijgen over de korenblonde haardos op haar hoofd, dacht ze dat ze er wel tegen opgewassen was. 'Vertel me nu eens wat jij en Bob doen in bed.'

'Ha! Daar heb je heel wat meer papier voor nodig,' zei Marla lachend, en ze haalde een lijst uit haar zak. 'Hier. Ik dacht dat je het ten slotte wel zou vragen. Ik heb een paar aantekeningen gemaakt. Ik heb het opgeschreven terwijl jij je kniebuigingen deed.'

Sylvie keek Marla's papieren even door en schrok. 'Over kniebuigingen gesproken! Hebben jullie dit *allemaal* gedaan? Weet je het zeker?'

'Honderd procent zeker,' zei Marla. 'Vertel me niet dat jullie die dingen *nooit* hebben gedaan.'

Sylvie schraapte haar keel. 'Natuurlijk wel... een paar dingen ervan.' Ze keek weer naar de aantekeningen. 'Feitelijk zijn een paar ervan de allereerste dingen die Bob en ik samen gedaan hebben. Maar – ik weet niet – in de loop der jaren zijn we opgehouden met dingen uit te proberen...' Sylvie trachtte het te verklaren. 'Misschien was er geen onverkend terrein meer. We kozen voor gemak en vertrouwelijkheid boven nieuwe dingen,' bekende Slvie. 'En het leek zoveel poespas. En Bob zou zijn rug kunnen verrekken.'

Marla schudde haar hoofd en haalde nog een paar velletjes papier uit haar zak. 'Schetsen,' zei ze. 'Voor het geval je die nodig mocht hebben.'

Sylvie keek er even naar en bestudeerde ze toen aandachtig. Ze probeerde te voorkomen dat ze haar ogen opensperde. 'Je had ten minste kunnen aangeven "Deze kant boven". Ik zou een open boek naast me moeten hebben om voor die test te slagen!'

'Je moet maar zorgen dat het je natuurlijk afgaat, want hij zal eerst naar jou toekomen als we terug zijn,' waarschuwde Marla.

'O, nee. Hij gaat eerst naar zijn vrouw,' zei Sylvie. Als hij dat na bijna drie weken afwezigheid niet deed, zou ze hem vermoorden.

'Wedden?' vroeg Marla, haar wenkbrauwen optrekkend. 'Hoor eens, ik was zijn maîtresse. Ik *weet* dat hij naar mij toe zal komen – naar jou, bedoel ik,' zei Marla. Ze kneep haar ogen samen en staarde naar Sylvie's hand. 'Waar wil je om wedden?'

Sylvie keek naar haar ring. Bob had hem haar gegeven toen ze vijftien jaar getrouwd waren. Hij kwam van Cartier en was de mooiste ring ter wereld. Hij had drie gescheiden gouden ringen: wit goud voor vriendschap, geel goud voor trouw, en rood goud voor liefde. 'Ik weet dat je die ring mooi vindt,' zei ze.

'Mooi? Ik vind hem schitterend. Wat wil *jij*?'

'Je bedoelt, behalve Bob? vroeg Sylvie. 'Ik wil dat je alles wat hij je ooit cadeau heeft gedaan, inclusief de auto, teruggeeft.'

'Hij heeft me die auto niet echt *gegeven*. Hij heeft hem voor me geleasd.'

'Vergeet de auto. Ik wil alle kleinere geschenken. Lingerie, de ketting, de verdorde bloemen. Tot de kleinste kleinigheden toe.'

'*Alles*?' kermde Marla.

Sylvie knikte en hield de ring op. De verschillende kleuren goud glansden in het zonlicht.

Marla stond op, liep naar het voeteneind van Sylvie's bed en sprak op strenge toon. 'Goed. Aangenomen. Maar je moet dit heel serieus nemen, Sylvie. Als hij bij je komt, moet je er klaar voor zijn. Seksuele energie is de kern van ons wezen. Het is als een vitaminenstoot. Onze yin en onze yang. Het is het allerbelangrijkste. Als je het verpest met Bobby, zul je nooit meer te weten komen wat goede seks met hem is.'

'Hm, spelling is ook belangrijk,' zei Sylvie afwijzend. 'En grammatica. Sommige aantekeningen kan ik niet eens begrijpen. Je kunt geen goede echtgenote zijn als je niet schriftelijk kunt communiceren.' Sylvie wist dat haar verdediging zwak was, maar ze was in de war, zelfs geschokt door de pagina's die ze in haar hand hield. 'O. Laat Bob nooit je handschrift zien. Dat is vreselijk. En je moet iets doen aan je grammatica, al weet ik hoe vervelend grammatica is. Je hebt "oraal" verkeerd gespeld. Dat schrijf je met twee a's, niet met één,' zei ze schoolmeesterachtig.

'Nou, ik weet misschien niet hoe ik het moet spellen, maar ik weet wél hoe ik het moet *doen*. Mannen sturen geen rozen aan stijve harken. Rigide is frigide.'

'Heeft hij gezegd dat ik frigide ben?' vroeg Sylvie woedend.

'Nee. Nee. Hij praat nooit over jou,' verzekerde Marla haar. 'Ik denk alleen dat hij niet op zoek zou zijn naar hamburger als hij thuis biefstuk had.'

Sylvie bestudeerde het seksuele menu dat voor haar uitgespreid lag. Haar gezicht gloeide.

'Ik ga dat *allemaal* doen,' zei Sylvie met nieuwe vastberadenheid.

'Goed zo,' zei Marla. 'O, en denk eraan, hij gilt in bed als hij klaarkomt. Schrik niet.'

'Ik *weet* dat hij gilt,' zei Sylvie geërgerd. Ze zweeg even, haar trots vocht met haar nieuwsgierigheid. 'Wat gilt hij?' vroeg ze.

'Ik ga dood! Ik ga dood!' krijste Marla, hem nabootsend.

Sylvie probeerde haar gezicht in de plooi te houden. Maar als ze dat niet had gekund, zou ze niet geweten hebben of ze moest lachen of huilen. 'Oké, *die* heb ik nooit gehoord,' gaf ze toe. 'Als ik dat had gehoord, had ik waarschijnlijk het alarmnummer gebeld.' Sylvie probeerde het allemaal te verwerken.

Het was iets dat zo serieus, zo intiem en zo heel reëel was, dat Sylvie zich fysiek misselijk en gekwetst voelde. Ze had weer helemaal opnieuw verdriet, evenveel verdriet als toen ze zich voor het eerst had gerealiseerd dat Bob haar bedroog. Maar nu ze hier zat, had ze niet langer haar woede om haar verdriet te maskeren. Ze raakte in ademnood en voelde een beklemming in haar borst. *Niet alsof mijn hart breekt,* dacht ze. *Maar alsof het verhardt en verschrompelt.* De pijn was fysiek. Ze kon het voelen onder haar borstbeen en haar rechterborst. Ze drukte haar hand tegen haar borst en wendde haar blik af van de pagina's voor haar.

Wat begreep Marla hiervan? Ze scheen seks te beschouwen als een gezonde aerobische bezigheid. Fluisterde Bob tegen haar dat hij zo naar haar verlangde, zoals hij vroeger deed tegen Sylvie? De hunkering in zijn stem had altijd de tranen in haar ogen doen springen als ze vrijden. Nu hadden de tranen die in haar ogen sprongen een andere reden.

Het was stil in de kamer. Bob had écht die dingen gedaan – die intieme, gecompliceerde, seksuele dingen – met een vreemde. Al haar strategie had hiertoe geleid. Haar manipulaties hadden haar die lichamelijke pijn bezorgd. Plotseling was het spel, de pret om wat ze in hun schild voerden, vervlogen; het enige dat overbleef was het afschuwelijke van verraad en overspel.

Met een medelevende blik greep Marla over de tafel heen Sylvie's hand. Sylvie liet toe dat ze hem vasthield. Ze bleef stil liggen, voelde de pijn.

Eindelijk sprak Sylvie. 'Mag ik je iets vragen... en wil je me de waarheid vertellen?'

'Zo goed als ik kan,' zei Marla.

'Wat is jouw verhaal? Je bent een heel aardig mens. Je steelt niet echt. Waarom probeer je dan de mannen van andere vrouwen te krijgen?'

Marla haalde haar schouders op. 'Ik wil trouwen. Ik ben net als elk ander meisje, maar ik raakte in de war. De mannen van mijn leeftijd met wie ik omga zijn als de dood voor verplichtingen. Ik kreeg er genoeg van om mijn tijd te verspillen. Ik redeneerde gewoon dat getrouwde mannen het soort mannen zijn die trouwen.'

Sylvie bleef zwijgend liggen.

De bagage van Marla en Sylvie werd in twee identieke zilveren BMW Z2 sportwagens geladen. Nu en dan kwam het verkeerde stuk in de verkeerde auto terecht, gedeeltelijk omdat de piccolo niet al te snugger was, en gedeeltelijk omdat Marla en Sylvie met elkaar werden verward. Ze hielden allebei een oogje in het zeil, redden een paar dingen en borgen ze in de juiste identieke kofferbak. Toen de koffers eindelijk waren ingeladen, keken de twee vrouwen elkaar aan.

'Nou, dat is het dan. De vuurproef,' zei Sylvie. 'Zijn we verwisselbaar of niet? En zal het ons lukken?'

'Weet je,' zei Marla. 'Ik zal je echt, echt missen. Het is een beetje of je familie van me bent. Nou ja, niet echt *mijn* familie. Die kun je rustig vergeten. Ik bedoel... nou ja, als een goeie zus, die, weet je, niet altijd mijn persoonlijke toiletspullen gebruikt en haar produceert op de roller van de deodorant. Wat een heel nieuw gevoel is.'

'Ik zal jou ook missen,' zei Sylvie, verbaasd dat ze het echt meende. 'En maak je geen zorgen, ik ben er als je me iets wilt vragen. Geen vraag is te onbelangrijk.' Ze zweeg even. 'Denk er alleen aan dat je niet te veel praat – hij luistert toch niet – en schrijf hem *geen* briefjes. Hij kent mijn handschrift.'

De vrouwen omhelsden elkaar. Even had Sylvie het gevoel dat ze elkaar niet los konden laten, hetzij uit wederzijdse genegenheid, hetzij uit wederzijdse angst. Ze deden twee stappen achteruit, weg van elkaar, en Sylvie herinnerde zich nog een laatste ding.

'De oven werkt langzaam,' riep ze.

Marla, bijna in haar auto, draaide zich om. 'Dat is oké. Ik ook,' riep ze, en ze moesten allebei lachen.'Hé, wacht!' Marla liep naar Sylvie. 'Dat zouden we haast vergeten. Hier zijn mijn sleutels. We moeten ruilen!'

Sylvie overhandigde haar auto- en huissleutels. 'O, wacht,' ging ze verder. Ze haalde haar portefeuille te voorschijn. 'Die zullen we ook moeten ruilen.'

Marla maakte Sylvie's portefeuille open. *'Gold* Visa *en Gold* Mastercard?'

Marla zocht in haar tas en overhandigde Sylvie iets. Het was Marla's portefeuille. Sylvie keek hem door. 'Ik zie geen rijbewijs.'

'O, dat komt omdat ik er geen heb,' legde Marla uit. 'Ik wilde geen slechte aantekeningen krijgen of zo.'

'Heb je geen rijbewijs? Marla, dat is een misdaad.'

'Nee, dat is het niet. Het is geen misdaad. Ik heb alleen de wet niet nageleefd.'

'En als ik word aangehouden door de politie?' vroeg Sylvie.

'Dan moet je hetzelfde doen wat ik altijd doe. Probeer een afspraakje met ze te maken. Het zijn allemaal rokkenjagers. En als dat niet helpt, moet je Bobby bellen.' Marla lachte. Sylvie schudde haar hoofd, lachte met haar mee, en toen omhelsden de beide vrouwen elkaar weer. Ze liepen in tegenovergestelde richting weg. Deze keer kwamen ze niet verder dan vier stappen.

'Nog één ding...' zei Sylvie. Marla draaide zich met een ruk om. Sylvie voelde het als een belangrijk, plechtig moment. Ze stonden tegenover elkaar, spiegelbeelden die uit elkaars spiegel waren gestapt. 'Je moet dit nog hebben,' zei Sylvie. Langzaam trok ze haar trouwring van haar vinger. Ze had die niet afgedaan sinds Bob hem op hun trouwdag aan haar vinger had geschoven. Ze wilde de gouden ring aan Marla overhandigen, maar die staarde er alleen maar naar.

'Dat kan ik niet. Dat zou net zijn of je steelt van de armen,' zei Marla. Sylvie wist niet goed hoe ze dat moest opvatten, maar ze liet het gaan.

'Bobs vrouw moet een trouwring hebben,' zei Sylvie. 'Eerlijk is eerlijk.'

Marla was door emotie overmand. Ze verroerde zich niet. Sylvie wachtte, toen nam ze de ring en schoof hem aan Marla's vinger. Marla haalde diep en bijna beverig adem. 'En straks win ik ook nog de Cartier!' zei ze toen.

'Nee, dat doe je niet,' verzekerde Sylvie haar goedgehumeurd.

'Als dit niet lukt, hebben we het maar één iemand te verwijten, en dat is elkaar,' zei ze. Sylvie lachte, en toen omhelsden ze elkaar voor de laatste keer.

'Intussen,' zei Sylvie, 'draag jij de ring van Cartier. Concentreer je op het witte goud: dat is voor vriendschap.'

Het hoefde Marla geen twee keer gezegd te worden. Ze schoof het sierlijke, glanzende goud aan haar vinger. 'Ja,' fluisterde ze. Ze hield haar hand op armlengte van haar lichaam en bewonderde de ring. Toen keek ze met vochtige ogen naar Sylvie. 'Weet je, dit is geen vriendschapsring. Dit is serieus. Ik voel me getrouwd.' Ze keek weer naar haar hand. 'Een echte Cartier,' zei ze.

DEEL 2

DE SWITCH

16

Marla stopte voor het huis, haar hoofd hing bijna uit het raam van de sportwagen. Om de een of andere reden rook de auto naar schimmel, en ze was allergisch voor schimmel. Ze had het grootste deel van de weg naar huis zitten niezen. Maar nu was ze er eindelijk – bij het huis van de heer en mevrouw Bob Schiffer. Ze reed de oprit in, stapte haastig uit de auto en holde de trap op. Onhandig stak ze de sleutel in het slot. Toen had ze problemen met het veiligheidssysteem. Sylvie had haar precies verteld wat ze moest doen, maar op de een of andere manier had ze de code te snel of te laat ingedrukt. Het begon te piepen, en ze moest het smeken om op te houden. Eindelijk kreeg ze het stil, en ze ging naar binnen.

'Een foy-ee!' fluisterde ze.

Vóór Marla lag haar nieuwe huiselijke wonderland: een grote hal, een hoge eetkamer links en de boog naar de zitkamer rechts. Marla haalde een kaart uit haar tas en controleerde zorgvuldig waar ze stond. Ze liep naar het midden van de hal, controleerde nog eens en draaide zich toen langzaam om, met uitgespreide armen.

Ze volgde de kaart naar de zitkamer, draaide onderweg alle lampen aan – de kroonluchter aan het plafond, tafellampen, staande lampen. Ze had nog nooit in haar leven zoveel lichtpunten gehad!

Ze voelde zich aangetrokken tot de open haard. Erboven hing een groot portret van Sylvie (kennelijk op jeugdiger leeftijd) met de tweeling als jonge kinderen. Marla drukte weer op een knop en het portret werd verlicht.

'Een schilderijlamp!'

Ze haalde haar poederdoos te voorschijn, controleerde haar spiegelbeeld en vergeleek het met het schilderij. Ze stond weer helemaal opnieuw verbaasd over de gelijkenis – het was *haar* portret, als ze haar leven wat beter georganiseerd had. Ze keek naar de kinderen – *haar* kinderen. Ze voelde tranen in haar ogen bij het zien van 'haar en de kinderen'. Maar ze werd afgeleid door de planken aan beide kanten van de haard. Ze liep naar een van de boekenplanken en gleed met haar vingers langs de boeken. Er waren er zoveel! Had Sylvie of Bob die allemaal gelezen? Marla had maar drie boeken thuis – *De Celestijnse belofte*, haar kruidenhandboek, en een boek waar ze nooit doorheen had kunnen komen, over bruggen van een of andere stad of zoiets.

Ze voelde zich geïntimideerd door al die boeken, dus slenterde ze weg, naar de foto's in zilveren lijsten op een bijzettafel. Ze pakte er een op en wees naar de diverse mensen. 'Jim, Bob, Phil, ik...' Ze zweeg even en legde met een sentimenteel gebaar haar hand op haar hart, 'en mam.' Ze dacht aan Mildred. Ze leek het soort moeder dat hopen nieuwe schorten had in plaats van nieuwe vriendjes. Ze zuchtte en draaide zich weer om naar 'haar' familie. Er stond een andere, grotere foto van slechts twee mensen. 'Bob...' Ze zweeg even, niet in staat de oudere man te identificeren, 'en een of andere vent,' eindigde ze zwakjes. Genoeg foto's.

Ze draaide zich om en wilde de kamer uit lopen, maar toen ze bij de deur was zag ze de afstandsbediening van de televisie. Ze nam hem op en zette de televisie aan. De tv had haar altijd gezelschap gehouden. Ze zapte. Wauw, die mensen moesten een schotel hebben – er waren tientallen en tientallen zenders. Ze bleef zappen tot ze een shoppingkanaal kreeg. '...QVC!' riep ze uit, de zender begroetend als een oude vriend.

Toen zag ze een lege zilveren bonbonschaal. Ze pakte hem op. Aan de onderkant stond gegraveerd: 'Word oud met me. Het beste moet nog komen.' Marla staarde naar de woorden, haar gezicht weerspiegeld in het zilver. De tranen glansden in haar ogen. Met wie zou zij oud worden? Ze hield het schaaltje tegen haar borst en koesterde het. Misschien met Bob. Misschien. Eindelijk zette ze het neer, volgde de kaart en liep naar de keuken.

Maar ze was nooit goed geweest in geografie. Ze had er wat moeite mee. Eerst liep ze een kast in, toen de achterdeur uit, denkend dat het de keuken was. Maar eindelijk was ze er.

En het was de moeite waard! Het was haar droomkeuken. Ze kon niet koken, maar ze had altijd geloofd dat ze het zou kunnen als ze een grotere, mooiere keuken had. Ze liep naar het aanrecht in het midden en legde haar wang liefdevol op het graniet. 'Een keukenblok!' fluisterde ze.

Het was een paradijs. Als een kind in een speelkamer trok het een na het ander haar aandacht. Ze maakte de vrieskast open en controleerde al het voedsel. 'Stouffer's!' riep ze uit. (Alleen het *aller*duurste diepvriesmerk.) Ze bekeek de tientallen dozen en zakken met groenten, pizza's, hartige taarten en gevogelte. Pas toen ze zelf begon te bevriezen, deed ze de vrieskast dicht en maakte de koelkast open, die ook gevuld was met voedsel. Ze controleerde de datum van de cottage cheese. 'Nog niet voorbij de houdbaarheidsdatum!' riep ze uit. Het leek allemaal te mooi om waar te zijn.

Er stond een glimmend witte magnetron met een hele reeks knoppen. Ze drukte op de knoppen, maar de magnetron maakte een paar geluiden die bedreigend leken. Ze drukte nog een paar knoppen in, maar hij sloeg niet af. Marla wilde dat hij stil was. 'Alsjeblieft! Stop alsjeblieft!' vroeg ze.

Ze deinsde achteruit en botste tegen een kleine tv. Daar wist ze tenminste mee om te gaan! Het zou het geklik en gepiep van de magnetron overstemmen. Ze klikte op QVC. Alles was in orde. Ze was opgetogen over haar nieuwe leven.

Er stonden meer dan twintig brandende kaarsen in de kamer. Sylvie, in *haar* nieuwe leven, droeg witte kousen, een witkanten jarretelgordel en worstelde met een bustier die ze nét nog dicht kon krijgen. Ze trok haar buik in, haalde diep adem en bekeek zichzelf in de lange passpiegel. Het was duidelijk dat de transformatie een enorm succes was. Ze zag er tien jaar jonger uit en zeven kilo lichter. Maar zou ze kunnen doorgaan voor Marla? Sylvie was er niet van overtuigd. Je bent gek, zei ze tegen zichzelf, dit is krankjorum en vernederend. Wanneer – waar – heb je ooit als snolletje verkleed iemand voor de gek kunnen houden? Wie was ze?

Sylvie kreeg het benauwd en liep haastig naar een badjas om die over alles heen aan te trekken, maar ze werd teruggetrokken naar de spiegel. Ze besefte onmiddellijk dat de badjas-look niet werkte. Langzaam trok ze de jas weer uit. Zichzelf met één aspect tegelijk zien was gemakkelijker.

Toen ging de telefoon. Sylvie maakte een luchtsprong en holde naar het toestel, maar toen ze op het punt stond om op te nemen, durfde ze niet. Ze stak haar hand ernaar uit, de bustier bewoog en ontblootte een deel van haar borst. Ze raakte in paniek en, alsof iemand haar kon zien, blies ze een paar kaarsen uit voordat ze opnam.

Sylvie probeerde Marla te imiteren. 'Hallo,' kirde ze. Ze hoorde een zwaar gehijg en wist niet wat ze moest doen. 'Bob?... Bobby?' vroeg ze.

'Nee,' fluisterde iemand.

'Is dit een pervers telefoontje?' vroeg ze. 'Want ik heb een fluitje hier –'

'Nee, niet fluiten. Ik ben het. Mevrouw Bob Schiffer,' zei Marla, nog steeds hijgend. 'Wat is er? Heb ik mijn – ik bedoel jouw – ring al gewonnen?'

'Hm, ik heb een angstaanval, en Bob is er nog niet eens. Hij belde, en hij komt eerst naar mij toe, niet naar jou. Kun je zoiets geloven?'

'Natuurlijk. Ik heb de weddenschap gewonnen.'

'Jij klinkt ook buiten adem.' Sylvie voelde zich gekwetst, maar ze was zó opgewonden en nerveus dat ze geen tijd had het tot zich door te laten dringen. 'Wat doe je?' vroeg ze.

'Ik heb alle kasten en laden in de slaapkamer geopend,' zei Marla. 'Het is niet te geloven. Je huis is zo mooi. Het is net of hier tv-mensen wonen. Maar niet het soort *Married... with Children*. Meer als *The Cosby Show*. Ik bedoel, al je ondergoed is zo... katoen.'

'Nou, zeg! Ik heb een paar van *jouw* onderbroekjes gevonden en die hebben geen kruis.'

'Ik heb een druk leven,' zei Marla verdedigend. 'Sommige dingen moet je gewoon vergeten.'

De deurbel ging. Sylvie raakte onmiddellijk in paniek. 'O, hemel, dat is Bob!... Ik vind het doodeng.'

'Dat is het altijd de eerste keer,' zei Marla, in een poging haar gerust te stellen.

'En als ik niet geestdriftig genoeg ben? Als hij het meteen doorheeft? Als ik eens niet sexy genoeg ben?' Sylvie dacht aan de diagrammen, de instructies die Marla haar had gegeven. 'Wat moet ik doen?'

'Doe net of je Sharon Stone bent. Dat doe ik altijd.'

Er werd opnieuw gebeld. 'Ik moet opendoen. Hij belt weer.' Ze hingen allebei op.

Het was het ogenblik van de waarheid: Sylvie wilde weghollen en zich verstoppen. In plaats daarvan blies ze nog een paar kaarsen uit. Ze haalde diep adem, hief haar borsten op en duwde ze verder naar voren in de cups van de beha. Toen gebruikte ze de oude truc: ze drukte haar armen tegen elkaar en zorgde voor een diepe inkijk. Zo liep ze naar de zitkamer en de voordeur.

Onder het lopen bleef Sylvie kaarsen uitblazen. Toen ze opendeed, stond ze in het halfdonker. Bob stond vóór haar met twee bossen rozen in zijn armen en een brede wellustige grijns. Toen ze hem zag, wetend dat hij op het punt stond haar te bedriegen, haalde Sylvie diep adem (zich er niet van bewust dat ze haar inkijk daarmee aanzienlijk hielp) en probeerde te beletten dat ze emotioneel werd. Dit was *haar* plan, *haar* scenario, en ze zou zichzelf, Bob en haar toekomst beheersen. Zij had de leiding, hield ze zich voor.

'Bloemen?' bracht Sylvie er op een toontje à la Marla uit.

'Allemaal voor jou, snoet,' zei Bob, terwijl hij naar binnen liep en Sylvie optilde.

Het cellofaan van de bloemen zat hun eerste omhelzing in de weg en Bob liet de bloemen op de grond vallen. Sylvie voelde zijn armen om zich heen, anders dan gewoonlijk. Maar ze trok zich terug. Ze bukte zich en begon de bloemen op te rapen, tot ze zich herinnerde dat haar derrière het minst succesvol veranderde deel van haar lichaam was. Ze stopte, boog haar knieën in plaats van haar middel, en probeerde de gevallen rozen op te rapen zonder haar achterste te laten zien. Stuntelig op haar hoge hakken ging ze onbevallig op haar hurken op het tapijt zitten, nog steeds geconcentreerd op de rozen. Maar toen zij ze wilde oprapen, verloor ze haar evenwicht en viel languit op de grond.

'Oeps, de rozen...' zei ze met de stem van Marla.

Bob stak zijn hand uit om haar overeind te helpen. 'Kom. Laat die bloemen nou maar. Bobby is er.' Hij pakte haar hand en trok haar mee naar de slaapkamer. 'Ik heb je gemist,' zei hij, met een stem die hees klonk van... was het wellust? vroeg Sylvie zich af. *Zij* had die klank nooit gehoord. In jaren niet, zo ooit.

Met een schok drong het tot Sylvie door dat de charade werkelijk zou kunnen lukken. Hij verlangde naar haar, wie hij ook dacht dat ze was. Ze voelde een steek van verdriet door zich heen gaan. 'Heus?' vroeg ze, en ze kon de ergernis in haar stem niet verbergen. 'Heb je je vrouw ook gemist?'

'Hadden we niet afgesproken dat we niet over mijn vrouw zouden praten?' Hij sloeg zijn armen om haar heen. Zijn wang voelde zo glad, zo goed. Hij begon te fluisteren. 'Je bent zo mooi,' zei hij. 'Zo mooi.'

Sylvie voelde zich wegsmelten. Dit was het eerbetoon waarnaar ze gehunkerd had en waar ze naartoe had gewerkt. De tranen sprongen in haar ogen. Was dat alles wat ervoor nodig was? Te horen krijgen dat je zo mooi was? Ze genoot van het nieuwe gevoel van zijn armen, en trok zich toen terug. Per slot omarmde hij niet *haar*. Hij omarmde een andere vrouw. 'Waarom kom je hier, Bobby?' vroeg ze.

'Om jou te zien.'

Sylvie voelde woede in zich opkomen. Beheers je, dacht ze. Wees Marla voor hem. Verpest het nu niet. 'Voor liefde? Of alleen voor seks?' vroeg ze.

'God, wat ben je mooi als je kwaad bent,' zei hij schertsend.

'God, wat ben je banaal als je geil bent,' antwoordde Sylvie, en besefte toen dat ze niet Marla was. 'Echt, echt banaal,' voegde ze er met een glimlach aan toe. 'Maar dat is juist goed.'

'Je weet dat je van me houdt,' zei Bob, haar wang strelend. Sylvie kon het niet voelen, omdat de zenuwen waren doorgesneden bij de facelift. Dat zou weer goed komen, hadden ze haar verteld, maar het bracht haar nu van haar stuk. Ze verdroeg zijn liefkozingen een tijdje, en trok zich toen terug.

'Maar meen ik het ook?' vroeg ze plagend. Sylvie liet toe dat Bob haar hand pakte. Toen tilde hij haar tot haar verbazing op en droeg haar naar de slaapkamer. Zonder erbij na te denken waarschuwde ze: 'Pas op je rug.'

Bob lachte. 'Die kan ik de baas,' zei hij, en raakte haar hals met zijn neus aan. 'Ik kan jou de baas.'

'Omdat je een grote, sterke man bent?' vroeg Sylvie, om de vraag goed te maken, die ze als echtgenote had gesteld.

'Omdat jij me dat gevoel geeft,' fluisterde Bob, en de ademhaling in haar oor beroerde een ander deel van haar anatomie. Hij vond haar sexy. Dat was precies wat ze wilde.

Maar vreemd genoeg, ook al was ze haar mooie ring erdoor kwijtgeraakt, toch wilde Sylvie het op dit moment niet horen. Ze dacht aan haar verloren ring – vriendschap, liefde en trouw. Hij had haar die ring gegeven. Ha! Ze rukte zich los uit zijn armen. Bob struikelde en ze vielen bijna op de grond. Ze herkreeg haar evenwicht, maar hij viel tegen de muur. Hij botste er met zijn elleboog tegenaan – de tennisarm. Hij gaf even een gil, herstelde zich toen en begon het gewricht te masseren.

'Je maakt me... gek,' zei Sylvie, en omdat ze niet wist wat ze moest doen begon ze de gevallen rozen op te rapen.

'Au. Wauw. Dat doet pijn,' zei hij. 'Ik hoop niet dat het bot bezeerd is.' Hij keek haar aandachtig aan.

'Marla, wat is er aan de hand?'

Sylvie had al haar wilskracht nodig om Bob niet te hulp te komen en John te bellen om snel een röntgenfoto te maken. In plaats daarvan bleef ze de bloemen oprapen, de eerste die hij voor haar had meegebracht sinds... ze kon het zich niet meer herinneren. Dit was waar ze naar verlangd had. Bloemen. Complimentjes. Aandacht. Maar... 'Niets... iets. Ik wilde zo verschrikkelijk graag hier zijn met jou maar...' Haar stem stierf weg.

'Maar?'

Haar woede laaide op, kookte over als melk. Ze klemde haar tanden op elkaar en antwoordde: 'Ik moet die verdomde bloemen in een vaas zetten.'

17

Marla lag in Sylvie's bed en droeg een van haar heel onaantrekkelijke flanellen pyjama's – een rood-zwarte ruit, met zakken – en telefoneerde. Ze had een bak ijs op haar buik gezet en at het langzaam met een soeplepel op. 'Ja, zaterdagavond,' mompelde ze door de hap ijs heen. Ze slikte door. 'Een tafel voor twee. Voor de heer en *mevrouw* Robert Schiffer,' zei ze met duidelijke trots.

Marla hing op. Op QVC werden sieraden getoond en ze richtte al haar aandacht erop. Maar de zirkonen hanger was al verkocht en Marla voelde niets voor de oorbellen. Bovendien, nu ze die prachtige ring van Cartier had met de drie kleuren goud, verlangde ze niet naar zirkoon – nou ja, niet zo erg. Ze klemde 'haar' Visakaart in haar linkerhand en bleef met haar rechterhand dooreten.

De telefoon ging en Marla aarzelde.

Dit was de cruciale test. Ze legde haar notitieboekje klaar voor ze antwoordde. 'Hallo. Een ogenblik graag.' Marla begon het boekje door te bladeren, en besefte toen dat ze niet had gevraagd wie er aan de lijn was. Goed, dat was te verhelpen. 'Hallo. Met mevrouw Sylvie Schiffer. Voor ik weer vraag even te wachten, met wie spreek ik?'

'Met John. Welkom thuis.'

Marla zuchtte van opluchting. 'O, John... één seconde.'

Snel bladerde Marla het notitieboekje door, tot ze de aantekeningen vond met het opschrift 'Vrienden en Familie'. Ze vond de korte beschrijving van John. *'Goede vriend, arts. Is al verliefd op me sinds high school.'*

'Hoi. En, John, hoe vind je het om arts te zijn?'

'Eh... prettig.'

'Mooi zo. We hadden lol op school, hè?'

'Ja. Zeker. Sylvie, gaat het goed met je? Heb je gedronken?'

'Nee. Ik eet alleen maar,' antwoordde Marla.
'Ik heb gehoord dat je... iets hebt laten doen terwijl je weg was. Vond je echt dat dat nodig was? Zelfs met plastische chirurgie zijn er altijd risico's.'
'Ik heb misschien wel wat laten doen, maar jij mag erover oordelen,' giechelde Marla.
'Nou, het was niet nodig. Je was perfect.'
'Doe niet zo mal. Natuurlijk was ik niet perfect. Niemand is...'
'Wat vindt Bob ervan?'
'Bob? Die is nog niet thuis.'
'Is hij niet naar huis gegaan? Waar is hij?'
'Misschien bij zijn vriendin –' Ze besefte plotseling dat ze daar niet over moest praten en er zeker geen gekheid over maken, dus ging ze verder: 'Ik probeer me aan te passen. Het is rampzalig.'
'Sylvie, wil je morgen met me lunchen op de club?'
'Lunch? Ja, geweldig.' Toen ging Marla rechtop in bed zitten en wees met haar hand waarin ze de lepel hield naar de televisie. 'Wacht! Daar is die Diamonique "Y" ketting waarop ik heb gewacht. Die zou prachtig passen bij mijn ring! Cathy zweert dat hij uitverkocht raakt.' Liefjes vroeg ze aan John: 'Beloof je dat je verliefd op me zal blijven als ik je even in de wacht zet?'
Marla kocht de ketting met de creditcard en liet hem sturen aan mevrouw Robert Schiffer, en betaalde zelfs extra voor een spoedbestelling. Per slot wist ze niet hoelang deze grap zou duren. Een week geleden was ze een meisje dat helemaal niets van goud bezat. En nu had ze drie kleuren! En nog meer – zirkonen! Toen ze terugschakelde naar John, was ze vol van de energie van een succesvolle aankoop. 'Tot morgen dan,' zei ze. 'Je zult me herkennen omdat ik mijn nieuwe "Y" halsketting zal dragen.'
John lachte. 'Bob vertelde me dat je iets had laten doen. Is de verandering zo dramatisch? Ik zou je overal herkennen, Sylvie.'
'Goed, dan zul je me morgen ook herkennen.' Ze hing op en vroeg zich toen af hoe zij hem zou herkennen. Ze haalde de fotoalbums te voorschijn die ze als haar huiswerk beschouwde. Misschien was er een foto van John bij. Bij één foto pauzeerde ze. Ze zocht een nummer op in het notitieboekje uit het kuuroord. Ze zette de speaker aan en toetste een nummer in.
'Hallo.' Mildreds stem, diep en zelfverzekerd, kwam krakend door de speaker.

‘Hoi. Met je dochter, Sylvie Schiffer.’ Marla liet haar stem dalen. ‘Niet echt. Het is meer Marla.’ Toen sprak ze weer luider. ‘Het spijt me dat ik je moet storen, mam, maar wie is die ouwe met het kale hoofd op alle familiefoto’s?’

‘Bobs vader. *Mijn* familie heeft haar,’ antwoordde Mildred.

Marla probeerde het uit te puzzelen. ‘Dus dan zou hij mijn...’

‘Schoonvader zijn, als hij nog leefde.’

Marla’s stem klonk zacht, vol respect. Ze probeerde altijd respect te tonen voor degenen die naar een ander bestaansniveau waren verhuisd. ‘O, is hij overgegaan? Waren we intiem met elkaar?’

‘Ik geloof niet dat je je daar vanavond druk over hoeft te maken, mevrouw Schiffer.’ Mildreds stem klonk een beetje – nou ja, kortaf. ‘Het is al over elven. Is Bob nog niet thuis?’

‘Nee,’ zei Marla. Ze keek naar de ring die ze nu voorgoed mocht houden en likte het laatste beetje gesmolten ijs van de lepel. ‘Maar dat is oké. Hij bezorgt me op dit moment een ring van Cartier.’ Ze grinnikte en keek bewonderend naar haar vinger.

‘Mijn god. Hij hoort vanavond toch zeker bij zijn vrouw te zijn!’ Mildred zweeg even. ‘Hm, ik veronderstel dat hij dat is. Maar hij weet niet dat hij bij haar is. Ik vind het *zo* verwarrend.’

‘Nu weet je hoe ik me *altijd* voel.’

‘Nou, zorg dat je bezig blijft en steek je niet in moeilijkheden.’

De telefoon ging. ‘Oeps. Ik krijg een ander telefoontje. Kun je even aan de lijn blijven?’ vroeg Marla, en voordat Mildred kon antwoorden, drukte ze de knop met het knipperlicht in.

‘Zo, zus! Al thuis? Hoe is het met de tieten afgelopen?’

Marla zweeg even. Wie kon dat zijn? Hij had haar zus genoemd. Dat was niet haar naam of zelfs maar Sylvie’s naam.
Maar misschien was hij haar echte broer. Niet *haar* broer, Sylvie’s broer. ‘Ik ben in gesprek met mijn moeder,’ zei Marla. ‘Ik heb haar in de wacht gezet.’

‘Nou, ze is ook *mijn* moeder. Hoe ziet Ellen eruit? Is ze die acnelittekens kwijt?’

‘Ik moet mam gedag zeggen, Phil,’ zei Marla, trots omdat ze de puzzel had opgelost. Ik kon een spionne zijn, dacht ze, als reflexologie niet zo belangrijk was.

‘Phil is op de andere lijn, mam,’ meldde Marla. ‘Ik moet ophangen. Maar misschien zie ik je morgen op de club. Ik ga daar lunchen met John. Dat hoort me bezig te houden.’

‘Heus?’ Mildreds stem klonk niet verheugd.
‘Ja. Denk je dat ik een jumpsuit kan dragen?’ vroeg Marla.
Mildred zuchtte. ‘Nee. Maar weet ik veel? Ik verkoop alleen maar potten.’
‘Een van mijn stiefbroers is daarvoor de bak ingedraaid,’ waarschuwde Marla. ‘Ik zou maar oppassen.’ Ze drukte de andere knop in en kwam weer terug bij Phil. ‘Zo, Phil, is het niet geweldig dat we al die herinneringen hebben?’
‘Wat voor herinneringen, Syl?’
‘O, je weet wel,’ zei Marla vaag. ‘Uit onze jeugd. Toen we nog kinderen waren.’
‘Ik herinner me dat ik per ongeluk Ellens neus brak, toen we rovertje speelden.’
‘Heb je dat echt gedaan?’
‘Ja. Tussen haakjes, heeft ze daar ook iets aan laten doen?’
Marla slikte. Dat hadden zij en Sylvie niet besproken. ‘Ik verraad niets. Bel haar maar.’
‘Leuk, hoor. Je weet dat Ellen en ik de laatste zes jaar niet met elkaar gesproken hebben.’
‘O, ja, Dat vergat ik.’ Marla zweeg nieuwsgierig. ‘En ik ben zelfs vergeten waarom.’
‘Vanwege dat voedselgevecht dat Rosalie en ik met Thanksgiving in haar huis hadden. Daarom wil ze de feestdagen niet meer met ons vieren. Dat weet je toch.’ Hij stopte even met praten. ‘Zeg, Sylvie, was het echt plastische chirurgie die je hebt gehad of was het een shockbehandeling?’

Bob en Sylvie waren zover gevorderd dat ze werkelijk samen op het bed lagen; ze had de bloemen in een vaas gezet en het toen goedgemaakt met ‘Bobby’. Nu zoende hij haar. Zoende haar echt. ‘God, wat is dat lang geleden...’ fluisterde hij.
‘Je hebt geen idee,’ antwoordde Sylvie.
Bob had altijd goed kunnen zoenen, herinnerde Sylvie zich, maar hij had het in lange tijd niet meer op haar geoefend. Zelfs als ze seks hadden had hij haar niet veel gezoend in de afgelopen paar jaar. Nu zoende hij Sylvie heel innig, met zijn hand om haar gezicht. Zijn lippen waren stevig, zijn hand was teder, maar trok haar naar hem toe. Sylvie voelde dat ze reageerde, maar onwillekeurig ging ze achteruit en vroeg: ‘Vind je me bijzonder?’

'*Heel* bijzonder,' fluisterde hij en begon haar weer te zoenen.

'Wie vind je nog meer bijzonder?' vroeg ze. God! Ze kon haar tong wel afbijten – als Bob het niet deed.

'Niemand...' Hij kuste haar nog inniger. Sylvie voelde dat ze zich eraan overgaf, ervan genoot. Het was wat ze wilde. Het was wat ze *nodig* had, en ze voelde de spanning in haar lies toen ze zich op de plaats liet manoeuvreren waar je naar het voorspel zweefde. 'Niemand...' herhaalde Bob.

Sylvie sloeg haar armen om hem heen. Hij rolde bovenop haar en spreidde haar benen met zijn knie. Ze huiverde.

'O, Bob... Bobby.'

'O, Marla.'

Sylvie verstarde. Zonder na te denken duwde ze hem weg.

'Wat is er?!' zei Bob. Hij ging rechtop zitten, kennelijk geïrriteerd en in de war.

Sylvie rolde naar de andere kant van het bed, met haar rug naar Bob toe. Ze trok haar benen op in foetushouding, het kussen tegen haar buik. *Waar was ze mee bezig?* Haar man aanmoedigen tot ontrouw? Een charade opvoeren? Hoe zou dit haar kunnen helpen – met wraak of met geluk? Ze begon te snikken.

'Marla, is er iets?'

'Hou toch op met dat te zeggen!' riep Sylvie uit.

'Met wat? Ik vroeg alleen maar of er iets is,' zei Bob.

Sylvie kon zich niet meer beheersen en huilde hardop. Ze kon dit niet doorzetten. Het was allemaal een vreselijke vergissing geweest, een stom, idioot idee. 'Ik ben Marla niet.'

'O, snoetepetoet. Wil je vanavond iemand anders zijn? Ik vind het heerlijk als je dat doet. Ben je het Franse dienstmeisje? Wie ben je?'

Sylvie huilde of haar hart zou breken.

Marla keek om zich heen in de slaapkamer – de slaapkamer van haar en Bob. Een slaapkamer waarin ze elke nacht zouden slapen, samen, zodra hij thuiskwam. Ze keek naar het hemelbed, het raam ertegenover met de vrolijke chintzgordijnen, de toiletttafel tegen de muur van de badkamer, de volle boekenplank, en schudde haar hoofd. Wat waren de mensen toch onwetend! Geen wonder dat die arme Sylvie moeite had om Bob vast te houden! De feng shui van deze kamer was *totaal* verkeerd. Het was voor iedereen die ook maar een beetje verstand had duidelijk dat de energie door het raam kwam en door de deur naar buiten en het bed volledig miste. Geen wonder dat Sylvie's seksleven had geleden.

Marla had twee boeken over feng shui gelezen, niet slechts één, dus ze wist dat er een hoop veranderingen nodig waren en ook hoe ze die moest aanbrengen. Bovendien was dit nu *haar* kamer in *haar* huis, en ze kon doen wat ze wilde. Ze liep naar de radio, zocht een rock-light station op, en keek met samengeknepen ogen weer de kamer rond. Ze wilde dat ze wat new age-muziek had meegenomen, maar ze zou zich tevreden moeten stellen met de Eagles. Ze ging in het midden van de kamer op de grond zitten en trok haar benen op in een halve lotushouding. Ze probeerde te mediteren over de plaatsen waar de meubels moesten komen te staan, maar ze werd voortdurend afgeleid door het visioen van nog een bak met ijs. Dat ijs was verslavend. Behalve de marshmallow was ze dol op die kleine chocoladevisjes die knerpten als je erop beet. Bovendien hoefde ze niet te mediteren. Ze stond op. Ze liep naar de chaise longue, maar koos toen voor de sofa en stapelde de laatste bovenop de eerste. Ze duwde ze naar de andere kant van de kamer, tot bij de slaapkamerdeur. Daar haalde zij ze uit elkaar, ging naar het bed en overzag wat ze had gewrocht. Het was een begin. Ze zag de staande lamp, die naast de stoel in de hoek had gestaan. Ze stond op en zette de lamp bij de boekenplank. De boekenplank kon op dezelfde plaats blijven, maar het bed moest absoluut verplaatst worden.

Het was zwaar, en ze kon het alleen maar in beweging krijgen door op haar rug te gaan liggen en eerst met haar voeten tegen de zijkant en vervolgens tegen het hoofdeind te duwen. Centimeter voor centimeter slaagde ze erin het bed in de juiste energiestroom te krijgen. Ze had het heet en ze was uitgeput, maar op dat moment begon de radio 'Our House Is A Very, Very, Very Fine House' te spelen.

Marla wist dat het geen toeval was. Het was wat die Jung noemde 'synchroniciteit'. Het was een teken. Ze glimlachte stralend, ging op het bed zitten – dat nu midden in de kamer stond – en nam deze keer de volledige lotushouding aan. Ze probeerde de energie te voelen die door de kamer stroomde en wist onmiddellijk dat dit een grote verbetering was. Maar toen viel haar oog op de ladenkast, die de energie blokkeerde. Marla schudde haar hoofd. Het werk van een vrouw was nooit gedaan! Ze zou die kast moeten verplaatsen.

Ze stond op, liep naar de andere kant van de kamer, en begon de enorme ladenkast te verschuiven. Haar huid straalde een new age

Martha Stewart-blos uit. Het enige dat ze nog moest doen, dacht ze, was deze ladenkast verplaatsen en dan wat wierook branden. Ze was bekaf, maar het zou allemaal de moeite waard zijn. Wacht maar tot Bob thuiskwam! Wat een transformatie!

18

Bob ging gefrustreerd en uitgeput bij Marla weg. Bovendien voelde hij zich schuldig omdat hij daarheen was gegaan in plaats van eerst naar huis. Hij probeerde zijn frustratie te overwinnen door naar WMJI-FM te luisteren. Het was niet de gebruikelijke avond-dj, en het was nog te vroeg voor de ochtendshow van John Lannigan en Jimmy Malone, maar Bob was dankbaar voor gezelschap, al was het maar een stem. Hij was net over de North Woodland Bridge en betaalde de tol. Maar toen, alsof het een jeukende plek was die hij niet kon krabben, besefte hij dat hij helder moest kunnen denken en teruggaan naar Marla om uit te zoeken wat er aan de hand was. Hij maakte een U-bocht en moest opnieuw de tol betalen. De vrouwelijke tolbeambte herkende hem. Het was niet de eerste U-bocht die hij die avond gemaakt had. 'Mooie auto,' zei ze. Bob knikte slechts instemmend en trapte op het gaspedaal, en toetste toen een nummer in op zijn autotelefoon.

'John, ik ben het weer. Heb je geduld met me?' vroeg Bob. 'Ik heb al zeventien dollar aan tol betaald! Ik weet niet waar ik naartoe moet. Ik wil bij de naakte zijn en ik wil bij mijn vrouw zijn.'

'Ik mag dan je beste vriend zijn, maar ik kan je niet vertellen wat je de rest van je leven moet doen,' zei John.

'Je snapt het niet, hè?' jammerde Bob. 'Ik weet wat ik *moet* doen. Maar ik ben een worm zonder geweten.'

'Grandioos,' merkte John op. 'Je bent gewoon een doorsnee echtbreker. Maak je er een eind aan met R en N?'

'Ja,' zei Bob vastberaden en maakte weer een U-bocht. Maar toen wankelde zijn zelfverzekerdheid. 'Ik weet het niet. *Ik* ben het niet die naar het huis van die vrouw gaat.' Hij verhief zijn stem. 'Vertel me wie dit doet – in vier woorden of minder.'

'Je slechte tweelingbroer?' opperde John.

Inmiddels was Bob terug bij het tolhuis en bracht de tolbeambte weer in de war. Hij sprak tegelijk met haar en met John. 'Weet je, ik heb nooit in de duivel geloofd, maar in mij heeft hij een thuis gevonden voor de jaren negentig.'

Marla lag weer in bed, haar flanellen pyjama een gekreukte warboel, de lakens tot aan haar hals opgetrokken. Ze bekeek haar werk en vond het goed. De slaapkamer was onzinnig, maar ze was intens tevreden. Ze voelde zich ook uitgeput en keek op de klok, die nu aan de andere kant van de kamer op de ladenkast stond. Het was al na middernacht. Waar bleef hij zo lang? Bij *haar* bleef hij nooit tot twaalf uur.

Ze moest een tijdje zijn ingeslapen, want het volgende dat ze hoorde was Bobs auto die stopte op de oprit. Marla liep naar het raam. Hij was niet alleen eerst naar háár huis gegaan, maar hij was ook langer gebleven dan gewoonlijk. Dat had haar een blij gevoel moeten geven, en ze had er de prachtige gouden ring mee gewonnen, maar ze voelde zich allesbehalve blij. Staande achter het raam zag ze Bob het huis binnengaan. Marla verplaatste nog een paar kleinigheden in de kamer, schudde de kussens op, stapte toen snel in bed en deed of ze sliep.

Bob deed de deur van de slaapkamer open. Op zijn tenen liep hij naar binnen, probeerde iets te zien in het licht dat door het raam scheen, maar struikelde over de sofa en gooide de staande lamp omver, die tegen de ladenkast viel. Bezorgd ging Marla overeind zitten. 'Gaat het, Bob?'

'Ik geloof het wel.' Met één hand wreef hij over zijn elleboog, met de andere over zijn voet. 'Waarom stond er een tafel voor de deur? Ik heb mijn enkel bezeerd. Au!'

'En je arm?'

'Nee. Dat is... op de zaak gebeurd.' Bob stond op en strompelde naar het bed. Hij hinkte maar een klein beetje. Maar het bed stond halverwege de kamer, dus stootte hij zijn scheenbeen ertegen. 'Oooo!' Hij viel letterlijk in bed. 'Wat is er gebeurd? Wat is dat voor geur?'

Marla besefte te laat dat Sylvie geen wierook zou hebben gebrand. 'Dat is mijn nieuwe parfum,' improviseerde ze. 'Dat heeft Elaine me gegeven.'

'Elaine? Wie is Elaine?'

'Mijn zus.'

'Ellen? Ik dacht dat je Elaine zei.'

'Nee. Ik ken de naam van mijn eigen zus wel,' protesteerde Marla. Afleiden was het beste. Ze gebaarde naar de kamer. 'Mijn gezicht is niet het enige dat ik vernieuwd heb, Bob.' Marla knipte de lamp aan en zette de kap schuin, zodat de kamer zacht verlicht werd. 'Wat vind je ervan, *Bob*?'

Hij stopte lang genoeg met het masseren van zijn enkel om op te kijken. 'Je hebt de meubels verplaatst,' zei hij, alsof het een doodgewoon, saai feit was.

Marla, diep teleurgesteld, draaide het licht uit.

'Sylvie, ik zal het morgen goed bekijken. We zullen erover praten...' zei hij met een zweem van schuldbesef. Hij begon zich uit te kleden, leunde over het bed heen en gaf haar een zoen op haar wang. 'Luister. Laten we overnieuw beginnen. Welkom thuis. Ik ben blij dat je terug bent.'

'Heus?'

'Natuurlijk. Hoe gaat het met je zus? In vier woorden of minder.'

In vier woorden of minder? Dat was onmogelijk. Of misschien stelde hij haar op de proef, dacht Marla. Ze wist niet goed hoe ze moest reageren en praatte alsof ze overhoord werd. 'Zes jaar ouder, maar haar gezicht ziet er goed uit. We kunnen niet met elkaar opschieten. Wil niet in de buurt van de familie wonen.' Ze had de eerste vier antwoorden op haar vingers afgeteld, en zweeg toen, terwijl ze zich het laatste punt probeerde te herinneren. 'Haar therapeut staat achter haar besluit!' eindigde ze trots, toen het haar weer te binnen schoot.

'Ik ben blij dat ze... hetzelfde is gebleven,' zei Bob. Hij stapte in bed. 'Ik heb je echt gemist,' zei hij, en legde zijn arm om haar schouders.

Marla was oprecht verbaasd. Hij scheen zijn vrouw nooit te missen als hij met Marla over haar praatte. 'Waarom?' vroeg ze.

Bob probeerde Marla in een lepeltjeshouding te manoeuvreren, maar ze verzette zich.

'Waarom ik je gemist heb?' vroeg hij, alsof dat een onredelijke vraag was. 'Omdat je weg was. Wat bedoel je? Jij bent mijn gezin.'

'Heus?' Marla voelde de tranen in haar ogen springen, maar wist niet waarom.

'Kom nou, Sylvie,' zei Bob. 'Laten we onze positie aannemen.'

Seks. O! Ze had Sylvie beloofd dat ze... niet alleen dat, maar al had zij alles over hún seks verteld, Sylvie had niet over háár seks gesproken! Marla hield haar hoofd schuin. 'Vertel me nog één keer wat onze positie is,' mompelde ze.

'Sylvie, gaat het wel goed met je?' vroeg Bob, terwijl hij overeind ging zitten. 'We vallen al eenentwintig jaar op dezelfde manier in slaap.'

O, *dat* was wat hij bedoelde... slapen. 'Jongen! Je vergeet één ding –' begon Marla.

'Lepeltjes,' ging Bob verder.

Marla snapte het. Bob lepelde tegen haar aan. Ze nestelde haar rug tegen zijn buik. Ze lagen naast elkaar in het donker. Marla voelde zich ontspannen. Dit was het huwelijk. Elke nacht. Ze vond het prettig. Ze wist dat ze het prettig zou vinden. Maar het was zó nieuw, dat ze wilde praten, meer contact krijgen met haar man. 'Bob, het spijt me zo van je vader,' zei Marla.

'Wat is er met mijn vader?' vroeg Bob slaperig.

'Dat hij dood is en zo.'

'Sylvie, wat is er met je?' vroeg Bob, terwijl hij op één elleboog overeind kwam. 'Heb je je hoofd gestoten toen je al die dingen versjouwd hebt? Wie is de president van de Verenigde Staten?'

'Alsof jij dat niet weet!' Marla glimlachte en trok de dekens op om te gaan slapen, met de hele nacht een man naast zich.

19

Alleen slapen had absoluut zijn voordelen, dacht Sylvie, terwijl ze zich dwars in Marla's bed uitstrekte. Maar ze had niet het hele bed voor zich alleen. Sylvie keek naar de rozen, die nu verwelkt naast haar in bed lagen. Het was mal, sentimenteel, maar ze had ermee geslapen, een symbool van haar komende overwinning. Ze droeg nog steeds Marla's idiote nachtgoed – het kind scheen niet één comfortabele pyjama te hebben. Sylvie had zich belachelijk gevoeld in de babydolls en haar kinriem voor na-de-facelift – een charmante combinatie. Niemand, zeker Bob niet, zou ze ooit toestaan haar te zien als ze dit droeg.

Maar ze was wakker geworden met een hevige boosheidskater. Het probleem was dat ze niet wist of ze kwaad was op Bob of op zichzelf. Per slot had zij deze switch georkestreerd, en al was het niet precies zo uitgepakt als ze gepland had, het was haar wel degelijk gelukt. Toch beviel het haar niet.

Om te beginnen kon ze het niet verkroppen dat Bob eerst bij haar – Marla – was gekomen. Ze had haar weddenschap met Marla verloren, maar er stond meer op het spel dan haar kostbare ring. Ze moest boeten voor een emotionele reactie, en dat kwam haar heel duur te staan.

En als ze zover was gegaan, had ze dan niet tot het uiterste moeten gaan – in beide betekenissen van het woord? Had ze Bob niet moeten pakken? Had ze de kans niet moeten aangrijpen om Bobs geliefde te zijn en hem – en zichzelf – te bewijzen dat ze het kon?

Sylvie bleef verward en ongelukkig liggen. Ze wist niet wat ze moest doen. Wat ze nodig had was haar piano. Als ze een tijdje achter de piano kon zitten en iets van Bach spelen of misschien Mozarts Sonate No. 23, zou ze haar gedachten op een rijtje kunnen zetten. Toen drong het plotseling tot haar door: geen piano. Ze had er niet over nagedacht hoe ze zonder piano moest leven, al was het maar een week. Op dit moment leek het onmogelijk. Wat moest ze doen? Ze kon niets bedenken, dus belde ze haar moeder. 'Ik ben terug,' zei ze.

'Waar ben je?' vroeg Mildred. 'In het huis van dat sletje?'

'Pas op je woorden, mam. Ze mag dan een sletje zijn, maar ze is mijn sletje.'

'O, mijn god,' snauwde Mildred. 'Het is het Stockholm-syndroom. Sylvie, je identificeert je met de vijand.'

'Nee, mam. Ik *ben* de vijand. En Bob kwam gisteravond hierheen.' Sylvie dacht dat ze zich gelukkig voelde, maar tot haar verbazing ontsnapte haar een snik.

'Dat is een droevige verklaring na meer dan twintig jaar huwelijk.' Het bleef even stil. 'Het spijt me, Sylvie,' zei Mildred. 'De mensen van wie we houden doen ons verdriet. Dat is afschuwelijk. Wil je dat ik naar je toe kom?'

'Ja, alsjeblieft,' zei Sylvie.

Marla was bij het ochtendgloren wakker geworden, enthousiast toen ze Bob zacht snurkend naast zich zag liggen. Het was zo huiselijk om naast een man wakker te worden. Geïnspireerd had Marla een donzige ochtendjas en warme slippers aangetrokken, en was naar de keuken geslopen. En nu, om 7 uur 's ochtends, was ze bezig vrolijke gezichten te tekenen op pasgebakken koekjes. Toen zij ze glazuurde, glimlachte ze steeds stralender. De telefoon ging en ze nam vrolijk op. 'Met het huis van Schiffer... hoi. Hoe was het gisteravond?'

'Ongelooflijk verwarrend,' antwoordde Sylvie's stem.

'Nou, de mijne ook! En het is goed om er een reden voor te hebben.' Ze bleef de koekjes versieren.

'Was Bob blij me te zien?' vroeg Sylvie.

Marla voelde een steek door zich heen gaan, en niet zeker of het schuldbesef of medelijden was, besloot ze te liegen. 'O, ja. Een hoop poeha. Nou ja, niet al te veel. Weet je, hij was echt doodmoe. Dus, was het goed?'

Het bleef een tijdje stil. Marla, die de telefoon onder haar kin klemde met een opgetrokken schouder, maakte de oven open en haalde er een nieuwe lading koekjes uit. 'Maak je geen zorgen,' zei Sylvie's stem in haar oor. 'Alles was goed. Geweldig. Kon niet beter.'

'Hoe zou je het beschrijven?' vroeg Marla, oprecht geïnteresseerd. Weer bleef het stil. Marla zocht de spatel. Bloem, kookboeken, vuile schalen, suikerpot, maatbeker en botervloot verstopten de spatel. Bakken gaf een hoop troep. 'Hoe zou je de seks beschrijven?' vroeg Marla.

'Eh, als "sexy",' antwoordde Sylvie. Het was een beetje teleurstellend, maar dat was op het ogenblik het minste van Marla's problemen. Ze moest de spatel vinden.

'Ik wed dat hij erg geil op je was... ik bedoel op mij. Daarom was hij waarschijnlijk zo moe. Hij slaapt nog.'

'Slaapt hij?' vroeg Sylvie. Marla kon merken dat ze geschokt was. 'Bob staat altijd om kwart voor zeven op. Hij is altijd precies om acht uur op zijn werk.'

'Ik geloof dat ik wel weet waar mijn man is,' zei Marla. 'Hij lag zo vast te slapen dat ik de wekker heb afgezet.'

'O, mijn god,' zei Sylvie.

'Denk je niet dat het hem in een goed humeur zal brengen? Wat extra slaap doet *mij* altijd goed,' zei Marla.

'Goed, het is jouw probleem,' antwoordde Sylvie. 'Tussen haakjes, ik heb er toch wel aan gedacht je te vertellen dat Bob een vreselijk ochtendhumeur heeft, hè?'

Marla bevestigde het en hing op. Ze besloot te stoppen met de koekjes. Ze dacht dat Bob de extra rust wel zou appreciëren, vooral als ze een goed ontbijt voor hem maakte. Ze pakte de laatste schone kom, brak er vier eieren in en begon die te kloppen. Toen ging ze naar de koelkast en haalde de bacon eruit. Ze zette koffie, in het luxe koffiezetapparaat dat alleen vrouwen in de chique buitenwijken hadden. Ze dekte de tafel voor twee.

Het was 8.41 op de klok van de magnetron toen ze Bob de trap af hoorde hinken. 'Mijn god, Sylvie,' zei hij. 'Wat is er in godsnaam met je gebeurd? Wat is er met de wekker gebeurd? Ik werd om over achten wakker, en jij was er niet.'

'Heb je me gemist?' kirde Marla. 'Ik maakte je ontbijt klaar.' Ze schonk twee koppen koffie in en wachtte bij het raam. Ze had de bevroren Stouffer-croissants ontdooid. Ze had bacon gebakken. En de eieren waren nog warm.

Bob liep naar de tafel. 'Wat is dit?' vroeg Bob.

'Waar lijkt het op?' antwoordde Marla.

'Croissants? Boter? Je hebt eieren met spek gebakken?'

Marla knikte en probeerde niet al te trots te kijken. Ze hoopte dat ze alle stukjes van de schaal uit de eieren had gehaald. 'Probeer je me te vermoorden?' vroeg Bob. 'Je weet hoe hoog mijn cholesterolpeil is volgens John.'

Marla knipperde met haar ogen. Ze probeerde te beslissen of ze kwaad moest zijn omdat hij een ondankbare Neanderthaler was of dat ze moest proberen haar fouten te verdoezelen. Ze besloot tot het laatste. Haar blik werd naar het grasveld getrokken, naar de gevallen bladeren en de grote modderige geulen die door een deel van de tuin liepen. 'Hebben we mollen?' vroeg ze. 'Of is het trollen?' Marla had eens een natuurfilm gezien over die kleine diertjes met hun lelijke roze neusjes, die tunnels groeven.

Bob slokte zijn koffie naar binnen, stopte wat kleingeld in zijn zak en zocht zijn autosleutels. 'Trollen?' vroeg hij. 'Waar heb je het in godsnaam over?'

'Die geulen,' zei Marla. 'Wat heeft het grasveld zo vernield?'

'De kraan, Sylvie.'

'Ik wist niet dat vogels een grasveld zo konden vernielen. Was het een kudde?'

'Een vlucht,' zei Bob. 'Een groep vogels is een vlucht, geen kudde. Probeer je grappig te zijn vanmorgen? De kraan die je auto uit het zwembad heeft gehesen heeft het grasveld vernield.'

'De kraanvogel, bedoel je?'

'Hoor eens,' zei Bob, terwijl hij zijn kopje neerzette op het enige nog beschikbare plekje op het aanrecht. 'Ik heb geen tijd voor grapjes. Ik ben te laat voor mijn werk en ik heb een vergadering vanavond.' Hij draaide zich om en liep naar de deur.

'Vergeet je niet iets?' vroeg Marla, die probeerde haar stem vriendelijk te laten klinken. Het minste dat hij kon doen was haar een zoen geven voor hij vertrok.

'O, ja,' zei Bob. Hij pakte de garage-opener van de ring naast de deur. 'Ik ben weg,' zei hij, en een seconde later was hij dat.

Nadat Sylvie zich had aangekleed, ging ze naar de keuken om iets voor het ontbijt te halen. Ze maakte de koelkast open, maar het enige dat ze vond was yoghurt met een verstreken houdbaarheidsdatum en flesjes vitaminen. Ze begon kasten te openen, de ene na de andere. Ze stonden vol met voedseladditieven, voedselvervangingsmiddelen en voedingssupplementen, maar geen voedsel. Sylvie *moest* wat voedsel en koffie hebben. Ze zou naar de supermarkt moeten.

Sylvie lag weer dwars over het bed toen haar moeder aanbelde, maar nu in begrafenishouding met Bobs rozen bovenop haar. Ze legde de bloemen opzij en holde naar de deur. Mildred stond voor haar met twee plastic bekertjes koffie. 'Ik zegen je! Jij weet altijd precies wat ik nodig heb,' zei Sylvie, terwijl ze haar hand uitstak naar een beker. Toen bracht ze Mildred snel naar de slaapkamer. Mildred keek met afkeer naar de stoffige kunstficus. Ze pakte een kussen op in de vorm van rode lippen. 'Dus zo leeft een maîtresse tegenwoordig? Dat grietje van je vader deed het beter.'

'Niets is meer gemakkelijk voor vrouwen,' zei Sylvie.

Mildred opende een sieradendoos op de ladekast en haalde met een afkeurend gezicht een goedkope parelchoker uit de wirwar van costume jewelry. 'Dat zijn niet bepaald de juwelen van een succesvolle maîtresse,' zei Mildred minachtend.

'Ze heeft de zirkonen verborgen in de vrieskast,' zei Sylvie somber.

'Nou ja, waarschijnlijk horen we dankbaar te zijn,' zei Mildred. 'Bob verduistert kennelijk niets.' Ze draaide zich om en keek naar haar dochter. 'Kom, Sylvie. Jij hebt dit idiote plan bedacht. Je kunt er tenminste plezier in hebben.'

'O, god, mam! Ik kan het niet. Ik ben zo... zo verscheurd. Marla – ik bedoel, *ik* als Marla – kon gisteravond niet dulden dat Bob haar aanraakte.'

'Brave meid! Ik wist wel dat ik je goed had opgevoed,' zei Mildred opgewekt. 'Dus ga terug naar huis, gooi haar de deur uit, en daarmee uit.'

'Dat kan ik niet doen. Dan zou ik *nooit* krijgen wat ik wilde.' Sylvie ging rechtop zitten en pakte de hand van haar moeder. 'Mam, gisteravond kreeg ik een glimp van de oude Bob te zien. Ik herinnerde me weer hoe het was... om begeerd te worden.' Sylvie zweeg bij de herinnering. 'Het was zo goed. En ik realiseerde me hoelang het geleden was dat ik dat gevoeld had.' Ze liet Mildreds hand los en stond op. 'O, mam! Ik wilde hem slaan omdat hij me ontnomen heeft waarvoor ik met hem getrouwd ben.' Sylvie onderdrukte een snik toen Mildred haar op haar schouder klopte. Ze hief haar hoofd op en keek naar Mildred. 'Denk je dat hij weer zal bellen of hier komen?'

'Wacht eens even,' snauwde Mildred. 'Nu hoop je dat je man zal terugkomen bij zijn maîtresse?' Sylvie knikte. 'Vrouwen! We verdienen wat we krijgen,' zei Mildred.

Op dat moment ging de deurbel. Sylvie ging rechtop zitten, met een hoopvolle glans in haar ogen. 'Misschien is het Bob!' Sylvie keek om zich heen. 'O, hemel! Je moet je verstoppen. Hij kan je hier niet zien.'

'Dan is hij blind,' zei Mildred.

'Nee, mam, je moet je verstoppen.'

'Sylvie, ik ben zover gegaan als ik bereid ben te gaan. Ik ga me niet verstoppen voor mijn schoonzoon.' De deurbel ging opnieuw. Mildred glimlachte. 'Doe gewoon niet open. Of zeg dat ik de moeder ben van miss Snol.' Ze zweeg even. 'Zeg maar dat ik Deirdre heet. Ik vond altijd dat ik eruitzag als een Deirdre.'

'Mam, hou op. Blijf hier.' Sylvie deed de deur van de slaapkamer dicht en holde de kleine zitkamer door. 'Wie is daar?' riep ze.

'Pete.'

'Pete?' vroeg Sylvie. Ze had Marla's aantekeningen bestudeerd. Nergens werd een Pete genoemd.

'Waarschijnlijk een ander vriendje. Misschien vind je *hem* aardig,' zei Mildred, die met over elkaar geslagen armen op de drempel van de slaapkamer stond.

Sylvie keek haar moeder nijdig aan, controleerde of de veiligheidsketting was vastgemaakt en deed toen behoedzaam open. Voor haar stond een enorm bloemenarrangement met benen. 'Ooooo!' kirde Sylvie. Ze maakte de ketting los en deed de deur wijd open. De bloemen vulden de deuropening, en werden, veronderstelde ze, door Petes benen naar binnen gebracht. Sylvie draaide zich met een stralend gezicht om naar Mildred. Ze pakte het kaartje.

Pete wankelde de zitkamer in met de bloemen. 'Ik denk dat de beste plaats voor deze schoonheden op de doos naast de bank is,' zei hij achter een bos gladiolen.

'Bezorger *en* decoratieadviseur,' merkte Mildred op.'Niet dat iemand orde kan scheppen in *dit* interieur, behalve een psychiater.'

Sylvie las het kaartje en keek toen vrolijk naar haar moeder. 'Hij kan me niet opgeven. Hij wil me morgenavond weer zien.' Ze keek naar Pete. 'Dank je,' zei ze. 'Je hebt me erg blij gemaakt.'

'Hé, is dat je mam?' vroeg Pete. Hij draaide zich om naar Mildred. 'Uw dochter is heel vriendelijk.'

'Mijn dochter is een romantische idioot,' zei Mildred tegen Pete, en gaf hem een fooi.

Marla gaf les in de muziekkamer. Jennifer zat achter de piano. Ze speelde de *Minute Waltz*, maar ze deed het in dertig seconden.

Marla voelde zich heel professioneel, heel docenterig. Ze was een ware gezaghebbende figuur voor dit meisje. 'Heel goed, liefje. Zelfs *ík* kan het niet zo snel,' zei Marla glimlachend en gaf het meisje een schouderklopje. 'Probeer het nog een keer, en dan nog sneller. Ik wed dat je het kunt!'

Er verscheen een verwarde uitdrukking op Jennifers gezicht. Ze begon opnieuw en speelde nog sneller dan de eerste keer. Marla knikte met een bemoedigende glimlach.

Pete was weg en Mildred stond op het punt om ook weg te gaan toen de telefoon ging. Zonder na te denken, nam Sylvie op. 'Hallo,' fluisterde ze zo sexy als ze maar kon. Mildred rolde met haar ogen.

'Hoi, met Eena. Ik zit in een crisis hier. Je bent maanden weggeweest.'

Wie was Eena? Wat voor crisis? Sylvie had geen flauw idee. Ze herinnerde zich geen Eena uit haar notitieboekje, dus improviseerde ze op de manier zoals ze dacht dat Marla zou doen. 'Wauw!' zei ze.

'In ieder geval, ik ben in het nieuwe huis in Highland Hills, om de hoek bij Chagrin Boulevard. Mijn voeten zijn echt in vreselijke conditie.'

'Hm, oké,' zei Sylvie. 'Zullen we zeggen over twee uur?'

'Goed. Ik zal je het adres geven.' Sylvie noteerde het, en Eena, wie ze ook was, hing op.

Mildred trok haar wenkbrauwen op. 'Dus jij hebt een afspraakje met Bob terwijl Marla een afspraakje heeft met John?'

'Dat was Bob niet, het was een vrouwelijke klant. En wat voor afspraakje met John?'

'Ik heb Marla gisteravond gesproken. *Jij* hebt niet gebeld, merkte ik. In ieder geval, ze zei dat ze met John ging lunchen.'

'Dat is onmogelijk. Ze heeft hem zelfs nog nooit ontmoet. Ze is pas gisteravond thuisgekomen.'

'Ze werkt snel, die meid,' zei Mildred. 'Kun je je haar voorstellen in de club?'

'In de club? Ze gaan lunchen in de country club? Wat bezielt haar?'

'Wat bezielt *jou*? Sylvie, je hebt de doos van Pandora geopend. Heb je dan totaal niet geluisterd naar wat ik zei? Ik weet dat ik je moeder maar ben.'

Sylvie draaide zich om naar Mildred. 'Oké,' zei ze. 'Ik geef toe dat dit een probleempje is. Je moet me helpen. Ik zal Marla bellen en haar zeggen dat die lunch in geen geval door kan gaan, maar ga jij voor alle zekerheid naar de club. Als ik haar niet kan bereiken, moet jij een oogje in het zeil houden.'

'Waarom al die moeite? Elke vrouw in Shaker Heights zal beide ogen op haar – ik bedoel, op jou – gericht houden. Ik denk niet dat ze je – ik bedoel haar – zullen geloven als ze zegt dat ze alleen maar "een beetje rust" heeft genomen.' Mildred zweeg. 'Je zult morgen het gesprek van de dag zijn in Shaker Heights. En denk je dat ze een slavork herkent als ze er een ziet?'

Sylvie keek haar moeder smekend aan. 'Alsjeblieft, mam.'

Mildred pakte haar tas op, haalde haar schouders op en knikte toen. 'Ach wat,' zei ze. 'Het zal de beste floorshow zijn sinds Dick Edenboro zich aansloot bij de AA.' Mildred kuste haar dochter, schudde haar hoofd en vertrok. De plastic bekertjes nam ze mee. Sylvie liep weer naar binnen en belde haar huisnummer. Het toestel was in gesprek. Maar zodra ze had opgehangen, ging de telefoon opnieuw. Voor ze opnam pakte Sylvie haar aantekenboekje.

'Hallo. O, meneer Brightman.' Ze controleerde haar aantekeningen, zag wie meneer Brightman was en wat hij verwachtte. Ze kon niet alles lezen. Zuigen? Was dit de man die...? 'Vandaag om half drie?' O nee. Dat kon hij mooi vergeten. Sylvie wachtte even, maar zei toen gewetensvol: 'Ja, meneer Brightman.'

Toen hing ze op en raakte in paniek. Oké, ze zou een wreef masseren, en een enkel, maar ze trok de grens bij het zuigen op een teen. Dat was werk voor een professional. Ze probeerde onmiddellijk Marla te bereiken. Eerst kreeg ze geen antwoord, toen begroette haar eigen stem haar op het antwoordapparaat. Sylvie vroeg zich af wat ze moest doen. Goed, ze zou zich aankleden en eerst naar Eena gaan. Intussen zou ze blijven proberen Marla te bereiken. Ze kwam van het bed af en begon Marla's kast te inspecteren. Alle kleren waren goedkoop en van slechte kwaliteit. Wat trok je aan voor je eerste teenklus? vroeg ze zich af.

Op weg naar Eena nam Sylvie haar autotelefoon op – die van Marla feitelijk – en toetste het nummer van haar eigen autotelefoon in. Misschien trof ze Marla onderweg als ze thuis niet opnam.

'Mevrouw Sylvie Schiffer,' zei Marla's stem.

'Sorry, je zult voor een uur jezelf moeten zijn. Waar ben je?'

'In de auto.'

'Dat weet ik. Maar waar *is* de auto?'

'Ik weet het niet zeker. Ik ben net langs Canterbury Road gekomen, maar ik probeer naar Courtland Boulevard te rijden.'

'Je bent precies op de plaats waar ik ben. Het verbaast me dat ik je niet kan zien. Rij je naar het noorden of naar het zuiden?'

'Rechtdoor,' zei Marla. Sylvie zuchtte en schudde haar hoofd. 'Hoor eens, het kantoor van Brightman heeft gebeld. Hij wil een "volledige behandeling", wat dat ook mag zijn, om half drie. 'Ik doe Eena vanmorgen, maar *jij* doet Brightman.'

'Dat kan ik niet. Ik ga met John lunchen op de club,' zei Marla luchthartig. 'Bovendien betaalt Eena niet. Ze geeft me een cellulitisbehandeling in ruil. Je kunt haar vergeten,' zei Marla. 'Zeg, John vindt je echt heel erg aardig. Is hij leuk?'

Er was storing op de lijn. Sylvie hoorde maar een deel van de vraag. 'Brightman?' vroeg Sylvie. 'Hoe moet ik dat weten?'

'Nee, niet Brightman! Dr. John.'

Sylvie probeerde de ergernis uit haar stem te weren. 'Ik weet niet of hij leuk is, maar hij is intelligent.' Ze had Marla's medewerking nodig. Ze wilde een reflexoloog zijn, maar ze wilde geen betaald voetenspelletje spelen met een of andere ouwe zak. 'Dus John zal niet denken dat je mij bent. Niet in het daglicht. *Hij* kijkt echt naar me. We zijn niet getrouwd. Je kunt niet met hem gaan lunchen.'

'Dat is niet eerlijk, ik heb geen enkele lol,' pruilde Marla. 'Wat is er voor gein aan om een echtgenote te zijn als ik niet kan gaan lunchen in de club *en* ik moet Brightmans voeten doen?' Ze zweeg. 'Hé, waar is die club eigenlijk? Ik kan hem niet vinden.'

'Wacht even,' zei Sylvie. 'Het is woensdag, Johns vrije dag. Het is de enige dag waarop hij drinkt aan de lunch.' Misschien zou het toch lukken, dacht Sylvie, als Marla niet te veel praatte. John zou graag willen geloven in de wonderen van de moderne chirurgische wetenschap. 'Oké,' gaf Sylvie toe. 'Ik wil een afspraak met je maken: jij gaat lunchen met John, ik doe Eena. En jij moet vroeg weg om Brightmans voeten te doen.'

'Maar wat doe *jij*? Het is niet eerlijk. Ik moet nog boodschappen doen voor Thanksgiving,' kermde Marla.

'Doe die later. En wees voorzichtig met John. Drink niet en praat niet. We zijn er allebei geweest als je een fout maakt. En dan doe je Brightman.'

'Maar ik heb mijn instrumenten niet!' jammerde Marla. 'Mijn oliën of mijn wierook of mijn aromatherapie.'

Sylvie stopte voor een rood licht. Rechts van haar stond een zwarte sportwagen. Ze kon het niet helpen. Met haar jonge uiterlijk voelde Sylvie een geheel nieuw zelfvertrouwen. Ze draaide het raam aan de passagierskant omlaag, om beter te kunnen zien. Het geluid maakte dat de man zijn hoofd omdraaide en haar aankeek. Hij zag er goed uit, met een snor. Maar hij glimlachte niet. Een uidrukking van totale verwarring, of zelfs schrik, gleed over zijn gezicht toen hij zijn hoofd van de ene kant naar de andere draaide. Toen draaide hij zijn gekleurde raam dicht. Toen het licht op groen sprong, scheurde zijn sportwagen over het asfalt. Toen pas zag Sylvie Marla in de verste baan. De man had tussen hen in gestaan! Het was een stereobeeld voor hem. Iemand achter haar toeterde en Sylvie zette haar voet op het gaspedaal. Toen sloeg ze linksaf, terwijl Marla, die er niets van gemerkt had, naar rechts ging.

'Nou, als ik Brightman doe, moet jij de was doen,' zei ze. 'Er ligt een hele stapel. Ik kan de wasmachine niet aan de praat krijgen. En ik heb niet voor alles tijd.'

Sylvie zuchtte. Bob had waarschijnlijk niets gewassen sinds ze was vertrokken. 'Oké. Afgesproken. Ik ga naar Eena, om wat te oefenen. En terwijl jij Brightman doet, doe ik de was. Maar doe het snel, en wees voorzichtig met John. Hij is een heel slimme dokter.'

'Ik heb wel eerder dokters gedaan,' zei Marla beledigd. 'Waar is die...?' Blijkbaar kon ze nog steeds de country club niet vinden.

'Wat? Ik kan je niet horen, ik rij in een tunnel.'

'Het zal heel goed gaan met John,' schreeuwde Marla. 'Ontmoet me bij Brightman. Als ik te laat ben, ga dan vast naar binnen. Dan neem ik het over. Zijn kantoor heeft een deur naar buiten. En dan kun *jij* de was gaan doen.'

20

De Shaker Heights Country Club bezat alle baksteen, klimop en ronde oprijlanen die een club maar nodig kon hebben. Binnen was het gebouw gedecoreerd in het mooie diepblauw en groen en wijnrood dat 'klasse' betekende voor Marla. De muren waren behangen met schilderijen van mensen te paard, en andere schilderstukken van dode vogels en dode konijnen. Ze had eens als hostess in zo'n soort restaurant gewerkt. De mensen die hier eten rijden paard en schieten op dieren, dacht ze. Gek dat ze zo graag op sommige dieren zitten, terwijl ze andere doden. Dergelijke dingen brachten haar in de war. Misschien kwam het omdat ze afgeleid werd dat ze dit niet beter plande. Toen ze de eetzaal betrad, drong het tot haar door dat ze eigenlijk helemaal niet wist hoe John eruitzag.

De eetzaal was groot, en omdat de meeste tafels al bezet waren door groepjes vrouwen, kon ze die gemakkelijk uitsluiten. Dan waren er tafels met mannen. Tafels met vrouwen, tafels met mannen. Interessant, dacht Marla, dat er geen mannen en vrouwen bij elkaar zaten, behalve één heel, heel oud stel, en die man leek meer dood dan levend. Hij zat in een rolstoel, dus misschien wilde zelfs *hij* niet met een vrouw eten, maar kon hij niet weg. Ze keek de zaal door, zoekend naar John. Er zat een man alleen, maar die was vrij oud. Hij bekeek het menu, maar alsof hij haar ogen op zich gericht voelde, legde hij het neer en keek op. Aan de andere kant van de zaal glimlachte en knipoogde hij heel ondeugend naar haar. Marla kon niet geloven dat John dat zou doen. Maar deze man zag er bekend uit. God, was hij soms een klant? In ieder geval was die man te oud – een ouwe kerel, al zag hij er niet slecht uit voor een ouwe kerel. Ze kon natuurlijk terug knipogen... maar ze besloot hem nadrukkelijk te negeren. Ze was niet van plan met iemand anders te flirten dan met John.

Toen zag ze de enige andere man die alleen zat, aan een hoektafel, en ze was blij dat ze de verleiding weerstaan had. Hij was lang – dat kon ze zien, ook al zat hij – en hij staarde uit het raam naar de golfcourse. Was het John? Als hij haar zag en zwaaide of opstond of zoiets, zou ze het weten. Maar wat moest ze doen? Roepen: 'Is er een dokter in de zaal?' Maar er konden nog meer dokters zijn. Op dat moment voelde Marla dat haar arm werd beetgepakt door een benige hand. Voor ze kon protesteren en tegen wie het ook was kon zeggen haar niet de deur uit te zetten, dat ze mevrouw Robert Schiffer was en lid van de club, draaide ze zich om en zag Mildred achter haar staan. 'Het is de man in de hoek,' siste Mildred.

'Mam!' zei Marla en zoende Mildred hartelijk. 'Wat doe jij hier?'

'Niet overdrijven, kindlief,' zei Mildred en gaf haar een kneepje in haar wang, 'en ga met je rug naar de zaal zitten.' Toen knikte ze naar de oude man. 'Heb je je vader goedendag gezegd?' vroeg ze.

'Is dat mijn vader?' fluisterde Marla. 'Ik dacht dat hij...' Ze zweeg voor ze kon zeggen dat hij naar haar geknipoogd had en ze hem had genegeerd. Marla staarde naar de man, die weer zijn menu bestudeerde. Toen hij opkeek zei ze: 'O, ik heb zijn ogen!'

Mildred rolde met de hare. 'Zeg even goeiedag en ga dan naar John. En maak dat ook niet te lang,' waarschuwde ze.

Marla liep over het tapijt naar haar vader. Ze had haar echte vader nooit gekend en ook al hield ze zich voor dat deze man niet echt haar vader was, hij hád het kunnen zijn, of iemand die precies op hem leek. Ze had het gevoel dat haar keel werd dichtgeknepen. Hij had iets dat solide was – die dikke bos wit haar, zijn cleane, heel cleane huid met sproeten, en het tweed sportjasje met het blauwe overhemd. Hij zag eruit als een volmaakte vader. Heel wat betrouwbaarder dan Mike Brady van *The Brady Bunch* of zelfs Charles Ingalls van *Little House* – al was pa Ingalls absoluut flitsender. 'Hoi, paps,' zei ze zacht.

'O, *nu* zeg je hallo! Drie weken lang geen telefoontje, geen woord!' Hij bekeek haar van top tot teen. 'Ik moet zeggen, dat je er voortreffelijk uitziet, Sylvie. Die duik in het zwembad moet je goed hebben gedaan.' Hij gaf haar een klopje op haar hoofd. 'Ik denk dat de chloor je haar lichter heeft gemaakt.' Marla bedacht hoeveel lichter haar haar geweest was en zuchtte. 'Maar ik wist niet dat je met ons kwam lunchen,' zei haar papa.

Marla voelde een brok in haar keel. 'Dat doe ik ook niet,' zei ze. 'Ik...' Maar ze zou het echt willen. Ze besefte dat ze meer dan wat ook hier wilde gaan zitten met haar aardige, cleane papa.

'Ze luncht met John,' zei Mildred. 'Ga naar hem toe,' beval ze Marla. En voor ze in tranen kon uitbarsten draaide Marla zich om en liep de eetzaal door naar de hoektafel.

John, die nog uit het raam staarde, moest haar komst hebben gevoeld. Hij draaide zich om, zag haar en stond op. Marla's stemming ging met sprongen vooruit. Ze kon zien dat ze een goede indruk op hem had gemaakt, want zijn mond stond open. Zelfs met het bruine haar en de extra kilo's kon ze er toch nog steeds goed uitzien, dacht ze – tenminste in de ogen van deze man, die de truttige Sylvie verwachtte. 'Sylvie, ga zitten,' zei John uitnodigend, en trok een stoel voor haar uit. 'Wil je een glas wijn?'

'Ja,' antwoordde Marla. 'Wil je mijn mam en paps ontmoeten?' vroeg ze.

Hij keek op en stopte even met het inschenken van de wijn. 'Ze ontmoeten? Ik heb ze mijn leven lang gekend,' zei John.

Marla, in de war gebracht, nam een slokje wijn. 'Natuurlijk. Ik stel me aan.' Ze glimlachte om haar vergissing te verdoezelen. Toen liet ze haar hand suggestief op en neer langs de steel van het glas glijden.

John keek gefascineerd naar haar hand en toen naar haar gezicht. 'Je ziet er... zo mooi uit.'

'Dit is de nieuwe Sylvie,' zei Marla glimlachend.

John lachte. 'Als filosoof moet ik zeggen dat ik problemen heb met cosmetische chirurgie. Als professional kan ik je alleen maar zeggen dat je, wat je ook met jezelf gedaan hebt, er fantastisch uitziet.' Hij liet zijn stem dalen. 'Als man wil ik je zeggen dat je er meer dan fantastisch uitziet.'

Ha, dat leek er meer op. Marla keek John vanonder haar wimpers aan. 'Wat is *beter* dan fantastisch?' drong ze aan.

'Ik zou zeggen in de buurt van adembenemend,' zei John en keek toen naar zijn glas. Hij leek te blozen.

'Wauw, dr. John! Je bent een flirt!' zei Marla, terwijl ze van haar wijn dronk. Ze had moeten ontbijten. 'Je had me echt moeten vragen met *jou* te trouwen voordat Bob het deed.'

'Dat heb ik gedaan,' zei John.

Verward zweeg Marla even. 'Daarom heb ik zoveel respect voor je,' zei ze, zich snel herstellend.

'Ik heb ook respect voor jou, Sylvie.' Hij pakte haar hand vast.

Marla vond het heerlijk dat te horen. Mannen hadden haar geadoreerd, op haar gegeild, haar het hof gemaakt. Maar respect? 'Ik geloof niet dat ik dat woord ooit eerder gehoord heb... op mij toegepast.'

'Dat kan ik niet geloven,' zei John. De ober kwam hun bestelling opnemen en John trok zijn hand terug. De stemming was verbroken. Toen de ober weg was, leek John serieus te worden. 'Je zei dat je me iets dringends te vertellen had.'

'Dat heb ik ook, maar misschien heb je geen respect meer voor me als je het hoort,' zei Marla, en liet haar hoofd hangen.

'Probeer het maar.'

Marla dacht dat ze het graag zou doen, maar ze was verstandig genoeg om het hem niet te vertellen. Ze keek naar de glinsterende ring van Cartier aan haar vinger – die nu voorgoed van haar was. Ze haalde diep adem. Nu zou *zij* de kans krijgen voor slachtoffer te spelen. 'Oké, John. Je krijgt dit maar één keer te horen. Het is zo pijnlijk dat ik het nooit meer hardop zal kunnen zeggen, zelfs niet tegen jou, mijn beste vriend.'

'Zeg het maar. Je weet dat je bij mij altijd veilig bent.' John pakte Marla's hand weer.

Marla haalde weer diep adem, nam een slok wijn en keek John diep in de ogen. 'Bob bedriegt me,' verklaarde ze. Ze liet haar adem luid ontsnappen. 'Daar! Nu het eruit is, voel ik me een stuk beter.'

John keek meer verward dan bezorgd. 'Sylvie. Dat heb je me al verteld,' zei hij zacht. 'Je hebt het me verteld voor je wegging.'

Even raakte Marla in paniek, maar toen deed ze of ze het zich weer herinnerde. 'O, dat is ook zo. Nou, dan is het oud nieuws.' Ze nam weer een slok wijn. 'Ik ben weggegaan en heb over alles nagedacht. En ik ben tot de conclusie gekomen dat het uitsluitend mijn eigen schuld is. En naar die overtuiging ga ik leven.'

'Ik begrijp het niet,' zei John.

'Goddank!'

De ober kwam terug met hun bestelling en schonk de rest van de wijn in. Weer trok John zijn hand terug. 'Laten we gaan lunchen,' zei Marla opgewekt. Toen ze weer alleen waren, glimlachte ze verleidelijk naar John. Deze keer stak *zij* haar hand uit en pakte de hand van John. Hij leek het niet onplezierig te vinden.

Sylvie zat in de ontvangstruimte te wachten op meneer Brightman. Ze was over de schok heen van Eena's huis – een klein appartement vol katten, kristal, verwelkende kamerplanten en een paar van de vuilste kleden waar Sylvie ooit over gelopen had. Toen Eena haar voeten had opgetild, waren haar voetzolen pikzwart.

En Eena had niet alleen verwacht dat ze haar voeten masseerde: ze wilde een diagnose. Ze moest weten of het haar blaas of nieren waren die opspeelden, want ze wist niet zeker welk genezend kristal ze moest gebruiken. Sylvie had zo goed mogelijk geïmproviseerd, en toen Eena opmerkte dat er bloed in haar urine was, had ze er sterk op aangedrongen dat ze John belde voor een afspraak.

Ze had sindsdien vijf keer haar handen gewassen; tweemaal bij Eena en toen met vochtige papieren doekjes in de auto, nog een keer op het toilet van een pompstation, en ten slotte hier bij Brightman.

Hoewel Marla Brightman een zwendelaar had genoemd, bleek hij in werkelijkheid directeur van een soort vrachtwagenonderneming te zijn. Mannen liepen heen en weer over het groene linoleum van het kantoor, pratend over depots en weegplaatsen. Ze namen haar allemaal snel op, waarbij de meesten hun ogen afwendden of knipoogden. Ze zat er zo preuts mogelijk bij in een strakke blauwe legging van Marla en een gele trui, en voelde zich als een kind op school dat wacht tot ze bij de directeur wordt geroepen.

'Meneer Brightman kan u nu ontvangen. Het spijt hem dat u zo lang hebt moeten wachten,' zei de receptioniste meesmuilend.

'Dat geeft niet. Ik kan nog wel wat langer wachten,' antwoordde Sylvie zenuwachtig. Waar bleef Marla? Ze had beloofd dat ze zou komen.

'Dat kan niet. Hij heeft een drie dertig.'

'Ik kan morgen terugkomen,' bood Sylvie aan. Waar *bleef* Marla in godsnaam?

'Hij heeft heel nadrukkelijk gezegd dat hij *nu* behoefte heeft aan ontspanning. Hij is er klaar voor.' De receptioniste hield Brightmans schoenen omhoog, alsof het een paar dode vissen waren. Sylvie had het gevoel dat ze flauw zou vallen.

'Goed. natuurlijk. Nu.' Sylvie dwong zich op te staan en liep in de richting van Brightmans kantoor. De receptioniste hield haar tegen en stuurde haar naar een andere deur. 'Je weet dat hij het liever daar doet.'

Hemel, wat was 'daar'? *Dat* had Marla haar niet verteld. Was dit iets meer dan een... voetenspelletje? 'O, ja. Ik ben niet helemaal bij de tijd vandaag,' mompelde Sylvie om haar vergissing goed te maken.

'Dat is oké. Dat ben je nooit,' zei de receptioniste, dus het was duidelijk dat Marla in dit opzicht eerlijk was geweest – hij was een vaste klant.

Langzaam en aarzelend liep Sylvie naar de deur en ging naar binnen. Goddank was het geen slaapkamer. Het vertrek was volkomen leeg, met slechts een roze tapijt, roze fluwelen gordijnen een een zwartleren stoel en een bank precies in het midden van de kamer. Simon Brightman zat in de stoel. Sylvie zag dat zijn voeten bloot waren en op haar wachtten. Hij was gezet, met dun grijs haar en een rond gezicht waaraan een kin leek te ontbreken. Hij droeg een gekreukt effen grijs pak en een wit button-down overhemd; de kraag stond open en zijn blauwe das hing los. Maar het waren zijn voeten, die bloot op de bank lagen, waarvan Sylvie haar ogen niet kon afwenden. Zijn voeten waren klein voor een man van zijn leeftijd en op elke knokkel groeiden enorme plukken haar. Het haar was bijna lang genoeg om te kunnen vlechten, al wilde Sylvie niet dicht genoeg bij hem komen om dat te doen. De zool van elke voet zag geel van de dikke eeltplekken, en de bovenkant was tot aan de enkels bedekt met een wegenkaart van opgezette, harde aderen. Het walgelijkst waren zijn teennagels – gelakt in een Molly Ringwald roze. Sylvie dacht aan Eena's zwarte voetzolen. Nu deze. Van alle voeten ter wereld moest ze met deze beginnen?

'Zo, daar ben je!' zei hij. 'Waarom ben je niet door de zijdeur binnengekomen?' Hij wees naar een deur achterin de kamer, bijna verborgen achter een fluwelen gordijn. 'Je weet dat ik niet wil dat je in de ontvangstruimte komt.'

'Oeps, sorry, maar hier ben ik dan,' zei Sylvie. Ze probeerde zo opgewekt en mallotig te doen als Marla normaal deed. 'Wauw,' zei ze. 'Je hebt echt een heel grote aura vandaag.' Sylvie maakte haar tas open en haalde er een flesje olie, wat wierook en Marla's aromatherapiedoos uit. Toen ze dichterbij kwam, besefte Sylvie dat Simon Brightmans voeten wel wat therapie op aromagebied konden gebruiken. *Waar bleef Marla verdomme!* Sylvie frutselde met een lucifer, stak de wierook aan en vroeg zich af of haar boosaardige dubbelgangster nog met John in de club zat.

'Kom op, baby. Geef me een beurt,' zei Brightman met een knipoog.

Sylvie viel bijna flauw. Wanhopig probeerde ze tijd te winnen. 'Je moet me even excuseren,' zei Sylvie. 'Ik moet plassen.'

Brightman zuchtte diep. 'Ik heb niet veel tijd,' zei hij. 'Schiet een beetje op.'

Sylvie liep de kamer uit en deed de deur achter zich dicht. Ze leunde tegen de muur en probeerde haar gedachten te ordenen. Ze moest Marla vinden, en gauw ook. Anders liep ze weg. Op die voeten zuigen was te stuitend voor woorden. Sylvie ging naar de receptie. Ze stond op het punt de receptioniste te vragen of ze de telefoon mocht gebruiken, maar toen zag ze een telefoonautomaat in een kleine nis. Natuurlijk had ze geen muntjes bij zich. Ze begon een eindeloze reeks nummers in te toetsen. Telefooncodes waren handig, veronderstelde ze, maar niet eenvoudig. Hoe kon je je in vredesnaam al die getallen herinneren als je onder stress stond? Ze vergiste zich in het nummer van haar eigen autotelefoon en moest weer opnieuw beginnen. Ze kon alleen maar denken aan Brightmans voeten, die op haar wachtten. Goddank nam Marla meteen op. 'Waar ben je?' vroeg Sylvie.

'Ik zit in de val!' zei Marla met paniek in haar stem.

'Wat?!' Sylvie's maag draaide om. Was Bob erachter gekomen? Waren ze betrapt? Haar hart stond stil toen ze bedacht dat ze gisteravond, toen ze de kans had gehad, seks met hem had moeten hebben.

Maar, 'Ik zit in de val in een ringlijn,' zei Marla. 'Hoe kom ik daaruit?'

'Waar heb je het over?' snauwde Sylvie, opgelucht maar verward. Misschien waren ze toch niet betrapt.

'Ik heb John in de club achtergelaten, maar ik kan de weg naar jou niet vinden. Ik heb mijn leven lang in een plaats als de Heights willen wonen, maar nu kom ik er niet uit! Hoeveel doodlopende straten zijn hier? Ik ben al vier keer langs onze straat gereden. Oeps. Daar is-ie weer.'

Sylvie deed haar best om niet te ontploffen. Ze moest geduldig blijven om Marla hierheen te krijgen. Dan kon ze haar rustig vermoorden.

'Weet je, onze echtgenoot moet het grasveld maaien,' zei Marla. 'O, zeg, die mensen hier in de buurt zijn zo onbeschoft! Die vrouw die twee huizen verderop woont, stak net haar middenvinger tegen me op. Wauw, straalt *zij* even een slecht karma uit. Ik kan het híer voelen, en dan ben ik nog wel beschermd door staal en glas.'

Dat moest Rosalie zijn geweest, dacht Sylvie. Marla zou lood nodig hebben om haar te beschermen tegen Rosalie's 'karma'. 'Rij naar Lee Road, naar de brug, en kom hiernaartoe,' zei ze. Ze klonk even wanhopig als ze zich voelde.

'Lee Road? Ik *ben* op Lee Road. Of daar *was* ik. Ik weet dat ik hem gezien heb,' zei Marla. 'O, je broer heeft gebeld. Op de autotelefoon. Hij zei dat zijn bemoeizieke ex-vrouw me in kringetjes rond zag rijden en dacht dat ik misschien op zoek was naar een ander zwembad om in te rijden.' Marla giechelde. 'Hij is aardig, hè? Hij maakte zich bezorgd over me.'

'Ik maak me bezorgder over mezelf,' snauwde Sylvie. 'Simon Brightmans voeten blijven niet eeuwig wachten.'

'Ik ben alleen de weg kwijt. Ik kom niet voorbij Eaton en Carlton Road, en ik moet hieruit. De mensen kijken naar me. Wees alsjeblieft mijn verkeerstoren.'

'Oké. Kalm maar,' stelde Sylvie haar gerust. 'Ga rechtsaf bij Carlton en rechtsaf Eaton op. Twee deuren verder zie je een brievenbus. Ga daar linksaf. Rij door twee verkeerslichten, dan zie je het winkelcentrum rechts van je.'

'Je bedoelt toch niet echt dat ik *door* de lichten heen moet rijden?' vroeg Marla. 'Als ze eens op rood staan? Dat wordt een boete op *jouw* naam, weet je dat wel?' Marla zweeg even. Sylvie zei niets. 'Ik probeer grappig te zijn,' legde ze uit.

'En ik probeer niet te lachen,' zei Sylvie bits, terwijl ze met haar valse nagels op de telefoon trommelde. Ze wachtte.

'Ik ben al door vier lichten gereden en ik heb nog steeds geen brievenbus gezien,' zei Marla.

'Ik zei *twee* verkeerslichten,' snauwde Sylvie, de wanhoop nabij. 'Twee.'

'Oké. Oké,' zei Marla. 'Ik maak een U-tje.'

Op dat ogenblik stak Brightman zijn hoofd om de deur en keek om zich heen. Hij zag Sylvie en wenkte dat ze moest komen. Hij wees op zijn horloge. Sylvie glimlachte en knikte.

'Schiet op, Marla,' smeekte Sylvie. 'Brightman begint nu echt ongeduldig te worden. En wat is eigenlijk "de volledige behandeling"?'

'Ik ben eruit! Ik ben eruit!' riep Marla triomfantelijk. 'Ik zie de brug. Ik ben er over vier minuten. Jee, ik zou niet graag de Heights uit moeten in een noodsituatie.'

'Dit *is* een noodsituatie!' zei Sylvie met opeengeklemde tanden en hing op. Ze liep terug naar de kamer en Brightman. Toen ze bij hem was, haalde Sylvie haar schouders op en glimlachte à la Marla. 'Het spijt me. Ik kreeg slechte vibraties over mijn zus en ik *moest* haar gewoon bellen.' Ze ging op de kruk aan zijn voeten zitten. 'Eh... uw tenen zien er opvallend aantrekkelijk uit vandaag.'

Brightman leunde achterover en sloot zijn ogen. 'Dat hoor ik graag. Geef me een andere nagellak. Ik wil iets... jeugdigs.'

'Dan bent u aan het goede adres. Ik bedoel, dat ben ik. Gekomen, bedoel ik. Ik bedoel, hier gekomen.'

'Mijn wreef maakt me kapot. Probeer er eens wat aan te doen. Maar eerst nieuwe nagellak. Ik wil veel kleur.'

Sylvie moest alles overwinnen om alleen maar haar handen en zijn voeten bij elkaar in de buurt te brengen. Ze had Marla's doos, maar die was niet voor een pedicure... hij bevatte oliën en essences en crème, maar geen Revlon Fire and Ice. Sylvie pakte een masssageolie en liet iets ervan op Simon Brightmans voet druppelen.

'Vergeet je niet iets te weg te halen?' vroeg Brightman zacht.

'Iets weghalen?' vroeg Sylvie, starend naar zijn hoornige teennagels. Hij was net zo geil als zijn nagels.

'De oude nagellak. *En* zeg het gedichtje op. Ik wil de volledige behandeling. Ben je soms op de preutse toer? Alsjeblieft, Miss Molensky, ik begin mijn geduld te verliezen. Ik heb nog maar twintig minuten.' Sylvie, die niet wist wat ze moest doen, kwam overeind. Genoeg was genoeg. Ze kón hier niet mee doorgaan. Ze ging weg.

'Ga achter de gordijnen, zoals je altijd doet,' zei Brightman op bevelende toon. Zonder erbij na te denken, deed ze het. Ze bleef even staan, bijna in tranen, toen ze Marla door de buitendeur naar binnen hoorde dansen. Sylvie tuurde door een kier van de fluwelen gordijnen.

'Eén klein biggetje gaat naar de markt,' kirde Marla tegen Brightman. 'Eén klein biggetje blijft thuis.' Marla dook weg achter het andere gordijn en trok het dicht, terwijl ze in haar tas naar iets zocht. Ze haalde er een flesje Day-Glo-pink Hard Candies nagellak uit, dat ze langs het gordijn naar voren stak met het gebaar van een ervaren stripper en toen schudde voor ze het door de kamer gooide. Brightman kreunde. 'O, ja!' zei hij. 'Perfect. Kleine plaaggeest!' Marla danste achter het gordijn vandaan de kamer in. 'Ga door de zijdeur naar buiten. Nu,' fluisterde Marla, toen ze langs het gordijn liep dat Sylvie nog voor zich vastgeklemd hield. Marla pakte de nagellak op en hurkte aan Brightmans voeten. Hij deed zijn ogen dicht en Sylvie glipte dankbaar het vertrek uit.

21

Sylvie stopte voor haar huis, parkeerde de auto en keek om zich heen in de straat en controleerde die ook in haar achteruitkijkspiegel. Ze wilde beslist niet dat haar buren, ook niet haar moeder en Rosalie – vooral niet Rosalie – haar zagen. Bob had er altijd over geklaagd dat de garage gescheiden van het huis stond, maar dit was de eerste keer dat Sylvie het zelf erg vond om van de oprit naar de achterdeur te moeten lopen.

Door de openslaande deuren liep ze de muziekkamer in. Ze verstarde en snakte naar adem. De wanorde was verbijsterend. Haar geliefde bladmuziek lag in slordige stapels verspreid op de divan, op de vensterbank, de grootste stapel op de grond, veel te dicht bij de haard. Sommige arrangementen waren onvervangbaar, gemaakt door haar leraren van Juilliard die nu allang dood waren. Had dat kind dan geen enkel benul? Behalve het moeras van haar muziek, stonden er drie halfvolle bekers en een lege fles sodawater op de bijzettafeltjes, maar, het ergste van alles, er stond een vaas vol verwelkte chrysanten en lelies – een afgrijselijke combinatie – op de piano. Sylvie kon niet zien hoelang ze daar al stonden, maar de bloemen hingen, en toen ze er snel naartoe liep, zag ze het stinkende water in de vaas. Geelbruin stuifmeel van de meeldraden van de lelies bevlekte het oppervlak van de vleugel. Sylvie hield haar adem in en tilde de vaas op. Goddank was er geen kring achtergebleven, maar ze was ervan overtuigd dat dat niet te danken was aan Marla's zorgen. Sylvie streek liefdevol over het smetteloos gladde blad van de piano. Ze had het pianospelen bijna net zo gemist als Bob. Ze wilde dat ze de tijd had om te gaan zitten en te spelen – al was het maar een paar minuten - maar dat was een luxe die ze zich niet kon permitteren.

Sylvie probeerde zich de laatste keer te herinneren dat ze zó lang niet gespeeld had. Misschien vlak na de geboorte van de tweeling, maar na die tijd niet meer. Met tegenzin dwong ze zich de ontheiligde muziekkamer zo te laten, al nam ze wél de vaas mee naar buiten. Ze zou tegen Marla moeten zeggen – als ze dat niet al gezegd had – nooit iets op de ebbenhouten lak van de Steinway te zetten.

Sylvie liep door de donkere gang. Ze voelde zich als een geest die in haar eigen huis rondspookte, terwijl ze de verdorde chrysanten en lelies voor zich uit hield. Ze liep langs de boekenplank en zag een foto op ooghoogte. Ze bleef staan. Bob stond met de tweeling op een strand in South Carolina. De foto zat in een oude zilveren lijst die Sylvie van Bobs moeder vlak voor haar dood had gekregen. Niemand die die foto zag, behalve zij en Bob, kon weten dat zij de foto had genomen, of dat enkele minuten daarvóór Kenny in een onderstroming terecht was gekomen die hem bijna de zee in had gesleurd. Sylvie had het in een flits zien gebeuren en had gegild: Bob was de golven in gerend, door de stroming, en had Kenny met zich mee weten te trekken. Sylvie keek naar de lachende gezichten van de kinderen. Zij waren absoluut niet onder de indruk, maar Sylvie wist dat Bob op dat moment bleek had gezien onder zijn zonverbrande huid. Haar vinger had getrild toen ze afdrukte, en toen ze de foto's hadden afgehaald, hadden ze allebei lange tijd zwijgend naar deze foto gekeken. Bob had haar gedachte onder woorden gebracht: de foto op het rolletje vóór deze opname had wel eens de laatste kunnen zijn van de tweeling samen.

Sylvie klemde de verwelkte bloemen tegen zich aan. Ze wilde Bob niet kwijt. Het was meer dan alleen liefde en het was meer dan wellust en het was meer dan trots. Hij deelde de herinneringen en ervaringen van haar hele volwassen leven met haar, dingen die hij nooit met een ander zou kunnen delen. Ze wilde haar leven en zijn rol daarin behouden, zoals ze nog steeds bereid was haar rol in het zijne te blijven spelen. Als haar huwelijk stukliep, zou ze nooit meer trouwen. Niet omdat ze van Bob zou blijven houden en over hem zou blijven treuren, en niet omdat het haar in een mannenhaatster zou veranderen, maar omdat ze wist dat als dit huwelijk mislukte, alle andere huwelijken ook konden mislukken. Ze zou het nooit meer willen meemaken, een verkeerd huwelijk dat gedoemd was om op een teleurstelling uit te lopen. Ze zou zich liever tot God bekeren, een liefde die altijd beantwoord zou worden. Of ze zou zich die golden retrievers aanschaffen.

Ze duwde de zwaaideur van de keuken open met haar heup en bleef stokstijf staan. Elk oppervlak van de keuken – het aanrecht, de tafel, het keukenblok – was bedekt met voedsel. Het leek of Marla op het punt stond een voedselkraam te openen in Sylvie's achtertuin. Pompoenen stonden op de tafel, tomaten lagen op een rij op de vensterbank, een heel net knoflook – een voorraad voor minstens twee jaar – hing aan het pannenrek, en drie zakken aardappels leunden tegen de kelderdeur. Ook stonden er blikken witte bonen in tomatensaus, schalen met yammen, dozen Pepperidge Farm-koekjes, een reusachtige stapel Indische maïs, twee of drie blikjes ansjovis, een blad met gebakken koekjes... alleen al voor het maken van een inventaris zou Sylvie de hele dag nodig hebben. Waar was Marla in godsnaam mee bezig?

Sylvie was fanatiek in het opbergen van dingen; ze wilde dat haar keuken schoon en opgeruimd was. Ze ging niet zover dat ze de blikken alfabetisch rangschikte, maar ze stapelde ze op, die met de vroegste houdbaarheidsdatum vooraan, de latere aankopen achteraan. Ze zette de vaas neer, en moest een stapel post opzij schuiven om een leeg plekje op het aanrecht te vinden. Toen haalde ze diep adem en krabde aan de binnenkant van haar linkerelleboog. Deze chaos was genoeg om haar galbulten te bezorgen. En Bob had helemaal niets gemerkt? Had hij dan geen ogen in zijn hoofd? Sylvie vroeg zich even af waarom ze de laatste twintig jaar de moeite had genomen om te vechten tegen de dagelijkse stroom van wanorde. De kinderen had het beslist nooit iets kunnen schelen. Bob blijkbaar ook niet. Had ze het allemaal voor zichzelf gedaan? Sylvie dacht aan al die uren – honderden uren – van het uitpakken en opvouwen van boodschappentassen, het ordenen en opruimen van dingen. Ze had die tijd kunnen besteden aan pianospelen. Ze had die tijd met de kinderen kunnen doorbrengen. Of sporten of een coupe soleil nemen bij de kapper. Misschien, als ze die tijd besteed had aan haar uiterlijk en aan Bob, in plaats van aan al dat huishoudelijke werk, zou ze nu nog in dit huis wonen, gelukkig en geliefd.

Sylvie keek op de keukenklok, een klok die haar leven bijna twintig jaar lang had afgemeten. Ze had niet veel tijd en het leek haar beter zelfs maar niet te kijken naar andere veranderingen die Marla kon hebben aangebracht. Sylvie draaide zich om en deed de deur van de wasruimte open en weer achter zich dicht een draaide tegelijk het licht aan.

Bijna had ze een gil gegeven. Voor haar lag de meest gigantische stapel wasgoed die ze ooit had gezien, behalve misschien die keer toen de kinderen thuiskwamen uit het zomerkamp op dezelfde dag dat Bob terugkwam van een conventie. Maar dit waren niet alleen maar T-shirts en shorts van de kinderen. Ze zag lakens en handdoeken uit alle badkamers. Bobs truien, zijn poloshirts, zijn ondergoed en sokken. Theedoeken en washandjes, smokingoverhemden en haar linnen servetten. De grootste stapel was blijkbaar te hoog opgestapeld op de plank en was op de grond gevallen en had een kledingmoeras geschapen. Het ergste van alles was dat de fijne was niet gescheiden was van de kookwas, de kreukvrije was en de handwas, en zelfs de witte was niet van de gekleurde. Het was één grote puinhoop.

Met een zucht maakte Sylvie de bovenkant van de wasmachine vrij, zodat ze in elk geval vast kon beginnen met de eerste lading. Toen ze het deksel opensloeg, viel ze bijna flauw van de stank van schimmel die uit de duisternis van de wasmachine omhoogsteeg. Haar hart zonk in haar schoenen toen ze erin keek, wetend wat ze zou zien. Er lag nog een was in – god mocht weten van wanneer – en er lag zelfs nog water in. Sylvie keek op de controleknop en ontdekte dat hij gestopt was na de voorwas. Hemel! Hoe moest ze in vredesnaam die zware, natte kleren eruit krijgen zonder dat slijmerige zeepvlies op het water aan te raken? Sylvie keek rond in de keuken en vond haar houten lepel met de lange steel. Ze vroeg zich af waarom hij in de pannenkast lag als hij in de bestekla thuishoorde, maar ze was al blij dat ze ongeacht Marla's vreemde huishoudelijke gewoonten, het ding had kunnen vinden.

Sylvie was tien minuten bezig om de smerige kletsnatte vodden eruit te halen en naast de gootsteen te leggen. Toen draaide ze aan de knop om het water uit de wasmachine te laten lopen en zocht al het witte goed bij elkaar dat ze kon vinden. Ze gooide lakens, handdoeken en dergelijke in de nu lege machine. Ze pakte een onderbroek van Bob en een slipje van haarzelf. Het waren slipjes die Marla moest hebben gedragen. Sylvie verstarde. Met beide onderbroekjes in haar hand drong het op meer fysieke wijze tot Sylvie door dat Marla niet alleen in haar schoenen stond en in haar huis was, maar ook in haar bed, op haar lakens en in haar slipjes. Plotseling werd het Sylvie allemaal te veel.

Wat had ze gedaan?

Haar handen begonnen te trillen. Ze gooide het ondergoed in de wasmachine alsof het besmet was. De tranen die trilden onder haar oogleden voelden heet aan. Ze bukte zich om nog meer kleren op te rapen en kwam haar blauwzijden nachthemd tegen. Wat deed *dat* hier? Dat moest worden gestoomd, niet gewassen. Sylvie droeg dat nooit tenzij...

Onmogelijk, dacht Sylvie. Bob had het veel te druk met haar – de valse Marla – om zelfs maar te *denken* aan seks met zijn vrouw – de echte Marla. Juist? Juist. Sylvie probeerde de gedachte van zich af te zetten, maar het feit dat zij – als Marla – tot dusver nog geen seks met Bob had gehad, maakte het er niet gemakkelijker op. Zou haar aarzeling en haar geplaag hem ertoe brengen seks te hebben met zijn vrouw– de valse Sylvie? Misschien niet; Sylvie kon zich niet herinneren dat Bob in de afgelopen paar maanden bij haar thuis was gekomen na 'een vergadering' en belangstelling had getoond voor seks. Nu Sylvie erover nadacht, had hij altijd een douche geprefereerd.

Terwijl de tranen over haar wangen rolden, stopte Sylvie de wasmachine vol, voegde het wasmiddel erbij en sloot het deksel. Ze voelde zich armzaliger dan Assepoester, maar bleef de resterende vuile kleren sorteren, leegde automatisch de zakken van Bobs spijkerbroek, en veegde intussen haar tranen af. Ik zou wel eens willen weten, dacht ze, hoeveel vrouwen op dit moment in het hele land bij de was staan te huilen.

Ze stak haar hand in alle zakken. Ze vond de gebruikelijke dingen: kleingeld, verfomfaaide dollarbiljetten, zakelijke visitekaartjes en wikkels van zuurtjes. Toen, in de laatste broek, voelde ze een groter voorwerp, bijna zo groot als een portefeuille. Normaal droeg Bob zijn portefeuille in zijn jaszak; ze stak haar hand in de broekzak en vond een stevig opgevouwen kleurenpamflet. Waarschijnlijk over een nieuwe auto, dacht Sylvie.

Maar toen ze de brochure over Hawaii openvouwde, sprongen de kleuren haar in het oog. 'O mijn god!' zei Sylvie hardop. Het gekreukte papier, dat slechts weken geleden was bezorgd, herinnerde haar eraan hoe eenvoudig de dingen hadden geleken en wat een sufferd ze was geweest. Sylvie had gedacht dat Bob van haar hield en dat ze samen hun plaatsje onder de zon zouden vinden. Nu vond ze een plaatsje op de grond temidden van de berg vuile was, en met de verfomfaaide brochure in haar hand, huilde ze hardop bij het gezoem van de wasmachine.

22

Marla had zich voorbereid op de voorbereidingen voor Thanksgiving. Ze had een lijst. Ze had met Sylvie's bankpasje geld uit de automaat gehaald. Ze had het schitterend gevonden – het was net of je naar Las Vegas ging en elke keer de jackpot won. Nu, met een paar honderd dollar in haar portemonnee, plus de fooi van Brightman, liep ze Food Universe binnen. Het was een van die winkels waar alles in reusachtige afmetingen werd verkocht; ze hadden potten mayonaise zo groot als een salontafel. Marla was niet eens gewend aan gewone supermarkten – ze kocht alles bij de Vitamin Cave of de 7-Eleven.

Marla duwde al twee grote karren voort en was pas halverwege haar lijst. Ze had potten cranberrysaus, stuk voor stuk groot genoeg voor een weeshuis, een reusachtige doos vulling, en zoete aardappels. Ze staarde naar een gigantische zak marshmallows, voldoende voor een hele universiteit. Wat moest ze daarmee? Gelukkig kwam er net een personeelslid langs, en ze hield hem aan. 'Neem me niet kwalijk. Ik zoek een kleine zak marshmallows.'

'Sorry, dat is het enige formaat dat we hebben.'

Marla gooide de enorme zak in haar kar en liep verder over het pad van de supermarkt. Ze zocht naar kalkoenen. Ze voelde zich net een jager. Ze zou de grootste, mooiste vogel kopen voor haar familie. Ze liep de hoek om en moest haar kar naar links zwenken om niet op te botsen tegen de rug van een vrouw die in de rij stond. Ze scheen er al heel lang te staan. De vrouwen stonden met elkaar te praten om de tijd te korten. 'Verleden jaar waren ze uitverkocht, met vijftig mensen voor me,' zei de vrouw die vóór Marla stond.

'Ja, alle supermarkten waren uitverkocht. Ik moest naar de kinderboerderij en er een ontvoeren,' bekende een roodharige vrouw.

'Heb je een kalkoen ontvoerd?' vroeg een ander. 'En toen?'

'Ik was in staat *iemands* nek om te draaien,' zei de roodharige vrouw lachend. 'Dus werd het die van de kalkoen.'

Marla begon te transpireren bij de gedachte dat ze geen kalkoen zou kunnen krijgen voor haar familie. Ze probeerde voor te dringen en wist vier of vijf plaatsen naar voren te komen, maar een kwade vrouw betrapte haar. 'Voordringster!' gilde de vrouw. De andere vrouwen merkten het ook en duwden haar terug tot ze achteraan de rij stond.

'U begrijpt het niet!' riep Marla. 'Het is mijn eerste Thanksgiving. Ik zal alles doen om een kalkoen te krijgen. Het is het waard om voor te dringen of een vogel te wurgen. Want als de tafel mooi gedekt is, en de hele familie zit rond mijn tafel geschaard, dan zullen ze diep dankbaar zijn voor al het werk dat ik heb gedaan.'

Alle vrouwen die haar hoorden begonnen te lachen. Ze keken Marla aan of ze gek was.

Marla wist alle boodschappen de winkel uit te krijgen, uitgeput maar zonder ernstige verwondingen. Ze had geen idee gehad dat winkelen zo'n agressieve sport kon zijn. Ze had zóveel zakken en tassen dat ze de reusachtige kar en het rek eronder vollaadde. Het parkeerterrein was een nachtmerrie van boze vrouwen en toeterende claxons. Toen ze bij de auto kwam, besefte ze hoe klein die was. Ze stopte de kofferbak vol en stapelde de rest van de boodschappen op de kleine achterbank. Ze deed een stap achteruit, vol trots op haar prestatie. Toen ze zich omdraaide naar de kar, om die terug te brengen, herinnerde ze zich de enorme kalkoen die onderop lag. Ze was bijna het hoofdgerecht vergeten! En dat na alles wat ze had doorgemaakt om hem te krijgen!

Ze had de grootste moeite om hem op te tillen, en toen ze hem eenmaal in haar armen hield, besefte ze dat ze geen plaats had om hem op te bergen, althans niet in de kofferbak of in de kleine ruimte achterin de auto. Dus hees Marla hem moeizaam op de passagiersstoel voorin. Hij paste nauwelijks, want ze had de stoel al naar voren geschoven om ruimte te maken voor de tassen achterin. Strategisch draaide ze de bevroren, glibberige kalkoen om, zette haar voet op de punt van de stoel en duwde de bekleding omlaag.

Er was net genoeg ruimte om de kalkoen erin te wringen, maar ze was bang dat hij eruit zou schieten als ze plotseling remde. Hemel! Verbeeld je dat haar kalkoen door de voorruit zou vliegen! Dus maakte ze liefdevol de riem erom vast. 'Brave jongen,' kirde ze, en gaf een klopje op het bevroren karkas.

Marla had enorm geboft. Toen ze terug was bij het huis en begon uit te laden, bood een vrouw, die zich Rose noemde, aan haar te helpen. Na haar winkelexpeditie dacht ze niet dat ze nog de kracht had om tegenover iemand te pretenderen dat ze Sylvie was, maar deze vrouw leek aardig, dus kon ze geen familie zijn of die idiote feeks die Sylvie had beschreven als haar schoonzus. Rose leek een aardige vrouw en had aangeboden de eindeloze reeks boodschappen naar binnen te dragen. Nu was alles in de keuken – behalve de enorme, onhandelbare, bevroren kalkoen, die nog vastgebonden zat op de stoel in de auto. Overal stonden reusachtige flessen, tassen en blikken. Het was zelfs te veel voor de grote keuken, laat staan voor Marla zelf. 'Heel erg bedankt voor je hulp. Ik had dit alles nooit alleen naar binnen gekregen.'

'Buren moeten elkaar helpen.' Rose zweeg even en bekeek Marla wat aandachtiger in het licht van de keuken. 'Je ziet er geweldig uit. Dat bezoek aan het kuuroord heeft je goed gedaan. Waar was dat?'

Marla wist dat het kuuroord Rose niet zou helpen, dus deed ze of ze niets hoorde. Ze tilde de gigantische zak marshmallows op en hees een deel ervan op één schouder. Maar de andere helft van de zak zwaaide omhoog, sloeg in haar gezicht en kwam terecht op haar andere schouder. Rose hielp haar de zak omlaag te krijgen. 'Nogmaals bedankt,' zei Marla. 'Tjee, ze zouden wel een waarschuwing mogen plakken op die zak. Je zou kunnen stikken. Het zou heel erg gênant zijn om dood te gaan in een bovenlaag voor zoete aardappels.' Marla strekte haar hand uit naar de pot olijven. Waar moest ze *die* opbergen? 'Het is nog moeilijker dan ik had gedacht.' Toen herinnerde Marla zich dat ze geacht werd hierin ervaring te hebben. 'Ik bedoel, ik heb het wel een miljoen keer gedaan, maar elk jaar wordt het moeilijker,' zei ze tegen Rose.

Rose schoof een kruk bij en ging zitten, duidelijk vermoeid. 'Je wordt elk jaar ouder. Niet dat je ernaar uitziet. En niemand waardeert het ooit.'

'Nee. Maar de hele familie is dankbaar voor het geweldige werk dat je hebt verzet... ja toch?'

'O, ja. Het applaus is oorverdovend,' zei Rose sarcastisch.

'Dan is het allemaal de moeite waard,' zei Marla opgewekt, wie het sarcasme ontging.

Rose staarde naar Marla. 'Jee, je bent wél veranderd. Komt het door

het kuuroord of heb je je hoofd gestoten toen je het zwembad in dook?'
'Ik heb nooit gezwommen in het kuuroord,' zei Marla, terwijl ze de papieren tassen en zakken opvouwde.
'Nou, *iets* is veranderd,' zei Rose.
'Het zal de feeststemming zijn.' Marla glimlachte toen ze door de hordeur naar buiten liep. Ze had altijd wel gedacht dat ze aardiger was dan Bobby's vrouw. 'Kun je me even helpen met de kalkoen?'
'Natuurlijk,' antwoordde Rose, terwijl ze haar volgde.
Toen Marla het portier van de auto opendeed, slaakte Rose een kreet. 'Is dat een kalkoen of een struisvogel?' vroeg ze. Toen giechelde ze. 'Lieve help, weet je zeker dat dat genoeg is? Hoeveel pelotons verwacht je? Terwijl ik in mijn eentje moet eten.'
'Tot dusver alleen de gebruikelijke familie.' Marla had medelijden met een vrouw die op Thanksgiving alleen was. Had dat arme kind geen familie? Misschien had een jongere vrouw haar man afgepakt. Ze voelde zich plotseling schuldig. Zij was de oorzaak geweest van tenminste één... huwelijksprobleem. 'Zeg, heb je misschien zin om ook te komen?' vroeg ze.
'Dat meen je niet!' zei Rose. 'Ja, je meent het wél, hè? Komen ze allemaal? Ik zal in vol ornaat aanwezig zijn. Maar intussen, hoe krijgen we die struisvogel het huis in? Je zult weer een kraan nodig hebben.'
'Het is geen kraan- en geen struisvogel,' zei Marla geërgerd. 'Het is een kalkoen. De grootste en mooiste in de hele winkel, en *ík* heb hem gekregen.' Ze keek om zich heen en zag een rode trekkar in de garage staan. Ze bracht hem naar de auto, en Rose hielp haar hem tegen het open portier te zetten.
'Weet je nog dat Billy Kenny hierin langs de heuvel omlaagduwde?' vroeg Rose.
'Niet echt,' antwoordde Marla. Ze was afgeleid en probeerde de kalkoen voorzichtig in de kar te laten glijden.
'Indertijd gedroeg je je of de wereld verging. Ik zou zeggen dat het litteken boven zijn oog je er voortdurend aan moet herinneren.'
'Uit het oog, uit het hoofd,' kaatste Marla terug.
'Vind je het niet saai dat de kinderen niet meer thuis zijn?' vroeg Rose op sombere toon. Inmiddels hadden ze de kalkoen in de kar geladen en Marla probeerde de kar het pad op te trekken.
'Natuurlijk. En nu Bob zo vaak weg is, begin ik het gevoel te krijgen dat ik ongetrouwd ben.'

'In ieder geval ben je niet gescheiden. Dat is een hel,' zei Rose.

De oude man – hij heette Lou – zat in gebogen houding achter de piano. Hij speelde een afgezaagd oud liedje, en Marla kon horen dat hij het niet goed speelde. Ze vroeg zich af waarom hij zo gebogen liep – hij was nog niet zo oud – maar zijn houding en gedrag maakten hem oud. Ze kwam achter hem staan en legde beide handen op zijn schouders; ze trok hem naar achteren en duwde tegen hem aan tot zijn rug recht was. Lou's handen gingen langzamer, begonnen te trillen, en ten slotte hield hij op met spelen.

'Om goed te spelen, moet je goed zitten,' zei Marla met haar professionele stem. 'Denk je soms dat Beethoven zo gebogen zat?'

'Ik denk het wel,' antwoordde Lou. 'Op alle afbeeldingen lijkt hij tenminste gebogen te zitten.'

'Hemel, Lou. Wat zijn die spieren gespannen!' Zachtjes duwde Marla haar duim in de ruimte tussen de pezen op Lou's schouder.

'Gespannen? Ja. Ik maak me zorgen dat ik weer een dag zal blijven leven.'

'Lou! Wat afschuwelijk om zoiets te zeggen,' zei Marla oprecht en geschokt. Ze duwde haar vingers dieper in Lou's schouder. Hoe zou ze hem kunnen helpen, vroeg ze zich af. 'Lou,' zei ze plotseling vastberaden, 'trek je schoenen uit.'

'Waarom?' vroeg hij. 'Is mijn pedaalvoet te zwaar?'

'Nee. Nee,' stelde ze hem gerust, 'maar ik vind dat je geestesgesteldheid moet worden aangepast, een confrontatie nodig heeft. En dat begint bij je voeten.'

'Geloof me, mevrouw Schiffer, niemand wil een confrontatie met mijn voeten. Geloof me.'

'Doe niet zo mal,' zei Marla, terwijl ze knielde en de veters van zijn schoen los begon te maken. Plotseling verscheen er een glimlach, zo breed en stralend als een regenboog, op Lou's gezicht. 'Wat is er?' vroeg Marla.

Lou wendde zijn ogen af, alsof hij verlegen was. Een gat in zijn sok? Nee. Marla keek weer omlaag en trok de sok van zijn voet. Ze keek weer op naar Lou's opgewekte, maar beschaamde gezicht. Toen ging haar blik weer omlaag, maar stopte deze keer bij zijn schoot. Onder zijn oude-mannenbroek zag ze een duidelijk zichtbare stijve. Marla lachte vriendelijk naar Lou. 'Zie je nou?' zei ze. 'Reflexologie geneest alles.'

23

Sylvie lag met gesloten ogen, niet helemaal in slaap, niet helemaal wakker, maar in die grijze zone van lome behaaglijkheid. Rechts van haar voelde ze Bobs warme lichaam tegen het hare. Zijn arm onder haar hals en om haar schouder gaf haar zo'n vredig en tevreden gevoel dat ze geneigd was terug te zakken in die schemerzone waarin ze vertoefd had. Maar tegelijkertijd wilde ze wakker worden, zodat ze bewust van dit moment kon genieten. De aantrekkingskracht van het comateuze genotvol nagenieten was moeilijk te negeren. Sylvie zuchtte. Ze kon zich niet herinneren wanneer ze zich de laatste keer zo goed had gevoeld. Na nog een paar ogenblikken genieten deed ze haar uiterste best en opende haar ogen. Bobs gezicht lag naast haar op het kussen, en hoewel de meeste kaarsen waren uitgebrand, was er nog voldoende licht om zijn profiel te kunnen zien. Hij was echt een mooie man, dacht ze, zelfs na al die jaren. Zijn hoofd, dat achterover op het kussen lag, was nobel en – vanuit deze hoek gezien, met zijn hals gestrekt – zag zijn kaaklijn er nog even ferm uit als twintig jaar geleden. Zijn heel donkere wimpers wierpen een schaduw op zijn jukbeen em de lichte blos en glans van het zweet op zijn gezicht gaf hem, tijdelijk althans, de dauwachtige huid van de jeugd.

Sylvie wilde hem zoenen – op zijn jukbeenderen, op zijn oogleden en op zijn volle, enigszins geopende mond – maar ze durfde zich niet te bewegen, bang dat ze hem wakker zou maken en de ban zou verbreken. Want nu, op dit moment, was Sylvie volmaakt gelukkig: hoe dan ook, ze hield van die man naast haar, en nu wist ze dat hij van haar hield met een hartstocht die misschien nog dieper ging dan die van haarzelf. Ze was er eindelijk in geslaagd. Ze had een relatie met haar eigen man, een relatie die alle nerveuze aantrekkingskracht had van het verbodene. Maar – voor haar – ook de diepte van hun gezamenlijke verleden en het feit dat ze hem zo goed kende.

Alsof hij voelde dat ze naar hem staarde, begonnen Bobs oogleden te trillen. Als een kat deed hij langzaam zijn ogen open, draaide zijn hoofd om en keek haar aan. Even zeiden ze niets, maar die blik zei alles. Toen trok hij haar dichter naar zich toe. Sylvie voelde zich veilig en beschermd in de cirkel van zijn arm.

'Ik ben blij dat je me hebt gebeld. Ik ben zo blij dat ik gekomen ben,' fluisterde Bob. Ze staarden elkaar weer aan. Ze kon voelen dat hij naar woorden zocht. Even kwam ze in de verleiding haar hand op zijn lippen te leggen. Woorden konden deze perfectie alleen maar verstoren, maar voor ze een gebaar kon maken, ging hij al verder. 'Dat was... wauw...' Hij knipperde met zijn ogen. Glansden daar tranen in? Sylvie wist dat Bobs zwijgen even welsprekend was als zijn woorden. '...machtig,' eindigde hij.

Ze voelde de blijdschap door zich heen stromen. Ze had zich niet vergist. De magie bestond niet alleen in haar verbeelding. 'Voor mij ook,' fluisterde Sylvie terug, maar ze bewoog zich niet. Ze wilde dat hij haar weer aanraakte. Maar hij moest als eerste reageren.

Alsof Bob het voelde, stak hij zijn hand uit en streek over haar haar. Hij deed het zacht, bijna eerbiedig. Toen verscheen er een andere uitdrukking op zijn gezicht: hij keek verward. 'Iets is anders geworden. Echt anders,' zei hij. 'Je bent veranderd.' Even sloeg Sylvie de angst om het hart. Misschien was het nu, eindelijk, tot hem doorgedrongen dat ze een truc met hem had uitgehaald. Misschien was ze betrapt. En misschien was dat ook wel goed, misschien was het wat ze wilde.

Bob keek haar aan, keek haar *echt* aan. Sylvie deinsde niet terug. Ze kon de verwarring in zijn ogen zien, maar doorstond zijn blik kalm. Bob probeerde weer iets te zeggen. 'Vanavond was ons liefdesspel... diepgaander, intenser dan ooit tevoren...' Hij zweeg. In plaats van zijn lippen te gebruiken om te praten, kuste hij haar. Het was een filmkus, een Warren Beatty-Natalie Wood-*Splender-in-the-Grass*-kus. 'Ik denk dat het goed voor je is geweest om naar huis te gaan en je oma te bezoeken. Het heeft je grond onder de voeten gegeven, of zoiets. Intussen schijn ik je niet te kunnen loslaten.'

'Dan neem ik aan dat je me zult moeten houden,' zei Sylvie. Ze huiverde en Bob dekte haar toe met het laken. Even verlangde Sylvie – altijd de goede huisvrouw – naar het pure katoenen damast van haar eigen bed in plaats van deze ruwe, kreukvrije, bont gebloemde stof.

Haar huid – nou ja, alles van haar – was nu zo gevoelig. Maar lakens, *dingen*, waren niet belangrijk meer. Ze konden op dierenhuiden liggen in een grot, of in het hooi op de vliering van een schuur. Ze voelde dat Bob zijn adem inhield en toen met een diepe zucht liet ontsnappen. Ze verstijfde. Ze wist, als door een osmose via zijn huid, dat hij erover dacht om naar huis te gaan.

Toen, voor het eerst sinds ze met vrijen waren begonnen, herinnerde ze zich dat ze niet Sylvie was. Bob had niet met haar gevrijd. Ze was nu Marla. Bob hield van Marla terwijl de arme Sylvie werd bedrogen. Na wat er deze avond tussen hen was gebeurd, wist ze nu zeker dat ze naar Bob verlangde, wanhopig naar hem verlangde. Maar naar wie verlangde Bob? De vrouw met wie hij net naar bed was geweest, of naar zijn maîtresse thuis in het bed van zijn echtgenote?

Als in antwoord op haar vraag ging Bob op zijn onbezeerde elleboog liggen en keek haar aan. 'Marla, ik wil je houden. Voorgoed. Om je de waarheid te vertellen, voor je wegging was ik van plan met je te breken.'

'Echt waar?' zei Sylvie opgewekt. Toen besefte ze dat hij de verleden tijd had gebruikt en dat zij – Marla – bedroefd hoorde te zijn.

'Ja,' zei Bob. 'Niet dat er iets veranderd was tussen mijn vrouw en mij, maar het leek –'

'Hoe bedoel je, "niets veranderd tussen jou en je vrouw"?' vroeg Sylvie.

Bob liet zich op zijn andere elleboog rollen en kreunde even van pijn. 'Het heeft niets te maken met mijn vrouw,' zei hij. 'Het is dat je... uniekheid me steeds meer gaat boeien.'

'Echt, echt waar?' vroeg ze, bijna een parodie van Marla. Ze kon zich niet beheersen. 'Beloof me dat ik op niemand lijk die je ooit ontmoet hebt.'

'Malle. Dat is een gemakkelijke belofte,' zei Bob lachend. Toen keek hij weer serieus en zijn stem klonk hees. 'Jij lijkt op niemand anders,' fluisterde hij, met zijn mond tegen haar oor. 'En vanavond heeft je uniekheid een grote sprong naar voren genomen.'

'Eén stap voor een man, een reusachtige sprong voor de vrouwen,' zei Sylvie, die met een ruk overeind ging zitten. De man had geen idee dat ze als twee druppels water op zijn eigen vrouw leek. Mijn hemel! Hij was zo blind, zo stom... en zo aanbiddelijk. De herinnering dat ze Marla was had haar tot het besluit gebracht dat het tijd was Bob te kwellen.

'Was het niet nieuw en bijzonder vanavond?' vroeg Bob.

'Seks met jou is altijd goed,' kirde ze. 'Je bent een echt, echt goede minnaar. Een van mijn beste.'

Even verstarde Bobs gezicht, zijn mond bleef onaantrekkelijk openstaan. Hij ging op zijn rug liggen, zakte weer neer op zijn kussen, staarde naar het plafond en zei niets. Misschien was ze te ver gegaan, dacht Sylvie ongerust. Ze ging ook weer liggen, bleef even stil, en toen hij een tijdje niets gezegd had en zich niet had bewogen, liet ze zich op zijn borst rollen en pende zijn polsen tegen de matras. 'Wat was anders?' vroeg ze. 'Minder acrobatiek dan gewoonlijk?'

'Hè?' Bob kwam terug van waar hij geweest was. 'Minder acrobatiek?' herhaalde hij.

Schuldbewust zei Sylvie: 'Het spijt me. Ik was moe.'

Bob schudde zijn hoofd. 'Geen verontschuldigingen. Het was volmaakt. Jij was volmaakt.' Hij zweeg even en de vonk was terug. 'Ik hield ervan. Ik hou van *jou*,' zei hij en zoende haar.

'Je *houdt* van me?' herhaalde Sylvie.

Ze kon horen dat Bob de importantie van zijn woorden overwoog. Ze wachtte om te zien of hij zou terugkrabbelen. 'Zeker,' zei hij, maar 'zeker' was te oppervlakkig.

'Wat voor soort liefde?' vroeg Sylvie. 'De liefde van een man voor een vrouw?'

'Ja, precies, ' zei Bob luchthartig. Hij keek naar Sylvie en trok haar naar zich toe. 'Je beeft.'

Hoe kon hij haar zo verraden? dacht Sylvie. Hoe kon hij tegen Marla zeggen dat hij van haar hield? 'Ik heb het koud.'

Teder stopte hij een deken om haar heen. Even bleven ze stil liggen, tot het tot Bob doordrong – de stommeling – dat haar koelheid niet alleen fysiek was. Toen ging het alarmsignaal van Bobs horloge af en werd de stilte verbroken. 'Ik ben bang dat het tijd is. Ik moet er vandoor,' zei Bob.

Hij had het alarm gezet? Sylvie kon het niet geloven. Hij had een grens gesteld aan hun intimiteit, hun genot. Wanneer had hij dat gedaan? 'O, nee.. nog niet,' smeekte Sylvie. 'Alsjeblieft...'

Bob pakte haar bij haar schouders. 'Hou op,' zei hij. 'Je hebt me beloofd dat we geen ruzie meer zouden maken als ik weg moet.' Hij gaf haar een zoen op haar wang. 'Dit is niet gemakkelijk voor me.'Zijn stem klonk hees en zo oprecht. Loog hij tegen haar? Moest ze hem vertellen dat hij niet weg hoefde te gaan? – tenminste niet om zijn vrouw een plezier te doen?

'Blijf alsjeblieft, Bobby,' fluisterde ze. 'Nog even.' Ze zweeg een moment. 'Dat was geen ruzie maken. Dat was smeken.'

'Het is al moeilijk genoeg voor me, Marla...'

'Maar hoe kun je nu gewoon weggaan? Vooral na wat we net samen hebben beleefd. Bovendien zijn de kaarsen nog niet helemaal opgebrand. En je *zei* dat het diepgaander was.' Ze wachtte even. 'Diepgaander dan met je vrouw?'

'Geen vragen meer,' zei Bob en zwaaide zijn benen over de rand van het bed. Sylvie kon merken dat hij zijn best deed om niet geërgerd over te komen. 'Ik heb er geen antwoord op.'

Bob wurmde zich in zijn broek en begon de veters van zijn schoenen vast te maken. Gekwetst en verward draaide Sylvie hem haar rug toe en trok het laken over haar hoofd. Het was een kinderachtig gebaar, maar ze voelde zich net een kind.

'Wie trekt zich trouwens iets van haar aan,' zei Sylvie op een klaaglijk toontje.

'Ik.'

Sylvie liet zich omrollen, schoof het laken omlaag en draaide zich weer om naar Bob, hoopvol nu. 'Heus?'

'Ze is de moeder van mijn kinderen,' zei Bob effen.

'Is dat alles?' snauwde Sylvie. Ze kon niet geloven dat hij dat gezegd had. Wat was ze als zijn vrouw, een soort broedmerrie? Zag hij haar dan helemaal niet als vrouw? 'Misschien is dat niet alles wat ze is. Misschien zou ze meer zijn als jij de dingen met haar deed die je vroeger deed. Dingen zoals wij vanavond hebben gedaan.' Toen besefte ze wat ze deed en legde zichzelf het zwijgen op.

'Wat zei je?' Bob keek haar aan; de verwarring was op zijn gezicht te lezen, een verwarring die nog groter was dan de hare.

Sylvie trok de dekens hoger op. 'Niets,' zei ze, en dwong zich tot een Marla-giechel. 'Bobby, je weet toch dat we nooit weten waar ik over praat.' Sylvie ging op haar knieën zitten en sloeg haar armen om Bobs middel. 'Ik weet dat je aan me verslaafd bent. En ik ben vroeger verslaafd geweest aan knikkeren, dus ik weet hoe dat voelt! Je zult *altijd* bij me terugkomen.'

Marla en John zaten te eten en dronken wijn. 'Ik ben blij dat je gekomen bent, Johnny, anders zou dit hele diner verspild zijn. Alweer.' Marla zuchtte en tuitte haar lippen zo aantrekkelijk mogelijk, maar slechts deels voor het effect. 'Ik zal het Bob toch laten eten als hij thuiskomt. *Als* hij nog eens komt.' Had Bob vóór de switch werkelijk zoveel tijd in haar flat doorgebracht?

De tafel was volledig gedekt voor Thanksgiving. Eigenlijk overdreven. Schalen, bestek, Pilgrimhoeden, pompoenen, een grote hoorn des overvloeds en uitvouwbare papieren kalkoenen namen het hele tafelblad in beslag, samen met de ongeveer vierentwintig couverts. Het geheel was bedekt met polyethyleen van de stomerij, en deed denken aan een Miss Havishams tafel. Of misschien meer aan de theetafel van de Gekke Hoedenmaker, omdat slechts een hoek van de grote tafel was leeggeruimd voor hen beiden.

'Bob komt nooit thuis om te eten. Hij komt nauwelijks nog thuis. Ik geloof niet dat het alleen om de garnalen was.' Ze keek naar John. 'Dat was een vergissing.' Hij knikte. 'In ieder geval,' zei ze, 'ik heb gekookt, hij zei dat hij thuis zou komen en toen zei hij opeens dat hij het niet haalde. Intussen gaan kinderen in India dood van de honger. Dus belde ik jou.'

'En ik ben erg blij dat je dat deed,' zei John. 'Ik hoop dat het niet alleen was omdat het eten anders verspild zou zijn.' Hij hief zijn glas naar haar op.

'Eh, eh,' zei ze, en nam een slok wijn. 'Het is om iets te bekennen. John, ik heb iets vreselijks gedaan,' begon Marla. 'Ik denk dat het mijn karma zal beïnvloeden.'

'Wat?'

'Het is zo erg dat ik het moet fluisteren,' bekende Marla en boog zich naar voren. John wendde zijn blik af van haar decolleté, maar boog zich naar haar toe, tot haar mond bijna zijn oor raakte. 'Ik heb Nair in Bobs shampoo gedaan, ' fluisterde Marla.

John lachte bijna vijf minuten lang. 'O, god!' wist hij er eindelijk uit te brengen. 'Hij vertelde me dat zijn haar uitviel. Ik zei dat hij het zich verbeeldde.' Hij begon weer te lachen. Telkens als hij bijna stopte, keek hij naar haar en begon weer opnieuw. 'Nou, ik kan je iets vertellen dat *ik* heb gedaan dat niet goed was voor *mijn* karma, zoals jij het uitdrukt,' zei John toen hij eindelijk weer een woord uit kon brengen. 'Weet je nog, in ons eerste jaar op highschool, die avond dat je me meesleurde maar Cleveland naar die Zweedse film en me die twee keer liet zien?'

Marla had geen idee. 'Wacht. Laat me even denken... o, natuurlijk herinner ik me dat. Wat gebeurde er?'

'Ik zei dat ik die film even goed vond als jij.' John zweeg. Hij keek naar haar nietszeggende gezicht. 'Jij herinnert het je niet eens, maar het heeft mij al die tijd dwarsgezeten. Dat ik loog,' bekende hij.

'En al die jaren heb ik het nooit geweten.' Marla boog zich naar voren en pakte zijn hand. 'Zal ik je eens wat vertellen? Ik vond hem ook niet goed.'

Ze keken elkaar aan met een glimlach die zó intiem was dat ze beiden hun ogen moesten afwenden.

24

Bob kwam net thuis uit Marla's flat. Hij keek op zijn horloge bij het licht van de ovendeur. Het was bijna één uur. Hij had niet wéér zo lang moeten blijven. Hij begon de trap op te lopen. Sylvie zou nu al wel slapen. Maar voordat hij de derde (altijd krakende) tree had genomen, hield Sylvie's stem hem tegen. 'Hé, makker. Waar ga jij naartoe? Ik heb een diner voor je klaargemaakt.'

Bob draaide zich om, liep de trap af, de gang door, naar de eetkamer. In het licht van twee druipende kaarsen zag hij zijn vrouw zitten. 'Schat, je had niet op hoeven blijven. En ik heb geen honger.'

Marla kneep haar ogen samen. 'Het heeft me de hele middag gekost om het klaar te maken. En ik heb de hele avond gewacht om het op te eten, Je kunt tussen twee dingen kiezen: eet het of draag het!

'O. Oké, ik zal het nu wel eten.' Bob ging op zijn stoel zitten. De tafel was gedekt en een trieste, verlepte salade stond voor hem. Hij keek naar Sylvie. Misschien waren het geen hormonen. Misschien was ze geestelijk – in de war. Hij nam zijn vork op. 'Die sla ziet er goed uit,' zei hij.

'Ik zal de entree halen,' zei Marla, maar ze sprak het uit als 'intree', als de ingang van een deur. Stampend liep ze de eetkamer uit. Bob vroeg zich een angstig moment af of ze hem en zijn... situatie doorhad. Hij dacht het niet, maar het was maar beter om verzoenend te doen.

Marla kwam weer stampend binnen, met twee borden in de hand. Ze smeet het bord van Bob voor hem neer op tafel, plofte toen neer op haar stoel, pakte haar vork op en prikte rond in haar eten.

Bob prikte iets wat op rijst leek aan zijn eigen vork en nam een hap. 'Hmm, lekker,' zei hij, al smaakte het naar vis. Hij kauwde en slikte het toch maar door en nam nog een hap. Sylvie keek hem woedend aan. 'Je bent kwaad, hè?' vroeg hij. Sylvie gaf geen antwoord, maar stopte alleen nog een vorkvol eten in haar mond. 'Het spijt me, toet,' zei Bob nerveus.

Marla kneep haar ogen tot spleetjes. 'Toet? Wie is toet?' vroeg ze.

Bob wist niet hoe hij het had. 'Niemand,' zei hij. 'Ik bedoel, dat ben jij.' Hij had het gevoel dat zijn keel werd dichtgeknepen en nam zijn waterglas op. Hij nam een flinke slok, maar het was witte wijn. Hij verslikte zich, maar wist het met moeite naar binnen te slikken. 'Niemand,' herhaalde hij.

'Het kan maar beter *exact* niemand zijn. Want als ik mijn leven moet doorbrengen met voor jou te zorgen en... je weet wel... die tweeling, en jij draait me een rad voor mijn ogen...'

Bob voelde zich zó duizelig, dat hij haar nauwelijks kon horen. Er was iets heel erg mis. Bob klemde zijn handen om de leuningen van de stoel. Zelfs zijn handen transpireerden. 'Ik krijg geen adem,' fluisterde hij, want alle lucht was uit zijn longen vedwenen.

'Zie je nou wat er gebeurt als je iets verkeerds doet? God straft je,' zei zijn vrouw en marcheerde de kamer uit.

Bob staarde naar zijn bord, duizelig en ademloos, door en door geschokt. Hij kon niet geloven dat dit gebeurde. Zijn borst voelde beklemd. Hij stak zijn hand in zijn zak en haalde zijn telefoon te voorschijn. Hij had de grootste moeite zich op de cijfers te concentreren. Hij had hulp nodig – medische hulp. Hij toetste Johns privé-nummer in en deed een schietgebedje dat hij niet het antwoordapparaat zou krijgen. Na wat hem een oneindig lange tijd leek, werd de telefoon opgenomen en hoorde hij Johns stem. 'Met Bob,' hijgde hij. 'Garnalen,' zei hij, en toen viel hij flauw.

'Je blijft leven. Alleen de goeden sterven jong,' zei John, terwijl hij de weggooispuit in de afvalbak gooide en Bobs onderbroek omhoogtrok.

Bob kon zich Johns komst niet precies herinneren, evenmin als de eerste adrenaline-injectie. Hij herinnerde zich een huilende Sylvie en dat John hem met zijn gezicht omlaag op de bank had gelegd. Sylvie was verdoofd en sliep boven. Bob draaide zich om en probeerde overeind te komen. 'Ze probeert me te vermoorden,' zei hij schor tegen John.

'Doe niet zo belachelijk,' zei John.

'Het is niet belachelijk. Ze probeert me te vermoorden of ze heeft alzheimer. Ze is vergeten dat ze met de auto in het zwembad is gereden. Ze herinnerde zich de hijskraan niet. Ze heeft eieren met spek voor me gebakken.'

John knikte nuchter. 'Van eieren met spek ga je dood,' gaf hij toe.

'Ik meen het serieus,' zei Bob.

'Nee, je bent een narcist,' antwoordde John. 'Sylvie was hysterisch over haar fout. Maar fouten komen voor. Ik werk in een ziekenhuis. Vertrouw me. Ik heb haar een slaappilletje gegeven. Ze voelt zich vreselijk.'

'Zij? Ik ging bijna dood.'

'Mensen vergeten dingen, Bob. Ze worden afgeleid of zijn ongelukkig – en misschien hebben ze daar alle reden toe – en dus worden ze vergeetachtig. Of ze zitten vol woede en beseffen dat domweg niet.' John deed zijn tas dicht en rolde zijn mouwen om.

'Wacht! Wil je voor je weggaat even naar die uitslag kijken? Ik word er gek van.'

'Moet dat?' Bob trok zijn hemd op. John boog zich over hem heen. 'Dat is gewoon zenuwuitslag. Dat had je ook toen de kinderen naar de universiteit gingen. Gebruik die stinkzalf.'

John pakte zijn jack op en wilde weggaan. 'Wacht,' zei Bob. 'Dat is nog niet alles. Toen ik vanmorgen mijn haar waste, zaten er haren in de afvoer. Meer dan gewoonlijk.'

John bleef op de drempel staan. 'Haarverlies, hè? Ik zie er niets van.' Hij haalde zijn schouders op. 'Mijn medische opinie is dat het veroorzaakt wordt door de rotzooi die je van je leven maakt.'

En het enige waar Bob aan kon denken was zo gauw mogelijk naar Marla gaan.

25

Wat ze nodig had, bedacht Sylvie, was – behalve een compleet psychiatrisch onderzoek en de geëigende farmaceutische middelen – een intieme vriendin. Sinds Gloria naar Kansas City was verhuisd, was er geen intieme vriendschap meer voor in de plaats gekomen. Maar ze *moest* gewoon met iemand praten over haar seksleven met Bob, anders zou ze exploderen. Met John kon ze er niet over praten, al was hij nog zo'n goede vriend. Tegen hem wilde ze klagen over Bob, niet hem prijzen. Dus de enige die overbleef, al was ze nog zo ongeschikt, was haar moeder.

Sylvie stapte in de auto en reed naar het winkelcentrum. Ze had een sleutel van de dienstingang van Potz Bayou en parkeerde haar auto daar. Als iemand hem zag, zouden ze denken dat het haar auto was, niet die van Marla. Misschien had Bob Marla daarom wel die auto gegeven. Ze schudde haar hoofd. Soms was het moeilijk te zeggen of Bob een genie was of een imbeciel.

Ze sloop de achterkamer binnen, waar de gipsafgietsels, extra emaillen potten en penselen werden bewaard, samen met de rommel die zich in elke opslagruimte ophoopt. Bij het koffieapparaat stonden een paar bekers die door klanten waren achtergelaten om te worden gebakken en nooit afgehaald. Sylvie pakte een blauwgroene beker met kleine engeltjes en de naam Nan erop geschilderd. Wie Nan ook was, engeltjes schilderen kon ze niet, dacht Sylvie. Sylvie vulde de beker met koffie en pakte de wandtelefoon op om met de ene lijn de andere te bellen. Toen ze Mildreds stem hoorde, voelde ze zich weer wat optimistischer. 'Mam, kun je achter bij me komen?' vroeg ze. Het bleef even stil.

'Sylvie?' vroeg haar moeder aarzelend.

'Natuurlijk is het Sylvie,' snauwde ze. 'Klink ik soms als Phil?'

'Nou, om eerlijk te zijn, jouw stem en die van Je-Weet-Wel-Wie lijken erg veel op elkaar.'

'Kun je alsjeblieft gewoon hier komen?' vroeg Sylvie.

'Hier *waar*?' vroeg Mildred.

'Mam, ik ben in de opslagkamer.'

'Welke opslagkamer?' vroeg Mildred geïrriteerd.

'*Jouw* opslagkamer,' zei Sylvie nog geïrriteerder.

'O, verdraaid!' riep Mildred uit, en even later kwam ze binnen. Ze liep langs Sylvie heen, gaf haar en passant een zoen op haar wang, pakte een beker op en begon die vol te schenken.

Sylvie staarde kregelig naar haar eigen koffie. 'Wie is Nan?' vroeg ze.

Mildred keek even naar Sylvie's beker. 'Een of andere lullige meid,' zei Mildred. 'Ze ging er vandoor met haar aannemer en is nooit teruggekomen voor haar beker.' Mildred keek naar haar dochter en trok haar wenkbrauwen op. '*Zij* was ook niet slim genoeg om haar huwelijk met rust te laten.'

'O, mam, alsjeblieft! Nu niet tegen me tekeergaan,' smeekte Sylvie. 'Ik geef toe dat er iets heel erg mis met me is. Ik probeerde alleen maar terug te krijgen wat ik vroeger heb gehad.' Ze draaide zich om naar haar moeder. 'Hoor eens, ik had de oude Bob, maar nu heb ik de nieuwe Bob, en die is zoals Bob vroeger was. Niet als de oude Bob, maar als de jonge, als je me begrijpt.'

Mildred kneep haar ogen samen. 'Ben je Marla?'

'Mam, hij vrijde met me en het was...' Sylvie kon niet verder. Ze staarde weer naar haar koffie en een lichte huivering liep over haar rug. 'O, jij herinnert je niet meer hoe het was.'

Mildred gaf haar een klopje op haar arm. 'Ik herinner het me,' zei ze op zachtere toon. 'Je vader was een heel hartstochtelijke man.' Ze bleven allebei even zwijgend staan. 'Hou je van hem, Sylvie?' vroeg Mildred.

'Met heel mijn hart,' zei Sylvie. 'Hij is zo mooi.'

Mildred rolde met haar ogen. 'Zo beminde wijlen je grootmoeder ook. Goddank dat het een generatie heeft overgeslagen.'

'Mam, dit plan werkt niet,' zei Sylvie. 'Ik bedoel, ik heb gekregen wat ik wilde, maar nu ben ik zo bang dat ik het zal verliezen. Ik ben echt bang.'

'Vertel eens wat nieuws. Je bent bang geboren. Dat zijn alle vrouwen. Vergeet niet dat hij een man is die je bedrogen heeft en die je nu, op dit moment, bedriegt.'

Sylvie raakte in paniek. Het angstzweet brak haar uit en ze voelde haar huid klam worden. 'Heeft hij seks met Marla? Heeft ze je dat verteld?' vroeg ze.

'Nee! Hij heeft seks met *jou. Jij* bent Marla.'

'Nee, *ik* ben Marla,' klonk een stem op de drempel.

Mildred keek op. 'Is dit een scène uit *Spartacus*?' vroeg ze.

'Wat is een Spartacus?' vroeg Marla.

De twee oudere vrouwen negeerden de vraag. 'Je hoort hier niet te zijn. We kunnen niet allebei tegelijk hier zijn,' siste Sylvie.

'Nou, *jij* bent degene die hier niet hoort te zijn,' merkte Marla op. 'Ik kan mijn eigen moeder opzoeken als ik dat wil. Ik heb niemand anders om mee te praten. De kinderen zijn weg en Bob is nooit thuis.'

'Vertel me daarover als je het zes maanden hebt meegemaakt, niet zes dagen.'

'Ik snap het niet,' bekende Marla. 'Het is niet dat je zo'n goede sekspartner bent of zo. Je leeft in geleende tijd.'

'Ik *ben* een goede sekspartner,' snauwde Sylvie. Ze huiverde even bij de herinnering. 'Seks is niet zo goed meer geweest sinds de tijd vóór ons huwelijk.'

'Vóór je huwelijk?' vroeg Mildred. *'Ervóór?* Als ik eraan denk wat je vader en ik hebben uitgegeven aan die witte bruiloft –'

'Kom nou, mam. Het was in de jaren zeventig,' zei Sylvie.

Marla zette haar handen op haar heupen en liep naar het koffiezetapparaat. 'Ik ben geboren in de jaren zeventig,' bracht ze hun in herinnering.

'Dat lieg je,' snauwde Sylvie. 'Geef het maar toe. Je bent boven de dertig.'

'Meisjes, meisjes, hou op,' zei Mildred, terwijl ze koffie inschonk voor Marla en haar een groene beker overhandigde, waarop stond: 'Kus me, ik ben Iers.' 'Een beetje solidariteit alsjeblieft. Ik dacht dat dit plan bedoeld was voor twee vrouwen tegen een gemeenschappelijke vijand,' merkte Mildred op.

'Zij is begonnen,' snauwde Marla.

'En ik zal het ook afmaken,' zei Sylvie. 'Nu, op dit moment. Ik wil gewoon weer zijn vrouw zijn *en* geweldige seks met hem hebben. Is dat te veel verlangd?' vroeg Sylvie aan haar moeder.

'Ja,' antwoordde Mildred. 'Jij wilt alles.'

'Als zij alles wil, wil ik ook alles!' jammerde Marla. 'Huwelijk, ziekteverzekering, puppy's die je moet kopen.'

'Luister eens, jullie allebei. Prent dit goed in je hoofd: geen enkele vrouw heeft alles. Romantiek en huwelijk? Nee. Spanning en stabiliteit? Vergeet het. Niet allebei. Kies er één uit en hou verder je mond.'

'Maar die geweldige seks is niet genoeg. Ik moet meer bij hem zijn,' kermde Sylvie.

'*Meer?* Hij woont praktisch bij je. Ik bedoel, bij mij.' Marla zette de koffie neer. 'Hoor eens: mijn kinderen komen overmorgen thuis en ik verwacht een heerlijke feestdag te hebben met het gezin. Hij komt mij – jou – *nooit* opzoeken op feestdagen of weekends, dus wil ik hem thuis hebben. Als je er onderuit wilt, zul je tot dan moeten wachten. We vertellen het hem pas na Thanksgiving. En ik kan nog steeds seks met hem hebben, weet je. Ik zou kunnen proberen hem eraan te herinneren waarom hij met je getrouwd is.'

'Je hebt gezegd dat je dat niet zou doen,' zei Sylvie, die weer bang werd.

'Nou, en? En ik dan? Je hebt beloofd dat ik hierna een echtgenoot zou krijgen. Je praat erover, maar – neem me niet kwalijk! Ik zie geen bruidegom.'

Mildred liep naar de deur en deed die dicht. 'Oké. Hou op. Jullie allebei,' zei ze. 'Sylvie, Marla heeft gelijk. Het was een verdomd stomme belofte, maar je zult het waar moeten maken.'

Marla glimlachte beverig. Sylvie kon zien dat ze opgetogen was over Mildreds bescherming. 'Dank je, mam,' zei Marla. Ze draaide zich om naar Sylvie. 'Wat zou je zeggen van John? Als echtgenoot?'

'John? John houdt van mij! Je kunt John niet krijgen.'

'O, vergeet John. Hij is een geboren weduwnaar. Het is zijn verdriet dat hem zo aantrekkelijk maakt,' zei Mildred.

'John zal nooit meer trouwen, en hij wil geen kinderen,' zei Sylvie tegen Marla.

'Dat heeft hij *mij* nooit verteld,' antwoordde Marla.

'Dat heeft hij wél, ongeveer drie jaar geleden. Je herinnert het je alleen niet meer,' snauwde Sylvie.

Mildred viel hen weer in de rede. 'Het zou waarschijnlijk een goed idee zijn met een specifieke man op de proppen te komen,' zei ze tegen Sylvie. 'Waarom zou Marla zich tevreden moeten stellen met een abstractie?'

'Ja,' zei Marla. 'Wat dat ook betekent.'

'Oké,' zei Sylvie. Ze zette haar lege beker neer en hief haar handen op. 'Oké, ik ben er echt wel mee bezig geweest. Ik dacht erover haar Phil te geven.'

Mildred liet haar eigen beker, die gelukkig bijna leeg was, vallen. Toen hij op de grond terechtkwam, explodeerde hij in een miljoen stukjes. Ondanks de rommel rond haar voeten bewoog Mildred zich niet. 'O, je hebt de beker gebroken!' zei Marla, die als altijd het overduidelijke feit constateerde. Ze bukte zich en raapte de scherven op. 'Ik zal een nieuwe voor je maken.'

Mildred negeerde haar. *'Onze* Phil?' vroeg ze schor.

'Wie is Phil?' vroeg Marla.

Mildred keek naar Marla. 'Ze heeft het over je broer, mijn zoon. Sylvie, ben je helemaal gek geworden? Dit is niet het oude Egypte en hij is geen farao.'

'Bedoel je dat ik lid van de familie zou kunnen worden?' vroeg Marla kinderlijk.

Sylvie knikte en vermeed de blik van haar moeder. 'Je zou mijn zus zijn.'

'Schoonzus,' verbeterde Mildred haar. 'Sylvie, dit is belachelijk.'

Marla keek naar Mildred om bevestiging. 'Nee, het zou geweldig zijn. Zou ik je... mam mogen noemen?'

Mildred schudde haar hoofd. 'Hij is mijn eigen zoon, maar... nou ja, hij verdient liefde... tot op zekere hoogte.' Ze keek naar Marla. 'Sylvie, dit is belachelijk. Absoluut onmogelijk. Ik –'

'Hij ziet er goed uit, hij is ongetrouwd en hij heeft een baan,' zei Sylvie tegen Marla. 'En ze zou beter zijn dan de laatste,' ging ze verder tegen Mildred.

'Echt waar? Fantastisch! Ik neem alle nare dingen terug die ik over je gezegd heb. Weet je, ik herinner me nu weer dat ik Phil aan de telefoon heb gesproken. Hij maakte zich bezorgd over je. Hij is erg beschermend. Dat zie ik graag in een man.'

'Voor jullie tweeën de ring kopen, zou ik eerst maar eens bij Phil informeren hoe hij erover denkt,' zei Mildred. 'Misschien heeft hij iets tegen incest. Intussen trek ik mijn handen van jullie af.'

'Je kunt hem testen op Thanksgiving,' zei Sylvie tegen Marla, die als een opgetogen kind in haar handen klapte. 'Zorg voor een goede maaltijd. Hij is dol op lekker eten. Dan houden we allebei onze belofte. En handen af van Bobby!'

'Zie hem niet op zijn vrije dag,' zei Marla. 'En zorg dat ik trouw.

Tussen haakjes, ik heb een van de buren uitgenodigd voor Thanksgiving. Ze heeft me geholpen de olijven erin te verwerken. Rose is erg aardig.'

'Rose? Wie is Rose? Bedoel je *Rosalie*?' vroeg Sylvie.

'Prettige kalkoendag!' riep Mildred en liep de kamer uit.

DEEL 3

WIE, O WIE?

26

Bob en Marla stonden op de veranda aan de voorkant toen de stoet van jonge studenten arriveerde. De herfstlucht was fris, maar niet koud. De bladeren, die nu uit de meeste bomen vielen, lagen in hopen op het nog groene grasveld. Het leek een scène uit een televisiefilm, dacht Marla, die zich heel sentimenteel voelde. Dit was waarnaar ze gestreefd had, waarvoor ze gewerkt had, wat ze verwacht had. Bob had zijn arm om haar schouders geslagen en de zon scheen glinsterend op alle BMW's in de oprijlaan. Het was een perfect Kodakmoment. Marla dacht aan haar perfect gedekte tafel in de perfect ingerichte eetkamer in het perfecte huis. Ja, dit was wat ze voor zichzelf verlangde. Stabiliteit. Georganiseerdheid. Routine. Ritueel. Mensen die van haar hielden, die voor haar zouden zorgen en voor wie zij kon zorgen. Het zou allemaal perfect zijn zolang geen van de tweeling deserteerde.

Marla probeerde een deel van haar gezicht te bedekken met haar haar zodat de kinderen haar niet al te goed konden zien. Ze keek naar een jongen en een meisje die uit twee van de auto's sprongen, en herkende Reenie onmiddellijk van de familiefoto's. Ze droegen allebei reusachtige reistassen. Reenie hing aan de arm van de jongen, en Marla merkte dat ze zelfs niet naar haar ouders keek, omdat ze volledig opging in het kijken naar hem. Mooi. Misschien zou zij de verwisseling niet merken. Marla glimlachte nerveus en zwaaide. Maar Reenie lette niet op Marla, dus nu strekte Marla haar armen uit alsof ze haar hele leven op dit moment gewacht had.

'Hoi, paps,' riep Reenie. 'Dit is Brian. Hoi, mam. Dit is wasgoed.' Reenie sprong de trap van de veranda op, gaf Marla een vluchtige kus en stopte toen de reistas in de armen van haar 'moeder'.

‘Heel gastvrij om me uit te nodigen voor de feestelijkheden,’ zei Brian tegen Bob en Marla, terwijl hij hun een hand gaf.

‘Nog een gast?’ vroeg Marla zachtjes. Ze dacht aan haar tafel. Nou ja, als ze nog één bord bijzette aan het eind van de tafel, zou ze hem er misschien tussen kunnen persen.

‘Je had het ons moeten laten weten, Reenie,’ zei Bob, maar zijn stem klonk toegeeflijk.

‘Nou en? Raad eens wie Kenny mee naar huis neemt?’ vroeg Reenie met een kinderlijk stemmetje. ‘Zijn hele voetbalteam.’

Marla onderdrukte de schreeuw die in haar keel omhoogkwam. Kenny stapte uit de auto met vier stevig gebouwde knapen. Marla strekte haar armen weer uit. ‘Niet het hele team, alleen de verdediging,’ riep hij, zijn zus corrigerend. Hij rende naar de veranda, deed een schijnuitval naar zijn vader en liet een reusachtige reistas vallen. ‘Ik heb mijn wasgoed ook meegebracht. Bij voorbaat bedankt, mam.’ Hij omhelsde haar – maar niet de lange, hartelijke omhelzing die Marla had verwacht en gewenst – en holde toen weer terug naar zijn vrienden.

Marla mompelde zwakjes: ‘Nog meer mensen?’

‘Ja. Devon, Alex, Simon en Hugh.’ De jongens zwaaiden. Toen maakte een van de jongens – de aantrekkelijkste – een opmerking, de anderen lachten en Kenny gaf antwoord. Weer een lachsalvo. Het gaf Marla plotseling het gevoel dat ze buitengesloten was en... oud. De kinderen hadden duidelijk meer belangstelling voor hun vrienden dan voor hun ouders. En zelfs al waren die jongens niet zo veel jonger dan zij, toen ze hun bagage pakten en naar de deur liepen, zeiden ze alleen maar kort hoi, alsof ze onzichtbaar was, en gingen haastig naar binnen.

Bob draaide zich om naar Marla en keek haar met een liefhebbende blik aan. Hij kneep even in haar wang. ‘Goed om de familie weer bij elkaar te hebben, hè? De familie en John. Hij zou helemaal alleen zijn geweest met Thanksgiving.’

‘John. Ja. En Rosalie zei dat zij ook iemand mee zou brengen. Dat is ruw geschat... hoeveel?’ zei Marla, zwakjes op haar vingers tellend. ‘Negenentwintig?’

De tafel was perfect gedekt – bloemen, pompoenen, Pilgrimfiguren, kaarsen, en alles. Marla ging naar de eetkamer, zuchtte diep, haalde het plastic weg dat de perfect gedekte tafel beschermde, en begon borden bij elkaar te schuiven.

Bob was met de kinderen naar het winkelcentrum. Kenny moest nieuwe Reeboks hebben, en Reenie dacht, zoals altijd, dat er ergens nog één paar schoenen moest bestaan dat haar leven zou vervolmaken. Alex, Devon en Hugh waren niet meegegaan – ze speelden op het basketbalveld van de middelbare school. Maar Reenie's vriend, Brian, en Kenny's vriend Simon waren wél mee, en Jim ook – alsof Bob zijn schoonvader niet vaak genoeg zag.

'Hoi, paps. Hoe gaan de zaken?' vroeg Kenny. Voordat Bob iets kon zeggen, ging Kenny verder: 'In vier woorden of minder natuurlijk.' Er klonk gelach van de pindagalerij op de achterbank.

'Niet goed genoeg om je de auto te laten houden, vrees ik,' zei Bob, maar Kenny knipperde zelfs niet met zijn ogen.

'Hé, geef hem een nieuw model als hij dat wil,' zei Jim, zoals gewoonlijk de opperbaas van het autobedrijf spelend. Bob probeerde zijn ergernis te bedwingen. 'Gaat het een beetje achterin?' vroeg hij. Reenie lag languit achterin de stationcar met die... die irritante jongen. Bob rekte zijn hals uit om een glimp van ze op te vangen in de achteruitkijkspiegel. Betastte hij haar?

Er werd getoeterd en Bob stopte abrupt. Het verkeer was een wanhoop. In een slakkengangetje reden ze naar het winkelcentrum en toen Bob geparkeerd had, zei hij tegen de kinderen dat ze de gebruikelijke procedure van de familie moesten volgen. Kenny en Simon zouden op de sneakers van tweehonderd dollar afgaan en de actie op Sports Authority bekijken, terwijl Brian en Reenie en Bob zich ook zouden splitsen. Bij de levensmiddelen zouden ze elkaar weer treffen. 'Over een uur. Bij de aardappelen,' benadrukte Bob. Joost mocht weten wat Jim, de toegeeflijke grootvader, zou doen. Bob dacht dat hij op zichzelf zou zijn aangewezen.

Na de aardappelen hadden de kinderen nog meer plannen: Brian wilde naar de Rock'n Roll Hall of Fame. Bob had zich geëxcuseerd, maar moest komijn kopen – wat dat ook mocht zijn – voor een van Sylvie's recepten, en dus ging de groep voor het Ritz Carlton uiteen, met het plan zich over twee uur hier weer te verzamelen. Onwillekeurig keek Bob Brian na toen hij en Reenie naar The Gap liepen. Hij had zijn hand in de achterzak van haar spijkerbroek gestopt en Bob voelde een bijna onbedwingbare aandrang om naar hen toe te lopen en zijn hand weg te slaan. Hij draaide zich om en leunde op de balustrade die uitkeek op de centrale fontein van het winkelcentrum.

Tower City was stampvol. Toen het oude RTA-spoorwegstation pas verbouwd en gerenoveerd was, deden de kinderen niets liever dan hier komen, junkfood eten en naar het dansende water kijken van het waterorgel. Om het halfuur kwam er muziek door de speakers, en de show begon: het water spoot in gecoördineerde stralen omhoog op de klanken van Tsjaikovski en John Philip Sousa. Sylvie vond het afschuwelijk, Bob genoot ervan als leuke kitsch, maar de kinderen hadden het vroeger magisch gevonden. Nu negeerden ze het volledig en liepen langs het grote weerspiegelende bassin alsof het niet bestond. Toen het programma begon keek Bob naar de snelle zilveren waterbogen die de menigte beneden o's en a's ontlokten. Om de een of andere reden dacht hij aan Marla, en hun mooie, innige seks de vorige avond. Het had hem geschokt. Hij had er een eind aan willen maken, maar god, hij kwam niet van haar los. Hij wilde haar in zijn armen houden, haar blote lichaam tegen het zijne voelen. Toen vroeg hij zich af of Reenie met die Brian naar bed ging. Zo niet, dan zou ze dat wel heel gauw doen. Het idee gaf hem een enigszins benauwd gevoel. Hoe zou het voor haar zijn? Het was moeilijk te geloven dat zijn baby al zo oud was. Waar bleef de tijd?

De muziek veranderde van tempo en de waterbogen beneden begonnen te breken in bewegende stippellijnen die hun vlucht voltooiden en in het bassin verdwenen, sierlijker dan vliegende vissen. Sommige mensen in de menigte klapten. Voor wie klapten ze? vroeg Bob zich af. De muziek die jaren geleden was opgenomen? De programmeur die de computergestuurde voorstelling van de fontein had ontworpen? De ingenieur of architect die het plan had bedacht? Of misschien was het applaus voor het water zelf?

Om de een of andere reden gaf dat geïsoleerde geklap hem een vreemd gevoel. Eenzaam. Hij wilde dat Marla bij hem was. Bob zette dat idee uit zijn hoofd. Hij wist dat hij in beweging moest komen en naar de specialiteiten-gourmetshop gaan, maar hij bleef nog even staan, weg van de menigte. Zijn enkel deed pijn van al het lopen en leek te kloppen op het ritme van het vallende water. Maar zijn ware probleem was dat hij besefte dat hij eenzaam was. Bijna twintig jaar lang was hij het middelpunt geweest van Kenny en Reenie's leven, het middelpunt van dat van Sylvie. Nu Sylvie thuis was om halsoverkop opnieuw de tafel te dekken, en Reenie en Kenny terug waren, maar niet echt bij hem, voelde Bob zich plotseling zo nutteloos en geïsoleerd, dat hij zich opeens aan de balustrades vast moest klemmen. Hij was een goede echtgenoot geweest, een attente vader en een capabele zakenman, maar wat had het allemaal voor zin gehad? Hij had het een stuk slechter gedaan dan de pianist – nu misschien al dood – die de muziek speelde, slechter dan de computerprogrammeur. Niemand klapte voor hem. Niemand wist dat hij bestond. Hij dacht erover Marla te bellen, want bij haar... tja, had hij zich niet eenzaam gevoeld. Het was krankzinnig om haar te bellen – het zette hem alleen maar onder druk, vooral op een feestdag, maar op de een of andere manier was iets dat zuiver fysiek was geweest gisteravond veranderd in...

Maar dit was een dag voor de familie. Een dag om de balans op te maken en dankbaar te zijn. Bob was geen religieuze man, maar hij was zich bewust van zijn zegeningen. Zijn kinderen waren gezond. Hij was nooit van plan geweest Sylvie te bedriegen. Dat was echt nooit zijn bedoeling geweest. Marla was plotseling verschenen en... Hij had zich gevleid gevoeld door haar aandacht. Hij had haar niet serieus genomen. Hij wist dat hij van Sylvie hield. Wat hij niet wist, wat hij zich niet kon herinneren, was hoe die hele geschiedenis met Marla precies begonnen was. Had zij de eerste stap gedaan? Of hij? Wat hij wél wist was dat het nooit zijn bedoeling was geweest dat dit zou gebeuren. Wat zou Kenny zeggen als hij het wist? Wat zou Reenie... Zijn gedachten schrokken ervoor terug. Het was ondenkbaar. Bob wist, nu de kinderen thuis waren, dat hij een eind moest maken aan dit dubbelleven. Alleen de angst Marla te kwetsen – dat en wat wellust – had het aan de gang gehouden. Maar het verdomde was dat hij juist in de laatste week of zo, juist sinds gisteravond, beseft had dat hij... nou ja, veel voelde voor Marla. Bij haar zijn, met haar vrijen, had te veel op liefde geleken. Hij had het zelfs liefde *genoemd.*

Wat het nog erger maakte was dat sinds Sylvie's terugkomst het samenzijn met haar ook veranderd was, vooral in de laatste paar dagen. Het had te veel op werk geleken. Ze was afhankelijker en tegelijkertijd egocentrischer. Ze leek in de war, en behalve de eettafel was het huis een puinhoop. Bob zuchtte.

Hij keek omlaag en zag Brian uit de boekwinkel komen. Hij droeg een tas en praatte met een jong meisje. Bob meende het meisje te herkennen uit de tijd van Reenie's carpooling. Jenny – een echte flirt, zelfs toen al. Hij zag hoe Brian haar hand pakte en ze zich lachend terugtrok. Toen praatte Brian even ernstig met haar, en ten slotte haalde ze een pen te voorschijn en schreef iets op zijn tas. Jenny keek naar de jongen met een tuitmondje dat zo goed als een belofte was voor ze wegwandelde.

Bob kon zijn ogen niet geloven. Maar misschien was het onschuldig, dacht hij. Geen overhaaste conclusies trekken. Niet projecteren. Toch kreeg hij sterk de indruk dat die gevoelige kleine klootzak, op wie zijn dochter kennelijk verliefd was, zojuist Jennifer Hills telefoonnummer had gekregen. Verontwaardigd draaide hij zich om, gereed om die schoft tot de orde te roepen. Toen bleef hij staan. De kinderen zouden hun eigen toekomst bepalen. De vraag was meer, waar was hij zelf mee bezig? Brian, die kleine smeerlap, was zijn dochter heel wat minder verschuldigd dan Bob Sylvie.

En het was zo merkwaardig allemaal. Hij had kunnen zweren dat hij slechts een paar weken geleden zonder enige moeite met Marla had kunnen breken. Nu pas was er iets heel erg misgegaan. Na gisteravond was zijn wereld aan het wankelen gebracht. Hij besefte dat hij van haar hield. Het was niet alleen seks of zijn beschermende instinct. Het voelde aan als liefde. Hij wist niet zeker of hij het zou kunnen verdragen die liefde op te geven. Zijn leven zou te leeg zijn. Hij had nooit verwacht dat dit zou gebeuren. En hij had geen idee wat hij moest doen.

Jim kwam achter hem staan en legde zijn hand op Bobs pijnlijke elleboog. Bob maakte een luchtsprong, zowel van pijn als van schuldbesef. 'O, sorry,' zei Jim. Hij leunde op de balustrade en legde zijn hand op zijn rug. 'Je wordt bijna net zo gammel als ik ben,' zei hij. 'Je hebt al een slechte enkel, en nu je elleboog. En je hele hals zit onder de uitslag,' merkte Jim op. Hij kwam dichterbij en kneep zijn ogen samen. 'En begint je haar dun te worden?'

Verlegen bracht Bob zijn hand naar zijn haargrens. Hij dacht het ook, maar hij was niet van plan dat tegenover Jim toe te geven. 'Ik heb waarschijnlijk nog wel een paar goeie jaren voor de boeg,' zei Bob tegen zijn schoonvader.

'Nou, besteed ze verstandig,' zei Jim. Bob keek hem aan. Lag er een waarschuwing in de stem van de oude man?

Bob vroeg zich af met wie hij zijn laatste jaren zou slijten. Hij draaide zich af van de balustrade en hinkte weg om de komijn te gaan kopen voor het Thanksgivingdiner.

27

Marla werd wakker en zette de wekker af, om Bob niet wakker te maken, die naast haar lag te snurken. Ze dwong zich op te staan. Ze keek op de klok: kwart voor vijf. Ze trok een van Sylvie's badjassen aan en dikke sokken, spatte wat water op haar gezicht en bleef in de wasruimte staan.

Ze staarde naar de vuile was. Ze kon er niet bij met haar verstand. Sylvie had eerder in de week gewassen, maar nu lagen er alweer stapels en stapels afschuwelijke, vuile kleren. Sokken, zweetbanden, suspensoirs. Gescheurde T-shirts en minstens honderd spijkerbroeken.

Marla tuurde naar de knoppen van de machine die haar haatte. Koud/Koud, Warm/Koud, Heet/Koud, Warm/Warm... waarom zoveel keuzen? En gewicht van het wasgoed. Hoe moest zij weten wat normaal was? Niets van dit alles was normaal voor haar. En dan keek ze maar niet naar al die andere knoppen. Wat deden *die*?

Nadat ze tien minuten nutteloos was blijven staan, pakte Marla een armvol kleren op en gooide die in de gapende opening van de wasmachine. Ze sloot haar ogen, draaide aan de knoppen en hoopte er het beste van. Marla wankelde naar de keuken. Het was al tien over vijf. Ze was achter op haar schema! Ze stak haar hand uit en zette de oven op 350. Toen liep ze naar de achterdeur en sleepte de enorme kalkoen naar binnen. Hij was niet ontdooid, omdat het vannacht kennelijk kouder was geworden. Ze zag dat er rijp op het grasveld lag. Marla legde de kalkoen op aluminiumfolie, omdat geen pan groot genoeg was voor dat beest. Ze deed de oven open, maar kon de kalkoen er niet heen dragen. Ze keek om zich heen. Ten slotte zette ze de strijkplank tegen de oven en duwde de kalkoen omhoog op de plank en bijna erin. Maar het werd al gauw duidelijk dat de kalkoen er niet in paste. Hij was te groot. Veel te groot. Wat ze ook deed, ze kon hem er met geen mogelijkheid in krijgen.

Marla stond op het punt in huilen uit te barsten. Ze duwde het verdomde beest terug op de strijkplank en wist hem op het keukenblok te krijgen. Vervolgens probeerde ze hem doormidden te snijden, eerst met een mes, toen met een zaag, toen met een bijl die ze in de garage had gevonden. Ze bezeerde haar arm, maar kreeg nog geen deukje in het karkas. Hij was stijf bevroren. Twintig kilo kalkoen en geen manier om hem te braden.

Niets lukte.

Marla reed het parkeerterrein op toen de zon opging. Ondanks het vroege uur was de dag-en-nachtsupermarkt vol met tientallen zombievrouwen, die allemaal één ding voor ogen hadden: dat ene essentiële ingrediënt te kopen dat ze vergeten waren. Het probleem was dat alle essentiële dingen – cranberrysaus, zoete aardappels, kant-en-klare vulling – allang uitverkocht waren.

Marla liep naar de vleesafdeling. Die was gedecimeerd. Geen vogel meer over, alleen maar stapels smerig ijs en bloed van de karkassen. Het zag eruit als een verlaten slagveld. Een slager, blijkbaar het slachtoffer van shellshock, zat er met gespreide benen naast.

Marla wist dat ze er niet op haar best uitzag. Haar haar was nog ongekamd, ze had zich niet opgemaakt en ze had een wijd joggingpak aan. Maar ze moest zorgen dat die man haar aardig vond, haar te hulp zou komen. Ze begon met het verhaal van haar feest-ellende. '... dus past hij niet. En hij is nog helemaal bevroren,' eindigde ze. 'Help me,' zei ze tegen de slager. 'Ik moet een andere kalkoen hebben.'

'U bent een beetje laat, dame. We hebben niets meer,' antwoordde hij, met glazige ogen van uitputting.

'Maar u moet *iets* doen,' riep Marla, die bijna hysterisch werd. Ze kon geen Thanksgivingdiner geven zonder kalkoen! Ze zouden allemaal zo teleurgesteld zijn als het uitkwam dat ze geblunderd had. Ze kreeg het nooit voor elkaar! 'Kunt u er geen maken?' smeekte ze, wanhopig. Ze knipperde met haar wimpers. 'U kunt waarschijnlijk alles.'

'Dame,' zei de slager, 'alleen twee kalkoenen kunnen een andere kalkoen maken.'

Op datzelfde moment – om precies te zijn 7.21 uur – stond Sylvie in dezelfde supermarkt, maar op de diepvriesafdeling. Ze had een

Hongerige Man-kalkoendiner in de ene hand, een Slanke Keuken in de andere. Ze las de ingrediënten van beide verpakkingen door, en overwoog haar opties. Ze was niet blij. Dit was geen dag om vroeg wakker te worden, maar in plaats van het grootste deel van de dag te slapen, zoals ze van plan was geweest, had ze alleen maar aan Bob, Reenie en Kenny gedacht, bijeen zonder haar. Ze was steeds gedeprimeerder geraakt. Ze was een idioot om haar gezin zelfs maar één minuut op te geven, laat staan de hele feestdag. Toen ze een jongen bezig zag een nieuwe kist bevroren spinazie à la crème uit te laden, ging ze naar hem toe. Arme knul, hij moest op de feestdag werken.

'Hai,' zei ze, om hem wat op te vrolijken. 'Ik vroeg me net af welke van deze twee u zoù aanraden als Thanksgivingdiner voor een...' Ze zweeg. Haar stem was gaan trillen. '...voor een vrouw die haar man en kinderen heeft weggegeven.'

'Eh, dat is een kwestie van smaak,' zei de jongen.

Sylvie kon zien dat hij niet wilde praten met een of andere gek van middelbare leeftijd, maar ze kon niet stoppen. 'Ik heb een zoon van jouw leeftijd. Hij is lang en –'

'Dat is mooi,' zei de jongen, in een poging haar het zwijgen op te leggen. Maar omdat hij de vrieskist bleef bevoorraden, babbelde Sylvie verder. 'Hij is de helft van een tweeling, weet je. Twee-eiig, niet identiek. Hij is de jongste. Een echte heer; hij liet zijn zusje voorgaan.'

'Dat is heel mooi,' zei de jongen, die eindelijk opkeek. Sylvie zag het medeleven in zijn ogen. Nee, het was medelijden. Ze was meelijwekkend in de ogen van een bediende in de supermarkt.

Maar ze besefte vol afschuw dat ze geen trots had. 'De mensen vragen me altijd of ze identiek zijn,' ging Sylvie verder, ondanks de duidelijke verveling en het medelijden van de jongen. Ze voelde zich veel te hulpbehoevend om te kunnen ophouden met praten.

Terwijl Sylvie een inzinking had op afdeling 14, graaide Marla wanhopig in het bloederige ijs van de slager. Haar hardnekkigheid werd beloond; diep begraven in de arctische woestenij vond ze een paar heel kleine vogels.

'U hebt wél kalkoenen,' zei ze zelfverzekerd tegen de slager. 'Kleintjes.'

'Nee, we hebben niet één kalkoen meer.'

'Oké, wat is dit dan?' vroeg Marla, en hield triomfantelijk een klein bevroren lijfje omhoog.

'Dat zijn kuikens.'
'Ze zien eruit als kleine kalkoenen, niet?'
'In de verste verte niet,' zei de slager minachtend.
'Nou, ik vind van wél. Ik neem er achtentwintig,' zei Marla.

Sylvie duwde haar kar met het Slanke-Keukendiner, een kleine kanteloep, een plastic zak met voorgewassen gemengde sla, een geopende doos Kleenex, en een fles wijn. Ze liep naar de snelkassa. Daar stond ze achter een oudere vrouw, wier kar *precies* dezelfde inhoud had, alleen was haar doos Kleenex niet geopend. Sylvie sloeg haar hand voor haar mond. Ze dacht aan Marla's half gemeubileerde, lege flat, de Macy's Day-parade op de tv, en de eindeloze reeks footballwedstrijden die zouden volgen – programma's waar ze thuis nooit naar had gekeken, omdat ze het altijd veel te druk had gehad met de voorbereidingen voor het diner en het babbelen met de familie, om daar tijd voor te hebben.

Nu, ondanks Bob, ondanks wat er gisteravond tussen hen gebeurd was, voelde Sylvie een bijna ondraaglijke eenzaamheid. De caissière telde de boodschappen op en Sylvie betaalde. Ze liep naar buiten met haar aandoenlijke eenpersoons-Thanksgivingtas. Toen ze naar buiten liep zag ze niet dat Marla aan een andere kassa stond met een reusachtige stapel keiharde dode vogeltjes in haar kar.

28

Sylvie controleerde de klok op Marla's koelkast. Ze had minder dan vier minuten nodig gehad om haar boodschappen uit te pakken. Nu was het 8.14, wat betekende dat ze nog maar vijftien uur en zesenveertig minuten Thanksgiving in haar eentje moest zien door te komen. Sylvie ging op de ongemakkelijke stoel met een leuning van metalen draden zitten aan het kleine tafeltje, dat doorging voor een kitchenette-set in Marla's piepkleine keukentje. Het uitstapje naar de supermarkt was ondraaglijk geweest, en het zag er niet naar uit dat de rest van de dag haar stemming zou verbeteren.

Hoe kwam het dat ze uitgerekend vandaag – een dag die ze als feestdag had willen negeren en behaaglijk, zelfs genotzuchtig, doorbrengen met slapen en al Marla's schoonheidsbehandelingen – om 5.41 wakker werd? Ze wist heel zeker dat ze, toen haar ogen eenmaal open waren en de adrenaline van de onrust begon te pompen, zich onmogelijk meer kon ontspannen of kon slapen. Hadden eenentwintig Thanksgivings met Bob haar geprogrammeerd volgens een soort jaarlijkse kalender? Was ze niets anders dan een voorgeprogrammeerde kloon? Was dat het resultaat van haar huwelijk? Die gedachte maakte haar kwaad.

Maar ondanks haar woede kon ze haar brein en haar lichaam niet beletten de tijd die ze gisteravond met Bob – Bobby – had doorgebracht, opnieuw te beleven. Als ze eraan dacht voelde ze de hitte naar haar wangen stijgen. Hij had haar omarmd en gezoend en opgewonden op een manier die ze in tien jaar niet meer gevoeld had. Het had haar iets gedaan. Als ze haar ogen dichtdeed, kon ze alles weer afdraaien: ze kon zijn adem in haar oor horen, ze kon de woordjes horen die hij mompelde. Het vreemdste van alles was dat het leek of ze zijn handen weer op haar lichaam kon voelen, alsof elke aanraking en elke liefkozing, op de een of andere manier in haar huid waren gegrift. Was een deel van haar brein, dat al jarenlang dood was, plotseling weer geactiveerd?

Sylvie plantte haar ellebogen op tafel en liet haar hoofd in haar handen rusten. Ze voelde een rilling over haar rug lopen; ze begon weer verhit te raken. Ze voelde zich leven, meer dan ooit, de energie stroomde door haar hele lichaam. Op de manier zoals muziek haar leven gaf.

Het was bijna onweerstaanbaar, besefte ze. Daarom hunkerden mensen naar seks en naar liefde – om dat te ervaren. Waarschijnlijk had het iets te maken met endorfinen of hormonen, maar het voelde als liefde. Ze hield van Bob. En haar lijf miste zijn lijf. Ze wilde weer met hem vrijen. En nog eens. En nog eens.

Sylvie hief haar hoofd op en opende haar ogen. Ze moest terugkomen in de realiteit, en de realiteit was wreed. Bob had niet met *haar* gevrijd, hij had met zijn maîtresse gevrijd. En nu, als zijn maîtresse, werd ze in de steek gelaten, zat ze in haar eentje in dit kleine keukentje, met niets anders dan duizend flesjes vitaminen en voedingssupplementen, niet bepaald iets om een feestdag mee te vieren, en geen familie om zich heen om die met haar te vieren. Was dat Bobs liefde? Sylvie, hebberig als we allemaal zijn, vroeg zich af waarom ze het niet allebei kon hebben. Waarom kon ze niet getrouwd zijn met Bob en ook van hem houden? Waarom kon hij niet houden van zijn huiselijke leven *en* van haar lichaam? Plotseling ging er zo'n felle woede en zo'n intens gevoel van eenzaamheid door haar heen, dat ze niet langer kon blijven zitten. Ze moest opstaan en bewegen.

Ze miste haar kinderen ook. Ze miste haar hele familie, maar vooral Kenny en Reenie. Ze was een idioot geweest om Thanksgiving te ruilen met Marla. Ze had geen idee gehad hoe een dag zich zo lang en zo leeg voor je kon uitstrekken. Wat deden wezen? Wat deden ongetrouwde, kinderloze wezen? Zo voelde ze zich, als een OKW. Waren er vandaag bijeenkomsten voor OKW's in souterrains van kerken, zoals er AA-bijeenkomsten waren?

Sylvie kwam tot de conclusie dat ze de kinderen moest zien. Als zij ze zag, zou ze de dag door kunnen komen. Ze wilde ze zien als ze elkaar weer zagen. Ze waren nog nooit zo lang gescheiden geweest, niet sinds hun geboorte, zelfs niet in het zomerkamp. Sylvie keek weer op de klok. Het was nu 8.16. Als ze haar huis belde, was er een goede kans dat iedereen behalve Marla nog sliep. Als iemand anders opnam, zou ze gewoon ophangen. Ze moest het doen. Ze wist niet wat ze ermee op zou schieten, maar ze moest het doen. Ze draaide haar nummer en hield haar adem in toen de telefoon werd beantwoord – nog voordat de eerste bel goed en wel geëindigd was.

'Hallo,' snauwde Marla's stem. Het was niet haar gebruikelijke zwevende stem uit de ruimte. Marla klonk ongerust.

'Marla, ik ben het, Sylvie. Vertel me hoe het gaat. Met de kinderen alles in orde? Iemand al op?'

'Iedereen is hier. In slaapzakken en op banken, in het hele huis,' fluisterde Marla fel. 'In ieder geval kun je nu niet hierheen bellen. We hebben een afspraak. Het is *mijn* dag.'

'Ik kon niet anders,' zei Sylvie. Ze wist wat ze nodig had en ze moest het hebben. 'Marla, ik moet naar je toe komen.'

'Ben je dol geworden? Ik *zei* het je toch. Iedereen is al hier, behalve mam en paps en je broer. Ik moet een salade maken. Naar me toe komen? Wat haal je je in vredesnaam in je hoofd?'

'Ik wist niet dat ik de kinderen zo zou missen,' zei Sylvie. Ze hoorde de tranen in haar stem. Ze wist dat ze zielig klonk. Nou goed, ze *was* zielig.

'Sylvie, je gedraagt je werkelijk als een idioot,' zei Marla. 'Hoe kunnen we hier nu allebei tegelijk zijn? Ben je het vergeten? *Ik* hoor de sufkop te zijn, niet jij.'

'Marla, ik móet weten hoe het met ze gaat. Ik móet,' herhaalde Sylvie. Ze liep te ijsberen in het kleine keukentje.

'Het gaat goed met ze. Vertrouw me nou maar.'

Sylvie dacht dat dat wel het laatste was dat ze zou doen. 'Ik moet ze zien om dat te weten. Ik moet ze aanraken.'

Marla zweeg even. 'Ik geloof niet dat mijn moeder ooit zoiets voor mij gevoeld heeft,' zei ze. 'Ze heeft niet toevallig gebeld vandaag, hè?'

'Nee, maar het is nog vroeg,' antwoordde Sylvie sussend.

'Vroeg of laat, bellen doet ze toch niet,' zei Marla. 'Tenzij ze geld nodig heeft of haar vriend haar in de steek heeft gelaten.' Marla zuchtte. 'Oké. Ik draag een zwarte legging en een zwart sweatshirt. Zet een hoed op en mijn zonnebril. Kom naar het keukenraam. Je weet wel, het raam met al die heesters. Klop erop. De douches staan aan. Het klinkt of ze binnen een halfuur wel beneden zullen zijn. Dan kun je ze zien.'

'Dank je, Marla,' fluisterde Sylvie dankbaar.

Met haar haren weggestopt onder een gebreide muts stond Sylvie tussen de rododendrons en tuurde door haar eigen keukenraam naar haar gezin dat zat te ontbijten. Reenie serveerde liefdevol een perfect bord met eieren aan een donkere jongeman. (Ze gaf de eieren met de kapotte dooiers aan haar vader.) Sylvie dacht aan Bobs cholesterol, maar beet op haar lip. Intussen maakte Kenny een gigantische zak met marshmallows open en hij en zijn vrienden begonnen ze naar elkaar te gooien en probeerden ze op te vangen in hun mond. Marla negeerde het allemaal – ze scheen druk bezig met haar pompoentaarten. Ze miste alle pret. Hoeveel taartbodems lagen er? Twaalf? Meer? Sylvie tikte een paar keer op het raam, en toen Marla eindelijk opkeek, wenkte Sylvie dat ze naar buiten moest komen. Marla knikte en keek naar haar met een blik die haar waarschuwde om voorzichtig te zijn. Ze wees met haar hoofd naar de achterkant van het huis. Sylvie kroop voorzichtig uit de struiken en liep achter de garage om naar de verste hoek van de tuin.

Sylvie en Marla zaten in het kleine bosje groenblijvende heesters in de achtertuin, met hun rug naar het huis.

'Ik snap niet waarom mensen zo graag kinderen willen hebben,' zei Marla, terwijl ze haar met meel bestoven handen afveegde aan een keukendoek. Sylvie zag dat de mooie Cartier-ring met deeg bedekt was. Bijna maakte ze Marla erop attent dat ze de ring af moest doen als ze in de keuken bezig was, maar wat had het voor zin? De ring was, net als haar gezin, niet langer van Sylvie. 'Je werkt je te pletter, en waarvoor? Ze hebben me nauwelijks een zoen gegeven. Ze merkten niet eens dat ik – jij – veranderd was.'

'Het zijn kinderen,' zei Sylvie schouderophalend. 'Ze denken niet echt aan me als een mens, niet precies. Ik was alleen maar een borst voor ze. Je doet het niet om dankbaarheid te krijgen. Toch zou ik onmiddellijk tussen hen en een kogel gaan staan,' bekende ze. 'Geef me dus een hint hoe het met ze gaat.'

'Het meisje –'

'Reenie. Afkorting van Irene,' viel Sylvie haar in de rede.

'Precies,' gaf Marla toe. 'In ieder geval, ze vertelt haar vriendje ongeveer zestig keer per uur dat ze van hem houdt. Heb je haar nooit iets geleerd? Ze vernedert zich.'

'Nee, dat doet ze niet. Ze mag hem graag. Dat is aardig.' Sylvie glimlachte bij zichzelf. 'Weet je, ze was heel verlegen toen ze naar high school ging. Haar broer zorgde voor een partner voor het schoolbal. Ze heeft niet veel ervaring met jongens.'

'Ha!' tetterde Marla. 'Ze geilt op die jongen. Ik wil niet graag de brenger van slecht nieuws zijn, maar ze is geen maagd. '

'Dat is ze wél!' protesteerde Sylvie. 'Ik bedoel, dat was ze toen ze naar college ging. En ze zou nooit zo'n besluit nemen zonder er met mij over te praten.'

'Ontkenning...' zei Marla zangerig. 'Je mag denken wat je wil, maar ík ken de waarheid. In ieder geval, die jongen – Kenny – je had me niet verteld dat hij een homo is.'

'Een homo? Wat? Ben je gek? Dat is hij niet,' zei Sylvie.

Marla trok haar wenkbrauwen op. 'Hoor eens, het enige dat ik weet is dat hij vier vrienden mee naar huis heeft genomen. Twee koppels. Ze eten samen, slapen samen... nou ja, je snapt het wel.'

'Marla, dat is zijn *team*,' riep Sylvie uit. 'Hij voetbalt! Hij is zijn leven lang lid geweest van een of ander team!'

'Gewoon een excuus om in kleedkamers rond te hangen met ongeklede mannen,' zei Marla, en knikte veelbetekenend met haar hoofd. 'Bovendien is zijn aura geelgroen. Ook een teken.'

Sylvie voelde haar maag ineenkrimpen. 'Ik moet ze zien. Ik moet met ze praten.' Ze zweeg even. 'Ik moet ze vasthouden.'

'Vind je niet dat je het een beetje te ver drijft?' vroeg Marla. 'Ik bedoel, we zijn ver gekomen. Jij hebt gekregen wat je wilde. Maar *ik* wil Thanksgiving en een man en een gezin; ik heb nog helemaal niets gekregen.'

'Alsjeblieft, Marla...' Het klonk als een hartenkreet.

Marla zuchtte. 'Oké, ik zal een douche nemen. Ik zal ze om een of andere reden hierheen sturen. Je hebt een halfuur. Dan verdwijn je. En stop je blonde haar goed weg onder die muts.'

Sylvie knikte, en zorgde ervoor dat haar haar niet te zien was. Het was lief van Marla om dit te doen, en Sylvie was dankbaar – een toepasselijk gevoel voor Thanksgiving. Haar hart bonsde terwijl ze wachtte bij de garage. Sylvie keek naar de deur en zag Reenie en Brian naar buiten komen. Ze liepen naar de stapel hout en probeerden hout binnen te brengen. Ze pakten elk een blok hout. Toen bleven ze staan en zoenden elkaar. Brian pakte weer een houtblok, terwijl Reenie het hare liet vallen en haar armen om Brian sloeg. Ze zoenden elkaar weer. Om zijn handen vrij te hebben gooide Brian de houtblokken terug op de stapel en nam Reenie in zijn armen. Toen stak hij zijn hand in Reenie's jasje. Diep in haar jasje. Sylvie wendde haar gezicht af. Alsjeblieft, God, bad ze, laat geen jongen Reenie ooit zo'n verdriet doen als Bob mij heeft gedaan.

Sylvie wachtte een poosje en liep toen achteloos naar ze toe. 'Hoi, verliefd stelletje,' zei ze. 'Tijd om naar binnen te gaan voor een onschuldig kopje chocolade?'

'Mam! Je hebt ons net gevraagd of we naar buiten wilden gaan om hout te halen. En nu moeten we naar binnen voor warme chocola?' vroeg Reenie. Ze keek met samengeknepen ogen naar haar moeder. Even dacht Sylvie dat ze betrapt was, maar ze was vergeten hoe narcistisch kinderen zijn. 'Wilde je ons soms bespieden?' vroeg Reenie.

'Natuurlijk niet,' zei Sylvie zo nonchalant mogelijk. 'Er valt toch niets te bespieden?'

Reenie en Brian wisselden een schuldbewuste blik en lachten toen samen. Het was een intieme lach. Sylvie, nerveuzer dan ooit, liep dichter naar Reenie toe. Ze sloeg haar arm beschermend om haar dochter. Ze was van plan het heel achteloos te doen, maar toen ze Reenie's jonge lijf voelde, knuffelde ze haar tot ze geen adem meer kreeg. 'Ik heb je knuffels gemist, mam,' zei Reenie.

'Ik hou van je, Reenie.'

'Ik hou ook van jou,' zei Reenie. Toen trok ze zich terug. 'En het is erg belangrijk voor me dat je Brian accepteert en van hem houdt.'

'Natuurlijk is dat belangrijk.' Sylvie merkte dat Brian zijn ogen afwendde toen Reenie dat zei. 'Ik zal mijn best doen, al zal het misschien niet op dezelfde manier zijn als ik van jou hou, lieverd.' Sylvie zweeg weer even. Hoe kon ze in vredesnaam haar mooie dochter uitleggen wat de gevolgen waren van het houden van de verkeerde man? 'Liefde is iets heel serieus. Daar is tijd en vertrouwen voor nodig. Ik hoop dat je zult proberen je aan de normen en waarden te houden die ik je geleerd heb.' Sylvie draaide zich om en lachte stralend naar Brian. Hij was als verlamd. Maar Reenie was allerminst uit het veld geslagen.

'Brian en ik voegen een paar van onze eigen waarden toe aan die van jou.'

'Zoals?'

'O, we hebben besloten dat we onszelf niet verantwoordelijk zullen stellen voor onze daden,' zei Brian, die voor het eerst zijn mond opendeed. Sylvie keek duidelijk geschokt, tot ze begreep dat hij gekheid maakte.

Reenie begon hysterisch te lachen, 'O, mam. Te gek, hè? Je hebt zojuist een staaltje meegemaakt van Brians zogenaamde gevoel voor humor.'

'Heel amusant.' Ze schrok even toen ze hoorde dat haar stem precies zo klonk als die van Mildred. 'Brian, wil je ons even excuseren?' vroeg Sylvie. Hij knikte, pakte wat hout op en liep naar het huis. Met tegenzin liet Reenie hem gaan, tot Sylvie haar meetrok. Ze liepen de garage in. Sylvie keek naar het mooie gezichtje van haar dochter, zo vol vertrouwen. Waar moest ze beginnen? 'Genoeg gekheid. Wat heb ik je altijd gezegd?' vroeg Sylvie. 'Seks is zoveel beter als er liefde in het spel is.'

Reenie trok een 'eh-eh'-gezicht. 'Zeker. Ik heb Brian mee naar huis genomen om te zien of ik echt van hem hou. Maak je niet ongerust, mam. Ik zal het je laten weten zodra we met elkaar naar bed gaan. Ik zal mijn gsm meenemen, en condooms, en ik zal je bellen vanuit mijn bed.' Even bleef Sylvie met open mond staan, toen barstten zij en Reenie in lachen uit.

'Oké,' zei Sylvie. 'Ik zal me inhouden.' Ze omhelsde Reenie weer, tot het meisje zich losmaakte, verlangend om terug te gaan naar Brian.

Toen Sylvie uit de garage kwam, waren Kenny en de andere jongens aan het voetballen op het grasveld in de achtertuin. Sylvie bleef even staan kijken. Ze dacht aan Marla's commentaar over zijn seksualiteit, maar Marla was gek. Geelgroene aura's. Kom nou! Sylvie vond de jongens gezond en sportief, zelfs als ze elkaar een tik op hun billen gaven.

'Kenny? Kan ik even met je praten?' gilde Sylvie tegen haar zoon.

Kenny liet de anderen in de steek en liep naar zijn moeder. Hij zag rood en was buiten adem. 'Is het belangrijk, mam? Want we hebben volgende week een belangrijke wedstrijd en we moeten goed oefenen.'

'Ik wilde je alleen even een knuffel geven en je vertellen dat ik je mis en van je hou.' Sylvie zweeg even. 'Dat, en om te vragen of voetbal beschouwd wordt als een contactsport.'

Kenny snapte de vraag niet en zei: 'Ik heb jou ook gemist, mam. Wees maar niet bang. Ik zal geen letsel oplopen.' Hij zweeg even, keek om zich heen in de garage en liet toen zijn stem dalen. 'Zeg het tegen niemand, zelfs niet tegen paps, maar...' Sylvie hield haar adem in, '...er zijn momenten dat ik echt heimwee heb.'

Sylvie glimlachte naar haar zoon. Hij torende boven haar uit. Meer dan wat ook wilde ze dat hij gelukkig zou zijn. Ze dacht dat hij meer kans zou hebben als hij niet op een man hoefde te vertrouwen. Laat hem een meisje vinden dat hem adoreert, en als hij *zijn* vrouw bedroog, zou ze hem met een haarborstel te lijf gaan. 'Dat is het liefste wat ik ooit gehoord heb,' zei ze en gaf hem een klopje op zijn arm. 'Maar je hebt je... vrienden. En jullie lijken allemaal zo... vertrouwd met elkaar.'

'Het is meer dan dat,' zei Kenny.

'Als een groep bedoel je?' vroeg ze.

'Ja.'

Sylvie voelde zich opgelucht. Niet dat ze het echt, echt erg zou vinden, zoals Marla het zou uitdrukken, maar...

'Meestal,' zei Kenny. 'Maar Hugh en ik... we zijn echt heel erg bevriend. Tussen haakjes, mam, je ziet er goed uit.' Hij nam haar taxerend op. 'Misschien kunnen we naar de stad gaan en een paar hippe kleren voor je uitzoeken.'

Sylvie maakte zich bezorgd daarover, maar Kenny holde al weg. Sylvie haalde haar schouders op. Ze zou hem accepteren zoals hij was. Langzaam liep ze weg. Haar halfuur was voorbij.

Marla had gedoucht, zich verkleed en rommelde nu wanhopig in de kasten. De keuken leek op de operatiekamer van een veldhospitaal in de oorlog, met emmers en schalen en apparaten en pannen op elke beschikbare oppervlakte. Het was al over tweeën, maar ze was niet verder dan... een wanhoop, dacht Marla. De taarten waren gebakken, de aardappelen geschild, de yammen bijna klaar, maar de sperziebonen waren al slap en de kleine kalkoenen leken niet gaar te willen worden. Ze had ze in de oven op een rij gelegd, als de Rockettes in Radio City. Ze kon ook de garde niet vinden, of de maatbekers, en ze had beide nodig volgens haar recepten. De druk werd haar te groot. Haar voeten deden pijn, precies op de bal van de voet, wat betekende dat ze hartproblemen had. Waarschijnlijk had ze een hartaanval en wisten alleen haar voeten het! Wanhopig pakte Marla de telefoon op en belde Sylvie.

Sylvie lag lusteloos achterovergezakt en keek naar het eind van Macy's Day Parade. Ze probeerde een besluit te nemen of ze haar tv-diner al in de oven zou zetten of nog even zou wachten. De telefoon ging en opgelucht nam ze op. Zelfs praten met Brightman was beter dan het gevoel dat ze nu had, dat ze in een tombe was opgesloten. Ze legde de hoorn tegen haar oor. Het was Marla, die fluisterde: 'Oké, waar is dat ding verdomme?'

'Waar is *wat*?' vroeg Sylvie. 'Overigens ben *jij* de zieneres, niet ik.'

'De kalkoenbedruiper,' zei Marla, nog steeds fluisterend.

'Geen idee! Ik heb dat ding in jaren al niet meer gebruikt. Bovendien heb ik je gezegd dat je een zelfbedruipende moest kopen,' bracht Sylvie haar in herinnering.

'Ik geloof dat één ervan dat is. Maar je kunt niet verwachten dat die alle andere bedruipt,' fluisterde Marla iets luider.

'De andere? Welke andere?' vroeg Sylvie. 'Hoeveel kalkoenen heb je? Wat is er aan de hand? Vanmorgen ging alles zo goed,' zei Sylvie, met haar ogen op het tv-scherm gericht. De pantomime was aan de gang. Ze vroeg zich af wat er mis was gegaan vanaf de Popeye-blimp tot op dit moment, nu de Herculesballon naar Herald Square werd gebracht.

'Maar nu gaat niets meer goed. De inlanders zijn onrustig.' Marla was vergeten te fluisteren. 'Kom hierheen. Alsjeblieft. Ik heb je hulp nodig.'

'Nu? Wij samen in dezelfde keuken?' vroeg Sylvie. 'Ben je helemaal gek geworden? We hebben vanmorgen al te veel risico genomen.' Toch ging Sylvie overeind zitten, ze voelde de adrenaline door zich heen stromen. Misschien zou ze deze onmogelijk lege dag toch niet hoeven uit te zitten. 'Wil je ermee ophouden? We kunnen in tien minuten van plaats wisselen.'

'Vergeet het maar!' snauwde Marla. 'Ik wil de bedankjes en waardering na al dit werk. Ik heb alleen een beetje assistentie nodig.'

Sylvie kwam in de verleiding, maar zei: 'Kom nou, Marla. We kunnen niet tegelijk op dezelfde plaats zijn. Iedereen kan vrouwen van middelbare leeftijd negeren, maar niet als ze voor hun ogen klonen. Waarom roep je mijn moeder niet?' vroeg Sylvie. 'Zij zal je wel helpen.'

'Dat heb ik al gedaan,' gaf Marla toe. 'Ze helpt, maar ik heb jou nodig. Ik red het nooit alleen. Ze hebben al *alle* chips op, de met roomkaas gevulde selderie, en zelfs de meeste olijven. Weet je hoeveel olijven dat zijn? Kan iemand een overdosis van olijven krijgen?' vroeg Marla. Haar stem klonk wanhopig. 'En Phil heeft net geprobeerd het pompoenmiddenstuk op de tafel op te eten. Weet je, we moeten eens praten over Phil. Ik ben er niet zo zeker van dat hij geschikt is als echtgenoot. En over echtgenoten gesproken, het helpt ook niet zo erg dat je man een hoop drank schenkt.'

'Hij is *jouw* man vandaag,' zei Sylvie verbitterd.

'Ja, en hij steekt geen poot uit,' gaf Marla toe, even verbitterd. 'Ik dacht dat Thanksgiving een feest voor de familie was.'

'Word wakker en ruik de pompoentaart. Vrouwen doen het solo. Zo gaat dat nu eenmaal,' zei Sylvie. Plotseling herinnerde ze zich duidelijk al die fanatieke voorbereidingen van de vorige jaren, en ze glimlachte. Misschien was dat alleen-op-de-bank nog zo slecht niet.

'Nou, één ding doet Bob wél, hij drinkt borrels. Hij en Phil en John en Jim – ik bedoel, paps – zijn allemaal hier, en ze drinken,' zei Marla. Ze bleef even stil. 'Waarschijnlijk zien ze nu al dubbel. Als ze het tot dusver niet door hebben gekregen van ons, dan zullen ze dat nu echt, echt ook niet.'

Sylvie aarzelde en zei: 'Ik wil graag komen.' Ze dacht aan de lege dag die zich voor haar uitstrekte. 'Eerlijk gezegd, Marla, ben ik op het ogenblik niet erg gelukkig met jouw leven.'

'Alsof *ik* dat van *jou* leuk vind,' zei Marla met een minachtend gesnuif.

Sylvie parkeerde om de hoek van haar straat. De beste weg om in haar eigen huis te komen leek haar door de tuin van de Beyermans. Er konden niet twee identieke BMW sportwagens op haar oprit geparkeerd staan naast de andere wagens.

De Beyermans leken niet thuis te zijn. Dat dacht ze tenminste tot ze bij de muur van rododendrons kwam die haar tuin scheidde van die van hen. Op dat moment schoot Ching, die afgrijselijke zwarte keeshond, luid blaffend op haar af, zoals hij bijna elke dag deed. Maar nu zette hij zijn kleine puntige tanden in haar enkel. Volkomen verrast schudde Sylvie hem van zich af, dook door de rododendrons. Jankend vielen ze samen op de grond, zij op haar terrein en Ching op het zijne. Hurkend en hinkelend wist ze om de garage heen te sluipen, de achtertrap op, en toen keek ze voor de tweede keer die dag door het keukenraam. Marla, nog vrijwel net zo gekleed als Sylvie zelf, in een zwarte legging en een zwarte sweater, stond op de uitkijk. Ze deed de deur open. Ergens – Sylvia kon zich niet voorstellen waar – had Marla een schort opgeduikeld. Het was niet een van die praktische schorten, het was een klein gevalletje dat Betty Crocker in 1954 had kunnen dragen. Sylvie hinkte naar de keuken. Als ze niet al buiten adem was geweest, zou het tafereel hier haar de adem hebben benomen. Het zag er rampzaliger uit dan ooit tevoren. Sylvie had nog nooit zo'n wanorde gezien. 'Hallo, lieverd,' zei Mildred. 'Welkom in de rotzooi. Te midden van de schalen, potten, spatels en pannen had haar moeder net voldoende ruimte gevonden om met haar elleboog tegen het aanrecht te leunen.

'Gauw! Kom binnen,' fluisterde Marla tegen Sylvie. 'Je moet me helpen met die maaltijd. *En* je moet een andere man voor me zoeken. Phil wil ik niet.'

'Welkom in de club,' merkte Mildred sarcastisch op. Ze zuchtte. 'Het middelste-kind-syndroom,' zei ze hoofdschuddend.

Sylvie keek om zich heen. Ze kon het niet allemaal meteen bevatten. Niet nu het al bijna drie uur was en ze niets rook van voedsel dat werd gekookt of gebraden. Ze zag alleen de totale chaos die haar omringde. Ze keek naar haar keukenblok, dat bijna bezweek onder de rommel. 'Vier gardes? Ik wist niet eens dat ik vier gardes *had*.' Ze pakte er een op. Wat ongeïdentificeerd vocht droop eraf. 'En je hebt ze allemaal gebruikt,' ging ze zwakjes verder. 'Heeft je moeder je nooit geleerd om de dingen schoon te maken als je bezig bent?'

'Het enige dat mijn moeder me geleerd heeft is Frans inhaleren,' snauwde Marla. 'Maar daar heb ik niets meer aan sinds ik ben gestopt met roken.' Ze veegde haar handen af aan haar schort. 'Heeft iemand een Marlboro?' vroeg ze.

'Ik hoop van niet,' zei Sylvie. Ze keek naar haar moeder, die slechts haar schouders ophaalde. 'Oké, is er *iets* klaar? Hoever zijn we?'

'Het lijkt Rwanda wel,' merkte Mildred op.

'Nergens,' zei Marla tegelijkertijd. 'De desserts zijn klaar, maar de aardappelen zijn aangebrand, en ik heb nog geen sla gemaakt. Ik kan niet overweg met de elektrische blikopener, dus kan ik niet bij de cranberrysaus. En wat moet je eigenlijk doen met die winterpompoen? Hoe verwacht je dat ik kan werken met al die proteïne en zetmeel? Je weet hoe ik denk over het combineren van die twee dingen. Ik kan gewoon niet...' Marla liet het aanrecht in de steek, trok een van haar schoenen uit en wreef over haar voet. 'Ik geloof dat ik een hartaanval heb,' zei ze, en staarde naar haar hiel alsof die het kon helpen. Mildred keek spottend naar Sylvie en draaide het gas hoger, waarop alle pannen begonnen te stomen. Ze keek er zo intens naar dat het leek of ze op de Yuri Geller-toer was en probeerde ze met telepathische kracht in beweging te krijgen.

'Wat doe je?' vroeg Mildred.

'Een goed bewaakte pot bederft nooit,' zei Marla, nog steeds naar de pannen starend.

Sylvie schudde haar hoofd. 'Je bent hier niet pas gisteren aangekomen. Wat heb je al die tijd gedaan?'

'De tafel gedekt,' antwoordde Marla.

'Ze kan mooi tafeldekken,' bevestigde Mildred. 'Die gekalligrafeerde naamkaartjes zijn een heel persoonlijke toets. En die kalkoenservetten zijn enig. Jammer dat er geen kalkoen is.'

'Waar is iedereen?' fluisterde Sylvie.

'Ze kijken naar de wedstrijd,' zei Marla. 'Iedereen behalve de kinderen is dronken. Ten minste één ding is net als thuis.' Toen draaide ze zich om naar het raam, wees en zei hijgend: 'O-o! Benny en zijn vrienden zijn terug uit het park en kijken hierheen.'

'*Kenny*, niet *Benny*!' verbeterde Sylvie haar, terwijl ze wegdook om niet gezien te worden. Ze wreef over haar eigen hiel toen ze op de grond zat. Ze vroeg zich af of ze niet een injectie tegen die hondenbeet moest hebben. Tetanus of rabies? Intussen liepen de jongens in een luidruchtig groepje over de oprit. Als ze in de keuken kwamen, waren zij en Marla verloren. Ze kwamen naar de acherdeur. 'Marla, verdwijn! Gauw!' zei Sylvie hijgend.

'Waar moet ik naartoe?' fluisterde Marla in paniek. 'Ik kan beter maken dat ik wegkom. Te veel koks bederven de brij.' Wanhopig zocht ze naar een schuilplaats.

'In de wasruimte. Schiet op!' zei Sylvie.

'Nee,' zei Marla. 'Ik ben bang voor die apparaten. Ze haten me. Ga *jij* maar.' Voordat Sylvie haar kon wurgen, verdwenen de jongens achter de garage. Sylvie stond op. 'Ik geloof dat ze daar joints roken,' zei Marla, die uit het raam keek.

'Wat?' vroeg Sylvie geschokt. 'Heb je een van die kinderen zien –'

'Ik heb niets gezien, maar dat deden *mijn* broers altijd achter de garage,' bekende Marla. 'Hm, ik zou best een stickie kunnen gebruiken.'

'*Denk* er zelfs niet aan,' waarschuwde Sylvie.

Marla zuchtte. 'Wie heeft daar nou tijd voor? Het werk van een vrouw is is nooit gedaan.'

Voordat Mildred of Sylvie kon reageren, klonken de stemmen van Phil en Rosalie in de eetkamer. 'Jezus, moet je die tafel zien!' zei Phil, toen hij de deur van de keuken opendeed. 'Het lijkt wel een schaalmodel van Epcot Center. Wat is dat allemaal?' Sylvie dook net op tijd weg achter het keukenblok.

'Je zus heeft een hoop tijd besteed aan het plannen van dit diner,' snauwde Rosalie. 'Niet dat jij het verdient. Ze wilde het gezellig maken voor de tweeling en zo.'

'Goed, goed. Waar zijn de pretzels?' Phil begon kasten open te maken, liep om het keukenblok heen. Sylvie kroop haastig op handen en voeten in een kringetje rond, net als de hond die haar had gebeten, en wist met moeite uit het zicht te blijven.

'Waarom doe je nooit een deur dicht? Kijk eens in de kast bij je rechtervoet,' stelde Rosalie haar ex voor.

'Over voet gesproken, wat mankeert dat vriendje van je eigenlijk? Die Mel? Hij zegt dat hij wat uitrusting mist.'

'Hij kan het niet helpen dat hij iets mist, 'snauwde Rosalie. 'Dat doe jij ook. En wat *jij* miste was niet alleen een teen.'

'Ja, ik weet het. Ik was mijn ballen kwijt, maar ik heb ze nu weer terug.' Phil gebaarde met zijn ene hand naar zijn kruis en haalde met de andere de pretzels te voorschijn.

'Phil, alsjeblieft,' zei Mildred. 'Dit is een keuken.' Noch haar zoon, noch haar ex-schoondochter hoorde haar.

'O, ja? Dat is niet wat je pa zegt. In ieder geval ben ik niet geïnteresseerd in Mels *tenen*.'

'Spaar me de details,' smeekte Phil. Even hard ruziënd als ze binnen waren gekomen, gingen ze weer naar buiten. Sylvie realiseerde zich dat die twee perfect bij elkaar pasten.

'Het heeft me altijd verbaasd dat die twee zich in een stampvol vertrek kunnen bevinden zonder het te merken,' zei Mildred, terwijl ze Sylvie overeind hielp.

'Tijd voor de kalkoen!' riep Marla. Ze deed de oven open en toonde rijen kippen, of iets dergelijks.

'Dat is geen kalkoen!' krijste Syvie.

'Het is *bijna* kalkoen. Ik denk er maar aan als "kalkoen light", ' zei Marla, om zich te verdedigen. 'De slager zwoer dat ze konden worden gevuld,' ging ze verder.

'Hoe? Met een pincet?' vroeg Mildred.

'Marla, dat kun je de kinderen niet voorzetten. Die eten geen kuikens. We hebben altijd kalkoen gehad. Ik bedoel, het is toch Thanksgiving?'

'Wat wil je dat ik doe?' jammerde Marla. 'De echte, echte kalkoen paste niet in de oven. Ik heb het geprobeerd, ik heb het echt geprobeerd.' Ze begon te snikken, haar schouders schokten, haar neus begon te lopen. 'Ik ben gewoon niet in de wieg gelegd om een echtgenote te zijn. Zie je wel? Ik kan het niet. Ik kan niet eens voor mezelf zorgen, laat staan voor een voetbalelftal. Geen wonder dat Bob me niet wil. Niemand wil me.'

Mildred deed een stap naar voren en sloeg haar armen om Marla heen.

'Je hebt de tafel prachtig gedekt,' zei Sylvie, in een poging Marla te troosten.

'Twee dagen geleden. Maar er komen steeds méér mensen. Ik kan het niet bijhouden!' Marla barstte weer in tranen uit. 'We hebben nog twee plaatsen extra nodig.'

'Dat doe ík wel. Snij jij de wortels maar.' Sylvie keek naar Mildred. 'Mam, je zult erop uit moeten en een gebraden kalkoen kopen.'

'Dat vind ik heel gênant. Bovendien is alles dicht.'

'Geneer je maar. Daar ga je niet dood van. Ga naar een restaurant als het moet. Bestel à la carte.'

Sylvie moest de zaak in het reine brengen. Arme Marla. Zoals Sylvie had verwacht, was ze niet tegen deze feestdag opgewassen. Maar in plaats van blij te zijn, voelde Sylvie zich schuldig en had ze medelijden met haar rivale. Ze zou Marla in ieder geval het feestmaal geven dat ze zo graag wilde hebben. Sylvie sloop de eetkamer in, gevolgd door een nog steeds protesterende Mildred. Toen Mildred de tafel zag, onderdrukte ze een kreet. Hij zag eruit als een modelspoorweg – miniatuur Pilgrims, een paar tipi's en – om een of andere vreemde reden die alleen Marla bekend was – een kleine overdekte brug. Ze begonnen dingen te verplaatsen en hadden een deel van het pièce de milieu weggehaald, toen Bob binnenkwam. Mildred en Sylvie verstarden. Sylvie's hart begon sneller te kloppen, maar Bob liep regelrecht naar de drankkast.

'Hebben we nog Scotch?' vroeg Bob, die in de kast begon te rommelen. 'Het schijnt de favoriete drank te zijn op het ogenblik. Je vader en John zitten zelfs te giechelen. En Phil lijkt nijdiger dan gewoonlijk.'

'Verdomme!" brulde Marla uit de keuken.

'Rosalie ook,' zei Sylvie, en liep snel naar de keuken. 'Sst!' siste ze. 'Wat is er gebeurd?'

Marla hief haar hand op. Ze bloedde. Ze had zich kennelijk gesneden bij het hakken van de wortels.

'Hou hem onder koud water,' zei Sylvie toen de deur openzwaaide.

Rosalie kwam terug in de keuken, deze keer met haar afspraakje.

Sylvie haalde de deur van de wasruimte niet, dus perste ze zich in de smalle ruimte naast de koelkast. Het verbaasde haar dat het lukte. Ze was dus echt slanker geworden!

'Sylvie, dit is Mel,' zei Rosalie tegen Marla. 'Ik heb haar alleen maar goede dingen over je verteld,' mompelde Rosalie.

Maar Marla had alleen maar aandacht voor haar kleine wond. 'Au! Verdikkeme! Ik had een vinger af kunnen hakken. Ik zou levenslang verminkt zijn!' riep Marla uit.

Rosalie keek met een giftige blik naar Marla. Ze knuffelde haar vriend en zei: 'Ik geloof niet dat het aantal vingers of tenen dat iemand heeft iets te betekenen heeft! Niets!'

Stampvoetend liep ze de keuken uit, gevolgd door de nu kribbige Mel. Sylvie was net bezig zich uit de ruimte naast de koelkast te wringen toen John binnenkwam. Hij had haar bijna gezien, dus sprong ze de achterdeur uit en stond in de kou door het beslagen raam naar binnen te kijken. John luisterde naar Marla en leek heel bezorgd, zij het een beetje aangeschoten. Sylvie vroeg zich af of ze hem op de een of andere manier kon vragen naar haar Ching-beet te kijken, toen ze zag dat hij Marla's hand onder het stromende water vandaan haalde. Hij boog zich over Marla heen en kuste haar vinger om hem beter te maken. Sylvie kon haar ogen niet geloven. John kon maar beter stomdronken zijn! Ze zag hoe hij liefdevol een pleister om Marla's vinger deed en zijn arm om haar heen sloeg. Sylvie's adem besloeg het raam. Toen liepen ze samen de keuken uit. Sylvie ging behoedzaam naar binnen. Toen ze binnen was, kwam John weer terug. Verbaasd, maar duidelijk niet nuchter, knipperde hij verward met zijn ogen en liep naar haar toe. 'Waarom draag je die muts?' vroeg hij met dubbele tong. 'Is het over?' Hij pakte haar koude hand. Hij was kennelijk verbaasd door de temperatuur ervan. Hij keek ernaar en was nog verbaasder toen hij zag dat het verband en het wondje verdwenen waren. 'Lieve god. Wat is er gebeurd?' vroeg hij.

'Je hebt hem gekust en nu is hij beter,' zei Sylvie liefjes. Het liefst had ze hem echt in de war gebracht en haar muts afgezet en haar blonde haar los laten vallen. Hij moest maar denken dat zijn kus dat had gedaan!

John was in de war. Goddank dat er alcohol bestond, dacht Sylvie.

Jim en Mildred zaten aan een tafel in de Hungry Heifer. Geduldig herhaalde Mildred hun bestelling. 'Precies. Kalkoen voor twintig en twee glazen water,' zei Mildred tegen de ober, die verward, maar dienstwillig wegging.

'Mildred, dit is pijnlijk,' zei Jim. 'Hoe is Sylvie erin geslaagd –'

'O, dat is een lang verhaal,' zei Mildred en boog zich naar haar man toe. Ze had de twee bovenste knoopjes van haar blouse losgemaakt en hoopte dat hij het zag. De huid in haar decolleté leek op gerimpelde zij, maar toch, een inkijk was een inkijk. 'Weet je, Jim... je ogen zien erg blauw vanavond.'

'Mildred?' zei Jim op een toon die een hoop vragen stelde.

'Het ís zo,' zei Mildred ontwijkend, diep in zijn ogen starend. Jaren geleden hadden ze haar gezien als een jong, begeerlijk meisje. Het waren de enige ogen die nog over waren op deze planeet die dat hadden gezien. 'Jim, ik ga niet mijn graf in zonder ooit meer seks te hebben gehad,' zei Mildred.

Jims blauwe ogen knipperden. En Mildred kreeg de indruk dat hij misschien belangstelling had.

Alle mannen behalve Brian keken naar football. Ze zaten gespannen bij elkaar en volgden een belangrijke wedstrijd. *Sixth down, ten to go,* of zoiets. Marla had de regels van football nooit begrepen, en evenmin waar iedereen zich zo druk om maakte. Die kerels met hun brede schouders zagen er goed uit, in vergelijking was hun achterwerk klein, maar ze wist dat het allemaal opvulsel was. Ze stapte naar Phil.

'Kan ik je glas bijvullen?' vroeg ze op haar beste gastvrouwentoontje. Ze voelde zich iets beter. Sylvie had het overgenomen in de keuken, het eten was bijna klaar, en Marla had zich verstopt in de badkamer boven, waar ze zich had opgeknapt en tot rust was gekomen. Misschien zou ze toch bij deze familie kunnen horen, dacht ze. Het leek zo gezellig, allemaal voor de tv, als holbewoners rond een vuur. Misschien kon ze Phil aardig gaan vinden. Misschien kon hij haar eigen holbewoner worden.

Op dat moment was er een touchdown of zo. Iedereen behalve Phil schreeuwde. Marla sprong op. Phil krijste. Hij had het gemist.

'Sylvie, kun je je kont voor die tv vandaan halen, zodat een man wat kan zien?' brulde haar holbewoner. Marla deed beledigd een stap achteruit. 'Vrouwen!' zei Phil, opkijkend. 'Is er al nieuws over het eten?'

'Ja, één ding: stik!' Aangeslagen liep Marla de kamer uit naar de keuken.

Sylvie was bijna klaar met de aardappelen. Mildred was teruggekomen met de kalkoen. 'Het is voor elkaar,' zei Mildred. Ze keek naar Marla. 'Jongens, wat ben jij opgeknapt.'

Marla negeerde het compliment. Ze staarde naar de beide vrouwen. 'Ik dacht dat jullie aardig waren,' zei ze. 'Niet het soort dat me wil laten trouwen met een vrouwenhatende klootzak.'

'Phil?' vroeg Mildred en zuchtte. 'Ik had echt gehoopt dat jij hem wat fatsoen kon bijbrengen. Ik weet dat hij liefde in zich heeft... ergens. En eerlijk gezegd, jij bent een aardige meid.' Ze zweeg even. Marla raakte wat milder gestemd. Ze zou echt graag hierbij horen. 'Weet je,' zei Mildred, 'alle mannen moeten een beetje opgevijzeld worden.' Mildred had nog steeds haar jas aan. Haar wangen waren roze, haar ogen fonkelden. Ze zag er goed uit voor een oude dame, dacht Marla. Ze zag eruit of ze een geheim had. Marla probeerde zich te concentreren op wat haar mam zei. 'Een van de grootste ironieën van het leven is dat als een man en een vrouw trouwen, de man hoopt dat zijn vrouw nooit zal veranderen en de vrouw geen seconde kan wachten voor ze begint hem te veranderen. Natuurlijk worden ze uiteindelijk allebei teleurgesteld. De vrouw verandert altijd. De man nooit. Bekijk Phil maar als een opknappertje.' Mildred glimlachte. 'Jim is nog steeds mijn lopende karwei, maar ik begin wat verbetering te zien.' Ze trok haar jas uit. 'Laten we samen het eten opdienen. Ik zou je graag in de familie hebben,' zei Mildred oprecht tegen Marla.

'Echt, echt?' Marla liet zich in Mildreds armen vallen. Sylvie maakte van de gelegenheid gebruik om te verdwijnen.

29

Sylvie stond in haar dooie eentje aan de andere kant van de straat tegenover haar huis. Het schemerde. Alle andere huizen in de straat waren donker: haar vader en moeder en Rosalie waren uit, in haar huis aan de overkant, en de Brennans gingen op deze dag altijd naar zijn ouders in Arizona. Ze was alleen. De wind was opgestoken en al was het nog niet echt koud, de vochtigheid en de wind deden Sylvie huiveren. Ze droeg nog steeds haar zwarte legging en sweater, maar ze had alleen haar denim jack meegenomen en dat was niet echt voldoende om haar warm te houden.

Als ze in haar BMW zat, zou ze de verwarming hoog draaien. Bij die gedachte huiverde ze opnieuw. Ze aarzelde om terug te gaan door de tuin van de Beyermans – niet omdat ze bang was voor Ching, ook al deed haar hiel nog steeds pijn – maar omdat ze haar ogen niet kon afhouden van het verlichte eetkamerraam van haar huis. Daarbinnen was het gelukkige, typische familietafereel. Norman Rockwell, zo Amerikaans als een pompoentaart. Kenny, Reenie, haar vader en moeder, haar broer, haar man en haar vrienden. Zelfs zij was er. Op dit moment was ze bezig aardappelpuree op Johns bord te scheppen. Het leek of iedereen bezig was eten door te geven, op kalkoenpoten te kauwen of te lachen. Het was zo ongeveer als Huck Finn op zijn eigen begrafenis. Nee, het was of ze niet bestond. Sylvie dacht aan de film *It's a Wonderful Life*. Maar in die film besefte Jimmy Stewart dat hij onvervangbaar was. Hij zag de impact die zijn leven op anderen had.

Staande in de diepe duisternis, dacht Sylvie dat zij volledig vervangbaar was. Ze hoefde niet te bestaan.

De tafel was afgeruimd met de hulp van de kinderen, die toen allemaal uit waren gegaan, ergens heen. Ergens waar ze plezier konden maken, dacht Marla. Ze had geen staande ovatie gekregen. Geen enkel applaus. De enige bedankjes die ze had gekregen waren de beleefde woorden van Benny's vrienden, die alleen hadden gemompeld 'Dank u, mevrouw Schiffer' toen ze hun borden naar het aanrecht brachten. De keuken was een puinhoop. Marla overzag de ravage. Ze had gedacht dat boodschappen doen en koken het hele werk zou zijn. Dit had ze niet vermoed. Ze kon gewoon niet *geloven* wat voor werk haar allemaal wachtte. De gedachte aan al dat combineren van proteïnen en zetmeel, en fruit met groenten, overweldigde haar. 'De aura in deze keuken deugt nog steeds niet, al doe ik nog zo mijn best,' zei Marla hardop tegen zichzelf. De tranen sprongen in haar ogen. Zag het gezinsleven er zo uit? Of was het zo geworden door Bobs relatie met haar? Marla wist niet zeker of ze meer medelijden had met zichzelf of met Sylvie, maar ze koos voor zichzelf. Toen ging de keukendeur open. Even dacht ze dat Bob binnen zou komen, om haar te omhelzen en haar te vertellen wat een fantastisch diner het was geweest. Maar het was Bob niet. Het was John, die kennelijk zo zat als een meeuw was, met Mildred die hem een handje hielp, de keuken in. 'Jezus, ik heb te veel gedronken.'

'Jezus heeft gelijk,' zei Mildred, om zich heen kijkend naar de gigantische rotzooi. 'Martha Stewart woont hier niet.'

John overzag met waterige ogen de chaos. 'Hé, kan ik helpen?'

'Wat jij moet doen, dokter, is gaan liggen. Dat is opdracht van dr. Mam,' zei Mildred. 'Ik blijf wel om Sylvie te helpen.'

'Nee, jij hebt genoeg gedaan, mam. Mijn man hoort me te helpen,' zei Marla. Op dat moment kwam Bob de keuken binnen. Misschien zou alles toch nog goed aflopen. Marla glimlachte. Nu zou ze wat waardering krijgen, en waar John bij was.

Maar Bob zei: 'Ik ga even weg; ik moet nog een paar dingen afmaken op de zaak.' Hij pakte zijn autosleutels en rammelde ermee. Toen draaide hij zich om en pakte zijn jas. Marla kneep haar ogen halfdicht. Ze wist dat hij niet naar de zaak ging. Ze wist precies waar hij naartoe ging. Wat een lef! Wie dacht hij wel dat hij was, en wie dacht hij dat zij was? Een galeislaaf? Een poetsvrouw? Marla keek naar de stapels vette borden, vuile kommen, zwartgeblakerde pannen, de schalen die geleegd moesten worden in de afvalbak. Dit huwelijk hoort ook in de afvalbak, dacht ze, en zwaaide opzettelijk met haar arm over het keukenblok, waarop een aantal borden op de grond kapotviel. Bob draaide zich weer om.

'Wat is er gebroken?'

'Een huwelijk?' vroeg ze. Ze pakte een schotel op waarop nog wat geglaceerde yammen lagen en die verdomde gesmolten marshmallows. Ze gooide het in zijn richting, miste hem, maar raakte John bijna.

Mildred trok John de keuken uit. 'Ik geloof niet dat we hier nodig zijn,' zei ze.

Bob was weggedoken, maar nu stond hij op en keek naar de schotel die tegen de deur sloeg, samen met de zoete aardappelen die op zijn corduroy broek waren gespat. 'Sylvie! Hou op! Ben je gek geworden?' vroeg Bob. 'Wat heeft dit te betekenen?'

'Het betekent niets want... het betekent dat alles uit zijn evenwicht is omdat het zetmeel de proteïne heeft geraakt...' sputterde Marla. Ze wilde hem vertellen wie ze echt, echt was, en ook wat hij was. Maar ze had het Sylvie beloofd. 'Dit is geen echt huwelijk. Ik bedoel, je bent getrouwd maar... in ieder geval, het is niet wat een huwelijk hoort te zijn,' zei ze. 'Je wilt niet met me vrijen. Je wilt niet voor me zorgen. Ik heb een huis. Ik heb kinderen. Mocht wat. Ik moet alles zelf doen.'

'Sylvie, ik –'

Maar Marla was niet van plan naar zijn leugens te luisteren. Ze was uitgeput en haar teleurstelling was zó intens, dat ze het gevoel had dat iets in haar borst uit elkaar sprong. 'Hou je mond! Denk je dat het zo gemakkelijk is om *jouw* vrouw te zijn? Ik ben niet alleen de kok, de werkster en de vrouw die je ziet weggaan, weet je.' Ze begon te huilen, maar dat wilde ze niet. Ze was te kwaad, en te trots. Bob gaf haar het gevoel dat ze een soort gecastreerde hond was, een of ander dier dat geen seks had. 'Weet je wel hoe hard ik aan die maaltijd gewerkt heb?' vroeg ze. 'Hoe moeilijk het was om niet de verkeerde vruchten en groenten te combineren? Weet je hoeveel tijd het me heeft gekost om alles te organiseren? En nu denk je dat je weg kunt naar een of andere...' Ze zweeg. Ze dacht weer aan Sylvie. Als dit het leven was dat Sylvie had geleid, dan begreep ze waarom Sylvie had willen switchen. Sylvie moest het recht hebben Bob te vertellen over de switch, vlak voordat ze hem castreerde.

Marla zag dat Bob zich bukte en probeerde de marshmallows en yammen van zijn corduroy broekspijpen te borstelen. Toen draaide hij zich naar haar om, alsof zij het belangrijkste ter wereld voor hem was

– onmiddellijk na zijn auto en zijn broekspijpen. 'Ik apprecieer je,' zei Bob, naar haar toe komend.

Marla kon het niet langer verdragen. Ze pakte een kom met vulling en smeet die naar zijn hoofd, maar op een centimeter na miste ze weer. De vulling explodeerde op de muur boven de bezemkast. 'Ik wil niet geapprecieerd worden. Ik wil bemind worden en uitgekleed, en niet noodzakelijkerwijs door jou. Verdwijn alsjeblieft! Ga weg, ga naar je vriendin!'

'Wat?'

'Je hebt me gehoord!' Marla gooide weer een bord, en toen nog een. Bob dook met een angstig gezicht weg, draaide zich om en liep de keuken uit. Marla maakte het keukenblok met beide armen leeg en gooide alles op de grond. Toen besefte ze wat ze gedaan had met al dat mooie servies en liep gillend de achterdeur uit, de duisternis in.

30

Sylvie, die zich eenzaam en uitgeput voelde na haar bizarre Thanksgiving Day, had weer een ongemakkelijk sexy nachthemd aangetrokken, en had net besloten naar bed te gaan, ook al was het pas even over acht. Somber poetste ze haar tanden toen ze de deurbel hoorde. Met schuimende mond, tandenborstel in de hand, liep ze naar de deur en keek voorzichtig door het kijkgaatje. Toen ze Bob zag, vermande ze zich snel, spuwde de tandpasta in de pot van de ficus en deed open.

'Bobby? Ik kan me niet herinneren dat je me ooit eerder op een feestdag hebt bezocht,' zei ze. Toen vroeg ze zich af of hij misschien wél naar Marla was gegaan na elk familiefeest. Ze bleef staan. Ze hield van hem en ze haatte hem. Ze wilde dat hij binnenkwam, haar omarmde en troostte en van haar hield, maar eerlijk was eerlijk. En Marla dan? Ze had haar 'man' nu naast zich nodig. 'Je hoort thuis te zijn,' dwong ze zich te zeggen.

'Thuis?' herhaalde Bob. Het strekte hem tot eer dat hij eruitzag als het slachtoffer van een shock. Zijn ogen stonden glazig, misschien was hij aan de rand van tranen. 'Ik weet niet wat er aan de hand is,' zei hij. 'Ik begin aan jou... dit hier... als thuis te denken.' Bob knuffelde haar en ze knuffelde hem terug. Ze voelde de kou die nog in zijn jasje hing. Hij begroef zijn gezicht in haar haar. 'Je ruikt naar kalkoen,' mompelde hij. Even verstarde ze, maar ze bleef hem vasthouden. Ze voelde zich zo behaaglijk bij hem. Zijn gespierde, lange armen voelden als de armen van haar man, en haar minnaar.

Het feit was dat Sylvie wist dat hij van *haar* hield. Hij wist alleen niet dat ze Sylvie *was*. 'Altijd als ik bij je wegga, denk ik dat ik je nooit meer zal zien,' bekende ze, en ze had oprecht medelijden met Marla.

Bob streek over haar haar. 'Ik ga nergens naartoe,' beloofde hij.

Bob sliep, en Sylvie kwam op één elleboog overeind om naar hem te kijken. Ze had nog betere seks met hem gehad dan de eerste keer – ze waren hongerig op elkaar afgekomen en ze hadden gevrijd tot ze allebei uitgeput waren. Sylvie trok het laken op over Bobs blote schouder. Ze hield van de manier waarop zijn huid, die donkerder was dan de hare, zich aftekende tegen het kussen.

Alsof hij voelde dat ze naar hem keek, begonnen Bobs oogleden te trillen, en hij werd wakker. 'Kijk je naar me als ik slaap?' vroeg hij, terwijl hij zijn armen uitstrekte naar het hoofdeinde.

'Dat doe ik al jaren,' bekende ze.

'Ik ken je pas sinds juli.'

Sylvie herinnerde zich haar rol. 'Oeps! Nou ja, het *voelt* als jaren.' Sylvie probeerde Marla's giechel te imiteren. 'Je weet hoe slecht ik ben met maanden en cijfers.'

Bob glimlachte. 'Het voelt inderdaad of we heel oude vrienden zijn. Nou ja, in jouw geval niet zo oud.' Hij greep haar hand vast. Hij keek diep in haar ogen van zijn plaats op zijn kussen naar haar plaats op haar kussen. 'Ik hou van je. Ik hou echt van je, Marla.' Hij keek bijna even verbaasd als zij zich voelde bij die woorden.

Sylvie voelde zich ingelukkig, en tegelijk inbedroefd. In haar hart wist ze dat als er één moment was om een eind te maken aan deze voorstelling, zichzelf te bewijzen en haar voordeel uit te buiten, dat nu was. Toe dan, zei ze tegen zichzelf. 'Dan moet je met me trouwen,' zei ze. Ze bleef hem in de ogen kijken. Ze had het gevoel dat ze erin zou kunnen verdrinken. Hoe kon iemand je zo intens aankijken en dan weggaan en liegen tegen zijn vrouw? Ze zou hem niet uit de problemen helpen. Ze moest zeker weten dat hij zijn lesje geleerd had. Ze had hem verliefd gemaakt op haar – Sylvie – en nu hij Marla kwijt was, zou hij beslissen of ze hem terug wilde of niet.

Bob kwam overeind. Zijn rode kleur was verdwenen. Hij zag zelfs bleek. 'Je hebt van begin af aan geweten dat dat niet aan de orde was, Marla. Ik heb je verteld dat ik getrouwd was, dat ik de gedachte niet kon verdragen om mijn gezin, mijn thuis op te breken –'

'Je zei net dat *dit* je thuis was,' bracht Sylvie hem in herinnering.

Bob stond op en staarde door het raam naar de donkere straat. Hij zuchtte verontrust. Even had Sylvie medelijden met hem, maar niet genoeg om hem niet nog even langer aan de haak te laten kronkelen.

'De waarheid is dat Sylvie gek schijnt te zijn geworden,' bekende Bob. 'En het is mijn schuld. Ik heb haar kwaad en ongelukkig gemaakt.

We zijn twee mensen die in de kou staan. We schijnen elkaar niet gelukkig meer te kunnen maken, maar we zijn geen van beiden in staat de eerste stap te doen.' Bob draaide zich om en keek naar Sylvie, beet toen op zijn lip alsof hij werkelijk zou gaan huilen.

'Misschien heeft ze geen speciale dingen ingeslagen,' opperde Sylvie, om hem op de proef te stellen.

'Nee. Sylvie was – is – romantisch. Dat heb ik verwaarloosd. Zij heeft muziek in haar ziel. Ik ben de mijne kwijtgeraakt.' Hij ging op de rand van het bed zitten. 'Deze laatste twee dagen zijn een fiasco geweest. Ze was kil tegen de kinderen, kwaad op mij, en geobsedeerd door de tafeldecoraties. Gisteravond serveerde ze schaaldieren, al ben ik enorm allergisch voor schaaldieren. Vanavond hadden we ruzie en ze liep bij me weg. Als ze het van ons wist, zou ze het me nooit vergeven... en dat hoort ze ook niet te doen.'

'Het spijt me, Bobby,' zei Sylvie, zich verhardend. 'Ik begrijp hoe trouw je bent en hoe moeilijk het voor je moet zijn, maar ik heb een besluit genomen. Ik hou van je, maar ik kan niet nóg een feestdag in mijn eentje doorbrengen. Als je me niet altijd wilt, wil ik je niet meer zien. '

Bob bleef doodstil op de rand van het bed zitten. Sylvie hield haar adem in. Eindelijk kwam hij tot een besluit en hij draaide zich naar haar om. 'Trouw met me,' zei hij.

Sylvie barstte in tranen uit. Ze had gewonnen! Ze had gekregen wat ze wilde, áls ze het nog wilde. Toch was ze verschrikkelijk in de war. 'Je zou je vrouw verlaten?' vroeg Sylvie geschokt. 'Echt?' Toen: 'Echt, echt?' voegde ze er snel aan toe.

'Ja. Deze laatste week... ik geloof dat ik nu pas beseft heb hoe gelukkig ik met jou ben. En... ik weet het niet. Misschien verdient Sylvie een kans op liefde.' Hij omhelsde haar teder. 'Ik hou van je,' zei hij. Sylvie kon niet ophouden met huilen. Ze trok Bob zó dicht tegen zich aan dat hij nauwelijks meer kon ademhalen.

31

De deur ging langzaam open. Verslagen en verfomfaaid liep Marla de slaapkamer in. Ze kon er niet bij dat ze zo'n puinhoop van alles had gemaakt – niet alleen van de keuken, maar van haar hele leven. Geen wonder dat ze geen echt gezin had. Ze was er niet voor in de wieg gelegd. Nu was Bobby naar Sylvie, de kinderen waren uit, en zij bleef – zoals altijd – alleen. Te moe om zelfs maar een nachthemd aan te trekken, trok ze haar vuile, bemorste kleren uit en stapte in bed. Toen ze eenmaal onder de dekens lag, wenste ze dat ze kon gaan slapen om nooit meer wakker te worden. Ze rekte zich uit, in het midden van het reusachtige tweepersoonsbed. Haar voet voelde iets warms. Haar voet vertelde haar dat er nog iemand anders in bed lag.

Dankbaar fluisterde Marla zacht: 'Bob?'

Maar het was John die slaperig zijn hoofd ophief. 'Sylvie?' vroeg hij. 'Wat doe jij hier?'

'Dat vraag ik me zelf soms ook weleens af.'

Een beetje meer bij de tijd keek John om zich heen. 'Jezus, ik ben in jouw huis.' Hij schudde zijn hoofd alsof hij de spinnenwebben wilde verjagen. 'Dat is nou de reden waarom ik nooit veel drink. Het spijt me verschrikkelijk.'

'Jij hoeft je niet te verontschuldigen,' zei Marla. '*Ik* heb alles verknald.' Ze verborg haar gezicht in haar handen. 'Dat doe ik altijd. Geen wonder dat ik niets en niemand heb.' Ze begon te snikken.

John sloeg zijn arm om haar heen. 'Die heb je wél. Natuurlijk wel.'

'Dat is niet waar!' hield Marla vol en boog haar hoofd. 'Je begrijpt het niet. O, John, ik heb een vreselijke ruzie gemaakt. Ik heb waarschijnlijk elk bord in huis gebroken. Sylvie zal woedend zijn.' Te laat besefte ze wat ze gezegd had, maar John scheen het niet ongewoon te vinden.

'Ik denk dat Sylvie op dit moment woedend is,' zei hij, en pakte haar hand. 'Je moet niet dissociëren. Je kunt je woede erkennen. Vooral tegenover mij, Sylvie. Misschien wil Bob het niet horen, maar ik wel,' zei hij. Toen ging hij rechtop zitten. 'Waar is Bob? Waar is iedereen?'

'De kinderen zijn naar de film,' zei Marla. 'Ze willen gewoon niet bij me zijn. En Bob helemaal niet. Hij was al weg toen ik terugkwam. Je weet bij wie hij is.'

'De schoft.'

Marla begon weer te huilen. 'Ik heb nooit geweten dat een echtgenote zich zo kon voelen. Het spijt me. En ik schaam me.'

'Jij hoeft je nergens voor te schamen,' zei John. '*Bob* hoort zich te schamen.'

Marla keek naar hem op. Ze begon nog harder te huilen. 'Je begrijpt het niet,' zei ze. 'Het is mijn schuld.'

John sloeg zijn arm om haar heen en gaf haar een zoen bovenop haar hoofd. De deken viel van haar schouders. Hij stopte plotseling. 'Sylvie! Mijn god! Je bent... zo roze en je bent naakt.'

Marla knikte, haalde haar schouders op en hief haar gezicht op voor zijn kus, maar alleen op haar wang. Hij rook lekker – een gezonde geur van slaap vermengd met whisky omringde haar. Zonder erbij na te denken zoende ze hem op zijn ogen en – ten slotte – op zijn mond. John kreunde. Even verzette hij zich. Ze voelde dat hij zijn lippen strak hield. Toen ontspande zijn mond zich en ging open. Ze wist dat hij heel lang gewacht had op deze zoen, en ze deed haar best. Eindelijk stopte John, maar pas toen ze allebei buiten adem waren. Zachtjes duwde hij haar weg. 'Dit is verkeerd.'

'Maar niet zo verkeerd als je denkt,' verzekerde Marla hem. Ze hief haar gezicht naar hem op. Hij kon geen weerstand bieden. Ze zoenden elkaar opnieuw. Behoedzaam, zoals je je zou bewegen in de nabijheid van een hert in het bos, sloeg ze haar armen om Johns hals. Met haar rechterhand trok ze heel, heel zachtjes aan zijn haar. Hij kreunde weer.

'Sylvie. O, Sylvie,' fluisterde hij, 'hou alsjeblieft op. Bob, je huwelijk... o, Sylvie.' Marla voelde dat hij het opgaf. Zijn armen klemden zich om haar heen en hij beefde over zijn hele lichaam. Toen verdwenen ze onder de dekens.

Toen Bob de slaapkamer inkwam, voelde hij zich bezwaard, vervuld van het slechte nieuws dat hij kwam brengen. De kamer, net als de rest van het huis, was een puinhoop, het bed slordig en niet opgemaakt, en

Sylvie was nergens te bekennen. Tijdens de hele nu maar al te bekende route van Cleveland over de brug, had hij nagedacht over zijn besluit. Hij was een man die probeerde het anderen naar de zin te maken, die van orde en regelmaat hield in zijn leven. Op het ogenblik maakte hij het niemand naar de zin, en zijn leven was volledig uit de hand gelopen. Zijn huiselijke leven was voorbij, en hij kon aan een nieuw hoofdstuk beginnen. Maar waarom voelde hij zich dan zo'n slijmbal? Misschien omdat Sylvie altijd zo goed, zo perfect was geweest. Hij plofte neer op de rand van het bed en trok langzaam zijn kleren uit. Hij voelde zich te uitgeput om de moeite te nemen zijn pyjama aan te trekken en trok de deken over zich heen. Toen pas zag hij de grote bobbel midden in het bed. Arme Sylvie. Na haar uitbarsting moest ze daar in foetushouding zijn weggekropen. Zo zachtjes mogelijk boog Bob zich voorover en klopte op de bobbel. 'Sylvie, we moeten praten. Nu. Over ons huwelijk.'

Marla voelde dat iemand haar wakker maakte en ging rechtop zitten, de deken tegen zich aangeklemd. 'Pardon?' zei ze. Bob lag naast haar, en even raakte Marla volledig in de war. Was het niet John die zojuist... ja, natuurlijk. Ze stak haar hand onder de deken en voelde Johns zijige haar tegen haar heup. Nu herinnerde ze zich alles weer. Het was geen droom. Ze hield van John en hij hield van haar. Tenzij hij natuurlijk van de echte Sylvie hield, maar dat geloofde ze niet. Niet na wat ze samen in bed hadden gedaan. Maar nu moest ze het eerst met Bob afhandelen. 'Pardon?' zei ze weer.

'Hoor eens, Sylvie. Het spijt me. Het spijt me heel erg. Maar we moeten praten. We hebben een hoop samen gedeeld, maar –' Op dat moment ging John ook rechtop zitten.

'Maar niet langer?' vroeg hij.

Marla bestudeerde Bobs gezicht toen hij besefte dat zijn 'vrouw' in bed lag met iemand anders. Goed, nu zou ze zien hoe hij het vond om iets te delen. Zij had hem de afgelopen vier maanden moeten delen. Maar, om eerlijk te zijn, Bob leek niet bepaald in de stemming om iets te delen. Hij rukte zich van haar los en pakte de deken. John, aan de andere kant, trok ook aan de deken. Alle drie waren ze door niets anders bedekt dan de deken. Marla kon in alle oprechtheid zeggen dat John meer te verbergen had.

Bobs mond viel open. Zijn blik ging van de een naar de ander, zoals mensen op de tv naar een tenniswedstrijd kijken tijdens een volley.

Bob nam het tafereel in zich op, maar langzaam, alsof hij het niet kon geloven.

'John?' vroeg hij. 'Sylvie? Hoe kónden jullie?' vroeg hij. Het afschuwelijke ervan drong nu pas goed tot hem door, en zelfs in het halfdonker kon Marla zien dat hij verbleekte. 'Mijn god, hoe konden jullie me zo bedriegen?'

'*Jou* bedriegen?' vroeg Marla. 'Hoe kan ik een man bedriegen die al met een andere vrouw naar bed gaat?' Het leek haar een redelijke vraag, maar het schokte Bob tot in zijn ziel.

'Je weet het?' vroeg hij.

'O, ja,' antwoordde ze.

Bob richtte zich tot John. '*Jij* hebt het haar verteld!' riep hij, zo kwaad als een naakte, schuldige man in bed maar kon zijn. 'Ik verkoop je een BMW tegen kostprijs en jij... jij...'

'*Ik?*' vroeg John. 'Ik heb haar niets verteld. Ze wist het. Ze kwam bij me. En *jij* bent degene die je vrouw bedriegt.' Hij keek naar Marla. 'Mijn beste vriendin bedriegt,' ging John verder.

'*Ik* ben je beste *vriend*!' riep Bob uit. Hij was woedend. Maar Marla keek zelfs niet naar hem. Ze hield haar blik strak op John gericht. Ze kon haar oren nauwelijks geloven.

'Ik ben je beste vriendin?' vroeg Marla aan John.

Als enig antwoord sloeg John zijn arm om haar heen. 'Ja, Sylvie,' zei hij.

'Echt waar?' vroeg ze. Ze durfde het nauwelijks te geloven.

'Echt, echt waar,' zei John. Marla bloosde, en keek toen met een adorerende glimlach naar John.

'Jij bent ook mijn beste vriend.'

'Neem dat terug!' eiste Bob. '*Ik* ben je beste vriend.'

'Dat geloof ik niet,' zei Marla.

'Bob, je hoeft je vrouw niet voor mij te verlaten. Want ik *ben* je vrouw...' zei Sylvie hardop, terwijl ze probeerde haar speech tegen Bob voor te bereiden. Ze sloeg linksaf op Courtland en probeerde het opnieuw. 'Bob, ik weet dat je van me houdt, maar weet je wel hoeveel je van je vrouw houdt?' repeteerde ze, en begon toen te giechelen.

Sylvie voelde zich triomfantelijk toen ze over de oprit van haar huis reed. Ze vond het tijd worden om een eind te maken aan de charade. Ze moest met Bob verder, de klap verzachten voor Marla, en – om het maar ronduit te zeggen – zorgen dat Bobby – Bob – zijn belofte nakwam. Ze remde en zette Schuberts Negende Symfonie af, die ze luid op de stereo had gespeeld.

Ze holde naar de deur, de hal in en de trap op. Ze kon Phil en Rosalie nog steeds horen ruziën, terwijl ze bezig waren de ravage in de keuken op te ruimen. Die twee konden gewoon niet buiten elkaar. Op de overloop kwam ze haar moeder tegen. Mildred zat op de onderste twee treden, haar kin steunend op haar handen. 'Ik dacht wel dat je terug zou komen,' zei Mildred. 'Ik ben met de kinderen naar de bioscoop geweest. Ik heb hun vriendjes voor vannacht naar een hotel gestuurd.'

'Dank je, mam. Waar is Bob?' vroeg Sylvie. Mildred knikte naar de eerste verdieping. 'Hij heeft me ten huwelijk gevraagd,' zei Sylvie stralend.

Met moeite kwam Mildred overeind. Ze zuchtte. 'Laat me dit even duidelijk stellen: hij laat jou in de steek voor... jou?'

'Precies!'

Mildred ging weer zitten. 'Gefeliciteerd – denk ik. Je bent de eerste vrouw in de hele geschiedenis die van twee walletjes kan eten. Romantiek *en* zekerheid...' Ze keek naar haar dochter. 'Maar je vader zal niet betalen voor een tweede huwelijk,' ging ze verder. 'En je kunt boven weleens voor een paar verrassingen komen te staan.' Ze gebaarde naar de slaapkamers boven.

Sylvie giechelde weer en liep snel de rest van de trap op, gevolgd door Mildred. Sylvie voelde zich geweldig, beter dan wanneer ze de loterij zou hebben gewonnen. Maar toen ze de slaapkamer binnenkwam, was het eerste dat ze zag Marla, naakt en in bed met Bob.

'O, mijn god!' Ze zweeg, keek naar hen beiden en toen om zich heen in de kamer. 'Wie heeft mijn meubels verplaatst?'

'Wat doe *jij* hier?' vroeg Bob aan Sylvie.

'Ik kom om het je haar te horen vertellen.'

'Me wat vertellen?' vroeg Marla.

'Ik kan het niet, Marla. Ik kan het gewoon niet,' zei Bob tegen Sylvie.

'Wat kun je niet?' vroeg Marla in bed.

Sylvie kon haar oren niet geloven! Hij krabbelde terug? Na wat ze samen gedaan hadden? En wat had hij net met Marla in bed gedaan? 'Wat?!' riep Sylvie uit. Ze had het gevoel dat ze hysterisch zou worden; als ze een machinegeweer had gehad, zou er nu bloed op de muren zitten. 'Na vanavond? Na... wat je beloofd hebt?' Natuurlijk, bedacht ze, zei Bob dat hij haar, zijn vrouw, niet wilde verlaten, maar... Sylvie stond aan het voeteneind van haar eigen bed, zo verward en gefrustreerd, dat ze het bijna uitschreeuwde.

'Marla,' zei Bob tegen haar, 'toen ik Sylvie in bed zag met een andere man... nou ja, toen realiseerde ik me de waarheid. Ik hou van haar. Ik hou van mijn vrouw.' Bob keek naar Sylvie en haalde verontschuldigend zijn schouders op. 'Ik hou van mijn vrouw.'

'Ik *ben* je vrouw, idioot!' schreeuwde Sylvie. Ze boog zich over het bed heen naar Bob en gaf hem een klap in zijn gezicht. Ze deed een stap achteruit en draaide zich om naar Marla. 'En met wie lag jij in bed, sloerie?'

Op dat moment kwamen Phil, Jim en Rosalie de kamer binnen. 'Wat is hier in godsnaam aan de hand?' vroeg Jim. 'De kinderen zijn bang. Ik vind dat je naar beneden moet gaan om met ze te praten...' Hij zweeg en zag de twee Sylvies. 'Hé, wat heeft dit te betekenen?'

'Ik weet het niet zeker, maar het is beter dan tv,' merkte Mildred op.

Bob wreef over de rode plek op zijn wang. 'Ik weet dat ik dat verdien,' zei hij.

'Ik kan niet geloven dat jullie me dit aandoen,' zei Sylvie tegen Marla en Bob, de anderen in de kamer negerend.

'Maar het is niet wat je denkt,' protesteerde Marla.

Bob staarde naar Marla, die naast hem in bed lag. 'Waarom verontschuldig je je tegenover haar?' vroeg hij aan Marla. Beide vrouwen negeerden hem.

'O, je ligt naakt in bed met mijn man en het is niet wat ik denk,' zei Sylvie tegen Marla.

Toen pas bewoog de deken. Voorzichtig kwam John met zijn hoofd onder de deken vandaan. Geschokt draaide Jim zich om en liep de kamer uit. Sylvie viel bijna flauw. John keek van Sylvie naar Marla. 'O, mijn god! Ik ben nuchter en toch zie ik dubbel. Wat is er in vredesnaam aan de hand?' vroeg John aan Marla. Toen keek hij weer naar Sylvie. 'Wie ben jij?' vroeg hij. Hij keek weer naar de vrouw naast hem. 'Of wie ben *jij*?'

Diep geschokt liep Sylvie weg van het bed met de ménage à trois. Alsof ze ongedierte waren dat kon bijten, sprong ze op de bank. John lag in haar bed. *John.* Ook hij keek geschokt, het walgelijke reptiel. Hij staarde naar de twee vrouwen en toen naar Bob. 'Je hebt me nooit verteld dat je vriendin als twee druppels water op Sylvie lijkt.'

Alsof er boven een lampje was gaan branden, zag Sylvie dat Bob eindelijk begon te beseffen dat er iets... iets heel heel erg mis was. 'Wat voor de...' Hij keek naar Sylvie. 'Marla?' Hij draaide zich om en keek naar Marla naast hem. 'Sylvie?' vroeg hij zwakjes.

'Probeer het nog eens,' zei Sylvie op koele toon aan het voeteneind van het bed.

'Mijn god,' fluisterde John.

'Wat voor de... jullie tweeën...' stotterde Bob.

'Bedrog. Vrouwen zijn niets anders dan bedrog,' zei Phil.

'En dat van een man die tegen vrouwen zegt dat ze alleen met hem op de achterbank een proefrit kunnen maken,' snauwde Rosalie terug.

'Dat heb ik gehoord!' riep Jim vanuit de gang tegen zijn zoon. 'Dat gaat te ver! Je komt niet meer op de zaak!'

'Best. En de perfecte Bob?' vroeg Phil. 'Wat doet je brave zoontje binnen?'

Bob slikte. 'Ik... ik wist het niet... John, dit is Marla... maar ik zal niet vergeten dat *jij* dacht dat ze mijn vrouw was,' zei Bob. Hij keek weer naar Sylvie. 'En ik vergeef je, Sylvie. Je hebt ervoor gezorgd dat ik weer helemaal opnieuw van je ben gaan houden.'

Sylvie kon het niet geloven. *Dit* reptiel had het over *haar* vergeven? Hij was krankzinnig. Intussen hadden de twee andere gestichtbewoners het druk. Marla stak haar hand uit naar John. 'Hoi! Leuk je te leren kennen.'

John pakte haar hand. In plaats van die te schudden, hield hij hem alleen maar vast. Sylvie wilde dat ze in een of ander Arabisch land leefde, waar ze de handen van mannen afhakten. John staarde vol adoratie naar Marla – miss Alternatieve Geneeskunde. 'Marla? Heet je echt Marla?'

'Eigenlijk heet ik Susan. Ik heb mijn naam veranderd omdat ik Marla meer sexy vond,' bekende ze. 'Maar dat was voordat Donald haar in de steek liet,' voegde ze eraan toe.

'Je heet Susan?' snauwde Sylvie tegen Marla. 'Vertel je dan helemaal *nooit* de waarheid?'

'Ja. Van nu af aan wil ik eerlijk zijn. Ik wil geen halve waarheden meer – tenzij ze absoluut juist zijn,' zei Marla.

'Je had het mij kunnen vertellen,' zei John zacht. 'Ik zou het begrepen hebben.'

'Sorry. Ik wilde iets... echt, echt echts hebben,' zei Marla. 'Is dat zo verkeerd?'

'Mijn god! Wat *is* dit allemaal?' riep Sylvie uit.

Mildred, die zich niet langer kon beheersen, haalde haar schouders op en wendde zich tot Sylvie. 'Het is beslist niet je traditionele Thanksgiving,' zei ze.

'Je wist het niet? Ben je blind of stompzinnig?' vroeg John aan Bob.

'De antwoorden op beide vragen zijn ja en ja,' zei Sylvie. 'Maar, John, wat ben jij? Hoe kon je? Hoe kon je seks hebben met... mij?'

'Ik heb altijd van je gehouden, Sylvie,' zei John simpel. Toen draaide hij zich verward om naar Marla. 'Eh... Marla?'

Sylvie concentreerde haar woede nu op de liegende, bedriegende, kleine sloerie. 'Was het niet genoeg dat je met mijn man naar bed ging? Moest je ook nog zo nodig met mijn beste vriend vrijen?' snauwde ze.

'Hij is *mijn* beste vriend!' schreeuwde Bob over Marla's hoofd heen.

'Niet meer!' schreeuwde John terug.

'Hoor eens. Er is een simpele verklaring,' kwam Marla tussenbeide. Ze keek naar Sylvie. 'Bobby wilde niet met me vrijen. Ik moest íets doen.'

Sylvie keek weer naar Bob, die onbeweeglijk bleef zitten, met permanent openhangende mond. Ze haatte hem. Hij was verachtelijk, de laagste levensvorm. *'Jij* bent de schurk. Ik wilde je, maar je reageerde niet. Toen ik erachter kwam waarom –' Ze wees naar Marla, *'–ik* had geen seks met John.' Sylvie richtte haar aandacht weer op Marla. *'Of* met de rest van de mannen in Cleveland, Ohio,' ging ze verder.

'Oké. Ik heb alles verkeerd gedaan, zoals altijd,' zei Marla. Ze begon te huilen. 'Ik spring van de brug.' Marla stapte uit bed en probeerde de deken mee te nemen, wat haar niet helemaal lukte. Bob en John, beroofd van hun bescherming, klemden een kussen tegen zich aan om hun edele delen te bedekken.

'Wacht. We moeten praten,' zei John tegen Marla toen ze met de deken achter zich aan slepend door de kamer liep.

'Oké. Luister. Dit zijn jullie marsbevelen,' zei Sylvie, die probeerde de zaak in de hand te houden. 'Marla, ga weg. Niet omdat je met mijn man hebt geslapen, of met John, mijn vriend, mijn arts en mijn steun voor het geval Bob me in de steek zou laten.' Ze haalde diep adem. 'En spring niet van de brug.' Ze keek naar John. 'Jij ook, verrader,' zei ze.

'Ik was niet van plan om van de brug te springen,' zei Marla.

'Nou, misschien zou je er eens over moeten denken! In ieder geval, ik bedoelde alleen maar dat je weg moet gaan.' Ze draaide zich met een ruk om naar haar moeder. 'De voorstelling is afgelopen. Je had gelijk, zoals altijd. Willen jullie nu alsjeblieft allemaal naar beneden gaan?' Sylvie kwam van de bank af, maar niet van haar zeepkist. Ze bleef met over elkaar geslagen armen staan. Ze voelde zich intens bedrogen.

Mildred knuffelde haar, keek haar even veelbetekenend aan en liep toen de deur uit. Marla greep haar kleren en met een laken tegen haar borst geklemd, liep ze naar Sylvie toe. 'Hier,' zei ze, en gaf Sylvie de ring van Cartier terug. 'Dank je,' zei ze, 'maar ik krijg nu mijn eigen ring van John.'

John trok de deken om zich heen en ging weg zonder Sylvie in de ogen te kijken. Alleen Bob bleef over, naakt op het bed, een kussen op zijn kruis.

'Sylvie? En ik? Ik weet dat ik verkeerd heb gedaan, maar je hebt me wakker geschud. Dat was passie, wat wij voelden was liefde.'

Sylvie liep naar hem toe en rukte het kussen weg. 'Ik heb Kleine Bobby weleens eerder gezien,' zei ze vals. 'Een uur geleden was je niet zo preuts. Ga weg.'

'Weg? Uit huis?'

'Uit mijn *leven*. Ik heb gegeven, Bob... mijn hele leven met jou was alleen maar geven.'

'En dat maakte me gelukkig. Ik hou van je. Ik... vergat het alleen maar.'

'Tot op dit moment,' zei Sylvie, hem de rug toekerend.

Bob worstelde zich in zijn onderbroek, stond op en kwam naar haar toe. Hij legde zijn hand op haar schouder, maar ze deinsde achteruit. 'Dus ik verlies alles wat ik liefheb omdat ik een relatie had?'

Ze knikte en bleef met haar rug naar hem toe staan. 'Zo zie ik het, ja.'

'Je hebt net gezegd dat je met me wilde trouwen,' zei Bob wanhopig.

'Dat was toen ik *haar* was,' bracht Sylvie hem in herinnering. Ze draaide zich naar hem om. 'Maak je geen zorgen. Waarschijnlijk zou ze het nog steeds willen.' Bob zag doodsbleek, zijn paar sproeten tekenden zich donker af tegen zijn witte gezicht. Hij was verpletterd. Haar plan had gewerkt. Hij was een stommeling, een clown, een leugenaar. Hij kon geen woord uitbrengen. Sylvie bleef uiterlijk kalm, bewoog zich niet, zei niets, en haalde zelfs geen adem tot hij de kamer uit was. Toen liet ze zich dwars op het bed vallen.

32

Uren later was de familie, zich nu allemaal bewust van de crisis, bijeen in de eetkamer. De studentengasten waren vertrokken, op voorstel van Mildred en met extra auto-en-motelgeld van Jim. Nu zaten de tweeling en de rest gebogen over de Thanksgivingtafel. Die was even gedecimeerd als zijzelf. Het laatste uur of zo hadden ze pompoentaart gegeten, omdat Marla er een eindeloze voorraad van leek te hebben achtergelaten. De hele familie was aanwezig, behalve natuurlijk Bob en Sylvie. Zij was de afgelopen twee uur in de slaapkamer gebleven. Maar ze stopten allemaal met eten, vorken in de lucht, toen ze haar op de trap hoorden. Toen Sylvie binnenkwam wreef ze nog steeds in haar gezwollen ogen.

'Is er nog taart over?' vroeg ze kalm.

Zonder iets te zeggen sneed Mildred een grote punt voor haar af, terwijl Jim zijn bord naar haar toe schoof. 'Hier, lieverd, neem mijn stuk taart maar.'

Zonder iets te zeggen ging Sylvie zitten en pakte een lepel. Wat bleef er op dit moment eigenlijk anders over, dacht ze, dan vet en koolhydraten te combineren? Haar leven was geruïneerd. Aller ogen waren op haar gericht. De tweeling wist blijkbaar dat er iets aan de hand was, maar gelukkig waren hun de details bespaard gebleven. 'Dank je, paps,' zei Sylvie en gaf hem een klopje op zijn hand.

'Mam, hebben jij en paps –' begon Reenie, maar ze werd in de rede gevallen door Kenny.

'Ze blijven van ons houden en ze zullen allebei naar onze diplomauitreikingen en huwelijken komen...' zei hij op de vals oprechte toon van een acteur uit een speciale naschoolse voorstelling. 'Alleen... ieder apart.'

'O, kinderen...'zei Sylvie, op het punt hen gerust te stellen, maar toen besefte ze dat ze niets had om hen over gerust te stellen.

'Waar ik nooit achter ben gekomen: waar gaat de liefde naartoe als hij weggaat?' vroeg Reenie. 'Ik bedoel, Brian zei dat hij van me hield, maar –' ze zweeg. 'Gisteren hield ik van hem.'

De telefoon ging. Phil sprong op om hem aan te nemen. Rosalie kwam naast hem staan. Hij begon te mompelen tegen zijn ex-vrouw. Sylvie kon hun intense gefluister horen. 'Je mag het haar niet vertellen,' hoorde ze Rosalie aandringen.

'Ze zal het willen weten, Rose.'

'Ga je gang dan. Maar ze zal hem niet willen spreken, en als ze dat doet, is ze een watje.'

Eindelijk liet Mildred haar stem horen. 'Wie is het?' vroeg ze, maar Sylvie wist het al.

'Het is Bob,' zei Phil uit zichzelf, op quasi-achteloze toon.

'Hang op – die klootzak!' snauwde Jim.

Mildred trok haar wenkbrauwen op en keek naar Jim, die even zweeg, een snelle blik wierp op zijn dochter en kleinkinderen, toen zijn hoofd liet hangen en verder zijn mond hield. Mildred keek kalm naar Sylvie en haar blik zei: 'Pas op.' Intussen hadden Kenny en Reenie hun ogen niet van haar afgewend. Sylvie vroeg zich af welke les ze zouden leren van haar reactie op dit moment. Wat moest ze doen?

Mildred stond op, nam haar bij de arm en liep met haar de gang op. 'Sylvie, dat je vader kwaad is op Bob, is nog geen reden voor *jou* om hem niet te vergeven. Ik geloof dat je je bedoeling meer dan duidelijk hebt gemaakt. De vraag is nu: hou je nog van hem?' vroeg Mildred.

'Ik heb altijd van hem gehouden,' bekende Sylvie. 'Hij negeerde me, maar ik hield van hem. Ik was kwaad op hem, maar ik hield van hem. Hij bedroog me, maar ik hield van hem.' Ze keek met kalme blik naar Mildred. 'Dát is nooit de vraag geweest. De vraag is meer: hield hij van mij? Ik wil hem niet terug om zijn moeder te zijn, hem te eten te geven, zijn was te doen, of zijn verdomde manchetknopen te sorteren. Ik wil hem alleen maar terug omdat hij van me houdt. Meer dan van wat of wie ook.'

'Hé, ik heb een man aan de lijn die staat te wachten,' gilde Phil.

Mildred haalde haar schouders op. 'Laat hem maar wachten,' gilde ze terug. Ze richtte zich weer tot haar dochter. 'Vergeet niet, Sylvie, mannen zijn anders dan wij. Ze zijn niet echt menselijk. Ze zijn... laten we zeggen, mensachtig.'

'Dat is niet waar, moeder,' zei Sylvie. Ze liep de gang door en gaf Kenny in het voorbijgaan een zoen op zijn hoofd.

'Sylvie?' vroeg Phil, gebarend naar de telefoon.

'Je telefoontje, Sylvie,' zei Mildred. 'Zal ik het voor je nemen?'

'Ik ben oké,' stelde Sylvie haar moeder gerust. 'Ik neem het in de muziekkamer,' zei Sylvie tegen Phil.

Bob zat achter het stuur van Beautiful Baby. Hij hield de mobiele telefoon tegen zijn oor. Door de dalende temperatuur kwamen er rookwolken uit zijn neus. Hij had het mondstuk vochtig gemaakt met zijn adem en hij rilde. Hij zat al heel, heel lang in de kou. Maar hij kon zich permitteren het zo lang mogelijk vol te houden. Het had hem tijd gegeven om na te denken.

Hij kon niet geloven dat hij zo stom was geweest. Wat een ezel was hij. Hij had geprobeerd wat woede te fokken over Sylvie's truc of, zo geen woede, dan toch een beetje rechtschapen verontwaardiging. Maar het lukte niet. Hij vermoedde dat hij daar trots op hoorde te zijn. Misschien was hij niet zo'n doortrapte, onverbeterlijke klootzak, als hij kon toegeven dat hij een doortrapte, onverbeterlijke klootzak wás. Hij was erop betrapt dat hij had gelogen, en hij kon Sylvie niet veroordelen omdat ze beter loog dan hij. Hij liet de gebeurtenissen van de laatste paar weken aan zich voorbijgaan en hij kreeg zó'n kleur dat hij een golf van warmte door zijn ijskoude gezicht en hals voelde trekken.

Hij schudde zijn hoofd en veegde de hoorn schoon. Hoe was het mogelijk dat hij niet had gezien dat Marla en Sylvie dubbelgangers waren? Hoe was het mogelijk dat hij de switch niet had gemerkt? En hoe was het mogelijk dat hij zo stom en zo blind was geweest dat hij zijn huwelijk en zijn gezin op het spel had gezet voor een snel avontuurtje met de jeugd? Hij kon er niet omheen, hij was vierenveertig. Geen jongere vrouw kon daar iets aan veranderen – behalve in zijn eigen meelijwekkende geest. Hij was niet jong meer, hij was van middelbare leeftijd. Hierna zou hij oud zijn. En dan zou hij dood zijn. Zo werkte dat. In tegenstelling tot de populaire opvattingen werd het verouderingsproces geen halt toegeroepen door ontkenning.

Hij rilde in het donkere interieur van de auto. Het linnen dak bood geen bescherming tegen de nachtelijke kou. Waarom had hij deze auto zo zorgvuldig gerestaureerd, en waarom bleef hij er zo hardnekkig in rijden? Het was allemaal deel van hetzelfde syndroom: de kijk-ik-bennog-jong-en-potent-ziekte. Hij had gezien hoe het bij Phil had toegeslagen en zijn leven had verwoest.

Bob zat in de belachelijke, kleine, ijskoude auto en dacht eraan hoeveel hij van Sylvie hield en hoe hij was vergeten hun leven te waarderen. Niet Sylvie had de middelbare leeftijd bereikt, maar hij. Zij was nog steeds spontaan, hield nog steeds van haar muziek, was er nog steeds klaar voor om te reizen en opwindende, maffe dingen te doen. Zelfs die switch bewees hoe creatief, hoe talentvol ze was. Alleen in de duisternis, wachtend aan de telefoon, bloosde Bob opnieuw. Hij dacht aan de geheimen die hij voor haar verborgen had gehouden en die ze nu kende. Hij dacht eraan hoe hij met haar gevrijd had bij Marla thuis, hoe opwindend en ontroerend het was geweest, en hoe stom het van hem was dat hij haar toen niet gekend had. Werd in de bijbel niet gezegd – Abraham 'kende' Sara, – als er gesproken werd over seks? Hij had haar niet gekend. En waarschijnlijk had hij zijn leven onherstelbaar verwoest. Hij keek naar de telefoon en, onwaardig als hij was, mompelde hij een gebed.

Sylvie liep naar de muziekkamer en deed de deur achter zich dicht. Ze had geen haast. Wat kon ze zeggen? En wat kon Bob zeggen om het allemaal goed te maken? Ze deed het licht buiten aan, maar liet de kamer donker. Het uitzicht door de tuindeuren was magisch. Het grasveld zag wit van de rijp en glansde in contrast met de inktzwarte heesters. Sylvie ging achter de piano zitten, zoals altijd als ze blij was of zich ellendig voelde. Ze begon een nocturne te spelen. Na een paar ogenblikken haalde Sylvie diep adem en nam toen de telefoon op.

'Wat wil je precies?' vroeg Sylvie.

'Sylvie?' Bobs stem klonk verbaasd, alsof hij niet verwacht had dat ze daar zou zijn. Waarom zou ze ook?

'Ja, met mij,' zei ze. Ze hield de telefoon tussen haar oor en schouder en speelde verder, steeds langzamer en met zwaardere akkoorden. 'Wat wil je?' herhaalde ze.

'Ik wil jou,' zei Bob. 'Ik weet dat het ongehoord is om dat te zeggen, en waarschijnlijk is het onmogelijk, maar je vroeg het en ik vertel het je.' Bobs stem klonk hees, alsof hij gehuild had. Nou, zij had meer dan genoeg gehuild, dacht ze. 'Sylvie, nu ik bezig ben alles te verliezen, zijn de dingen plotseling heel erg duidelijk geworden,' zei Bob.

'Ik denk dat ze dat altijd zijn aan het eind,' zei Sylvie.

'Ik hield niet van haar, Sylvie. Ik kende haar zelfs niet.'

'Behalve in vleselijke zin,' bracht Sylvie hem in herinnering. Haar vingers struikelden over de toetsen. De telefoon deed pijn aan haar nek.

'Ik weet nu dat ik van jou hield, van mijn verleden, de tijd die ik met jou had toen we nog jong waren en alles zo mooi en goed was,' zei Bob. 'Dát was wat ik wilde, niet háár.' Hij zweeg even. 'Sylvie, ik had niet eens de gelijkenis tusen jullie gezien. Niet bewust. Ik weet dat het ongelooflijk is. Maar ik denk dat het –'

Sylvie hoorde de twee piepen van een ander telefoongesprek. 'Kun je een minuutje aan de lijn blijven?' vroeg Sylvie en drukte de knop met het knipperende lichtje in zonder op Bobs antwoord te wachten.

'Sylvie? Met Marla. Ik bedoel, Susan.'

'Wat wil *jij*?' vroeg Sylvie.

'Ik wilde je alleen even bedanken. En om het je als eerste te laten weten: John en ik zijn verloofd.'

'*Verloofd?* En Nora dan?'

'Wie is Nora?'

'Laat maar.' Iedereen was gek geworden, dacht Sylvie, inclusief zijzelf. 'Mijn beste wensen,' bracht Sylvie eruit. John ging met dat meisje trouwen? Hij mocht haar hebben. Misschien had haar moeder gelijk – mannen waren niet meer dan mensachtigen. 'Feliciteer hem van me,' ging Sylvie verder.

'Jij bent de enige ter wereld die ooit haar belofte aan mij heeft gehouden,' zei Marla – of Susan.

'Laten we hopen dat het een nieuwe trend is,' zei Sylvie. 'Ik moet ophangen.' Ze drukte de knop in van de lijn met Bob.

'Sylvie, ben je daar nog?' vroeg hij.

'Ja.' Dat was alles wat ze zou zeggen; ze zou hem het woord laten doen.

'Sylvie, je moet naar me luisteren,' ging Bob verder. 'Ik heb altijd van je gehouden. Ik geef toe dat ik het een tijdje vergeten was, maar het *is* zo. We hadden vaker samen moeten spelen. Muziek, en andere dingen. We vormden vroeger toch een goed team?'

Ze knikte, al wilde ze het niet hardop toegeven. Beiden zwegen even.

'Jij hebt gegeven. Ik kan ook geven. Ik zou alles voor jou kunnen opofferen, Sylvie.'

'Dat betwijfel ik eigenlijk,' zei Sylvie. Ze liet één traan over haar wang rollen. Ze had hier al genoeg over gehuild, maar het leek alsof die ene traan al haar verdriet en verbittering belichaamde. Hij kietelde op haar wang, maar ze wilde hem niet wegvegen. 'Je hebt me echt verdriet gedaan,' zei ze. 'Dat was niet netjes van je.'

'Ik weet het. Je hebt gelijk. Je hebt je beter gedragen dan ik,' erkende Bob. 'Vergeef me.'

Hij was ongelooflijk. Dat waren alle mannen. Kon hij het dan niet begrijpen? 'Bob,' zei Sylvie, 'je hebt mijn vertrouwen in je vernietigd.'

'Maar ik...'

Sylvie wilde niets meer van hem horen. Tenminste niet tot zij het er allemaal had uitgegooid. Want zelfs al kon hij het niet begrijpen, hij moest beseffen hoeveel pijn en verdriet ze had. 'Je vrijde met je maîtresse. Je bedroog me en ik was erbij. Ik was *haar*. Herinner je je nog je handen op de achterkant van mijn hals, en de manier waarop je mijn schouder omlaagdrukte? Je omarmde *mij*, je zoende *mij*.' Een zacht verdrietig geluidje ontsnapte haar, maar ze wilde niet huilen.

'Sylvie, ik wist het niet, ik...'

'Bob, er is zoveel dat je niet wist. Je wist niet dat Marla mijn dubbelgangster was. Je wist niet dat ze een echt mens was, en dat je haar verdriet deed, *haar* bedroog. Je wist niet dat je nog steeds van me hield. Je wist niet hoe ik naar je verlangde. Je wist ook niet dat ik zo kon vrijen. Het was perfect. Wij tweeën waren perfect. Behalve dat je niet eens wist dat het wij tweeën waren. Je hebt me al heel lang onderschat. Ik ben geen wasexpert. Geen genie met de Electrolux. Ik was niet alleen de moeder van je kinderen en je huishoudster.' Weer ontsnapte haar een zachte kreet, maar ze ging dapper verder. 'Ik ben een fantasievolle, avontuurlijke, gepassioneerde vrouw, en jij beschouwde me als vanzelfsprekend. Jij... jij... o, Bob, je bent een stomme hond!'

'Ik heb geen excuus,' zei hij. 'Ik ben een klootzak. Maar... ik heb meer fouten gemaakt die me pijn doen. En dat wist ik ook niet. Ik gaf mijn muziek op,' zei hij. 'Ik denk dat ik daarom een wrok tegen je ging koesteren. Ik begon jou de schuld te geven, de kinderen, Jim. Maar ik was het zelf, Sylvie. Ik had het zelf gekozen. Ik voelde me veilig in mijn routine. Rancuneus, maar veilig.' Sylvie hoorde dat hij naar adem snakte. Ze vroeg zich af waarvandaan hij belde, maar wilde het niet vragen. 'Ik ben nooit zo openhartig, zo eerlijk tegenover mezelf geweest als jij,' ging Bob verder. 'Ik kende mijn beperkingen niet en ik kende mijn kracht niet.' Er viel een lange stilte. 'Sylvie? Wanneer sta je me toe om te proberen het goed te maken?'

Sylvie stond op, liet de pianokruk in de steek en draaide de rest van de kamer haar rug toe. Wat moest ze zeggen? Ze staarde door het raam naar de lege achtertuin. Bob was nu een wanhopig mens. Zou hij nu niet álles zeggen? En hoelang zou dát duren? 'Ik weet het niet. Misschien als je geleerd hebt dat vagina's verbonden zijn met het hart. In tegenstelling tot penissen.' Ze zweeg. 'Misschien zal ik nooit meer in staat zijn je te vertrouwen,' bekende ze.

En toch ging haar hart naar hem uit, naar de man die haar zo teder had omarmd en liefgehad – in het bed van een andere vrouw. Maar Sylvie was niet van plan het Bob gemakkelijk te maken. Ze zou niet zwak worden. Hij kon nu wel veel beloven, maar wat zou hij werkelijk voor haar opgeven? Hoe kón hij dit ooit goedmaken? Zou de dwangmatige, gesloten man die hij bij haar was geworden ooit veranderen? Sylvie wilde niet alleen verder. Ze wilde het gezin niet verbreken, maar ze was niet bereid om op dezelfde manier verder te leven als tot nu toe. 'Dag, Bob,' zei ze, en hing op.

Sylvie stond in de duisternis van haar muziekkamer met de zwijgende telefoon in haar hand. Was haar huwelijk voorbij? Als dat zo was, dan zou ze de rest van haar leven alleen blijven zonder iemand om van te houden. Ze wilde dit niet nog eens doormaken. Moest ze haar verleden en haar huwelijk opgeven? Had ze een keus? Wat Bob had gedaan was pijnlijk en vernederend voor haar. Maar Sylvie had gehoord wat hij zei en wist, misschien door eigen wijsheid, misschien door die van haar moeder, dat ze zijn indiscretie niet persoonlijk moest opvatten. Niet omdat ze een watje was, niet omdat ze te 'aardig' was om hem aan het lijntje te houden, niet omdat het gemakkelijker was om hem te vergeven. Zelfs niet omdat ze terugverlangde naar die ogenblikken van passie – al was dat wél zo. Ze besefte dat ze Bob kon vergeven omdat hij, zoals zoveel mannen, vaak geen idee had wat hij aan het doen was, voor het in feite gebeurd was. Ze geloofde dat het niet zijn bedoeling was geweest haar verdriet te doen, en dat iemand uitzoeken die zoveel op haar leek, in feite meer dan iets anders een manier was geweest om hun verleden te doen herleven. Oké, het was een stomme, belachelijke manier en het had weinig succes gehad. Het had bijna hun beider leven verwoest, en misschien het leven van hun kinderen beschadigd, maar het was niet zijn bedoeling geweest dat dit zou gebeuren.

Bob was geen intrigant of manipulator. Op zijn best was hij een emotionele kluns, en, dacht ze, dat kon ze hem vergeven. Bijna elke vrouw was slimmer ten opzichte van haar gevoelens dan de slimste man ten opzichte van de zijne, maar omdat ze liever met een man leefde en naar bed ging, zou ze de beperkingen van de mannen moeten accepteren. Hij had haar gekwetst, hij was onbezonnen geweest, maar hij zou het beslist niet nog eens doen. Misschien kon ze hem vergeven. Ze zou het niet persoonlijk opvatten; ze zou het nemen als in groepsverband.

Op dat moment trok een dansend licht tegen de muur haar aandacht. Was het een lantaarn? Wat was... Ze draaide zich om, in de verwachting Rosalie voor de tuindeuren te zien staan. Maar zij kon het niet zijn. Ze was in de eetkamer. Sylvie draaide het buitenlicht uit, in de hoop beter te kunnen zien waar die dansende lichtvlekken vandaan kwamen.

'O, god!' schreeuwde ze. Koplampen kwamen op haar af. De gangdeur vloog open. Iedereen kwam de eetkamer uit gehold.

'Dit geloof ik niet!' zei Reenie.

Sylvie en de rest van de familie liepen naar de tuindeuren.

'O, hemel!' riep Mildred uit.

'Toe dan, paps!' juichte Kenny.

'De auto! De auto!' schreeuwde Jim vol afschuw.

Sylvie bleef doodstil staan, vervuld van een allesoverheersende blijdschap. Ze hield haar adem in. Zou hij het doen? Zou hij voor haar tot het uiterste gaan?

Mildred draaide de lichten van het zwembad aan. 'Er bestaat een God,' zei Mildred, 'en Zij is goed en barmhartig.'

Sylvie keek toe terwijl Beautiful Baby de rand naderde en zonder vaart te minderen, zelfs zonder een moment van aarzeling, over de rand, in het zwembad dook. De tweeling krijste. Jim kreunde. De familie wilde als één man de tuin in lopen, maar Mildred hield hen tegen.

'Laat je moeder alleen gaan,' zei ze tegen de tweeling.

Sylvie liep naar buiten. Ze rende over de patio, toen door de tuin, naar het zwembad. Bob kwam te voorschijn en klom langs de ladder omhoog toen Sylvie eraan kwam. Hij rilde van de kou. 'Ik zou alles voor je doen,' hijgde hij. Sylvie bleef even aarzelend op de rand staan. 'Alsjeblieft, Sylvie,' smeekte Bob. 'Vergeef me. Laat het me nog eens proberen. Laten we weer duetten spelen.'

'Ik weet het niet. Het zou lang duren voor ik je weer zou vertrouwen.'

'Ik zal je alle tijd geven die ik nog overheb. We zullen op een cruise gaan. We zullen dansen, alleen thuis, op de muziek van de radio.' Hij keek haar aan, kennelijk wanhopig. Hij klappertandde, zijn lippen zagen blauw van de kou. 'We pakken die bus en rijden het land door.' Sylvie keek hem alleen maar aan. 'Zeg iets,' smeekte Bob. 'Wat dan ook. Zeg dat je het in overweging zult nemen. Zeg me dat er een heel geringe kans is dat je me zult vergeven. Sylvie, alsjeblieft. Zeg me wat ik moet doen.'

Sylvie glimlachte ondeugend naar de enige man van wie ze ooit had gehouden. Hij zou echt heel erg zijn best moeten doen. En zelfs dan... Maar intussen zou ze meer van die geweldige seks krijgen. Ze zou worden geadoreerd, en als hij zou ophouden met haar te bewonderen, als hij haar weer als vanzelfsprekend zou gaan beschouwen, dan... 'Alsjeblieft, Sylvie. Alsjeblieft. Zeg iets. Geef me een hint.'

'In vier woorden: ga mee naar Maui,' zei ze.

Toen Bob zijn armen om haar heen sloeg, slaakte ze een zachte kreet, zowel van de kou als van zijn koesterende warmte. Hij zoende haar, innig en hartstochtelijk. Achter haar hoorde ze de tweeling, Mildred, en zelfs haar vader, applaudisseren. Maar al heel gauw, toen Bobs koude lippen zich op de hare persten, hoorde ze niets anders dan hun beider hartslag.